Region und Sozialisation

Beiträge zur sozialökologischen Präzisierung menschlicher Entwicklungsvoraussetzungen

herausgegeben von Heinz Walter

Band II

problemata
frommann-holzboog 82

Herausgeber der Reihe »problemata«: Günther Holzboog

CIP-Kurztitelaufnahme der Deutschen Bibliothek

Region und Sozialisation:
Beitr. zur sozialökolog. Präzisierung menschl. Entwicklungsvoraussetzungen
hrsg. von Heinz Walter. –
Stuttgart-Bad Cannstatt
frommann-holzboog.

NE: Walter, Heinz [Hrsg.]

Bd. 2. – 1981.
(problemata ; 82)
ISBN 3-7728-0753-4 (Br.)
ISBN 3-7728-0752-6 (Ln.)

Satz und Druck: Rems-Druckerei Sigg, Härtel & Co., Schwäbisch Gmünd
Bindung: Verlagsdruckerei Otto Zluhan, Bietigheim

Alltägliches Leben von Kindern und Jugendlichen findet in begrenzten Räumen statt: im Altstadtviertel, in der Trabantensiedlung einer Großstadt, auf dem Dorf, anderswo. Charakteristika dieser lokalen Umwelten bedeuten Lernvoraussetzungen für Heranwachsende. ,,Region und Sozialisation" versammelt Versuche aus verschiedenen sozialwissenschaftlichen Disziplinen, arealspezifische Bedingungen menschlicher Entwicklung zu begründen, empirisch zu ermitteln und in ihren Konsequenzen zu analysieren.

Der Reader setzt damit Bemühungen fort, denen es um die Analyse konkreter Sozialisationserfahrungen ging und geht. Deren Ausgrenzung wird hier jedoch im ersten Schritt ,,lokal", ,,regional" vollzogen; dies in der Hoffnung, darüber Mängeln und Gefahren alternativer Zugänge – insbesondere der ,,schichtspezifischen Sozialisationsforschung" – zu begegnen: Künstlichkeit und Simplifizierung, Blickverengung und Reifizierung.

Die von den einzelnen Autoren(-gruppen) eingeschlagenen Wege sind von erheblicher Vielfalt; nicht nur hinsichtlich der vertretenen theoretischen Positionen, sondern vor allem auch hinsichtlich des methodischen Vorgehens: mit und ohne Konzentration auf spezifische Aspekte menschlicher Entwicklung, Fallstudien und systematisch vergleichende Ansätze, heterogenste Strategien der Informationsbeschaffung und -verarbeitung.

Die Einleitung des Herausgebers in Band I will den übergeordneten Rahmen abstecken, das gemeinsame Anliegen akzentuieren; arbeitet aber auch das Spezifische der einzelnen Beiträge heraus.

The daily life of children and juveniles takes place in a limited space, i.e. in downtown areas, in suburbia, in a small town or village community, or elsewhere. Socialization of young people is influenced by certain features of these local environments. "Region and Socialization" is a collection of contributions from various social science disciplines which attempt to establish, to describe and to analyse these spatially specific conditions of human development.
The reader thus continues work attempting to define the concrete manner in which people come to be socialized. The dominant thing focused on, moreover, is the regional and local perspective. So to a certain extent the point of view taken in these volumes can be distinguished from the conventional class-oriented one which is often guilty of over-simplifying and distorting, of stereotyping and reifying.
The various authors represented here have adopted widely divergent approaches, not only with respect to their theoretical positions but also in their methodology: e.g. working with or without concrete aspects of development in mind, doing case studies or systematic comparative work, using highly different strategies of collecting and processing information.
The editor's introduction in volume I aims at staking out a common framework and outlook in respect to theory and research. It also points out some characteristics of each contribution.

Inhalt

BAND II

BAND I

Vorwort: Zur Orientierung über das Anliegen des Readers

> Das Viertel ist in den vergangenen acht Jahren auf die grüne Wiese, auf Äcker betoniert worden. Ringsum freies Feld. Abgestufte, bis zehn Stockwerke hohe und mehrere hundert Meter lange Häuserzüge. Aber was heißt in diesem Zusammenhang Haus. Baukörper müßte man sagen. Breite, rechtwinklig sich kreuzende Straßen. Innenhöfe, so groß wie Fußballfelder. Autos über Autos. Wenn du da durchgehst, hast du nicht den Eindruck, das könnte Heimat sein. Wenn du die öden Spielplätze, die siechen Baumkarikaturen, die sinn- und nutzlosen Grasplätze vor dem Hintergrund der Wohnungen siehst, wenn du weißt, daß die vielen Kinder nur im verdreckten Sand spielen oder mit den Kettcars auf und ab fahren können, daß sie, älter geworden, nicht viel mehr als der Fernseher erwartet, (. . .) fragst du dich, (. . .) was wird aus den Kindern, die in diesen Siedlungen aufwachsen, in dieser vollgeräumten Leere immer gleicher Gegenstände, gleicher Formen, gleicher Lebensweisen. (. . .)
> Klein-Chikago, so nennt man auf der anderen Seite der Stadt in den gepflegten Ein- und Zweifamilienhäusern des Ostviertels mit den behüteten Anlagen vor Fenstern und Türen dieses Neubaugebirge des sozialen Wohnungsbaus. Wer wohnt hier. Das Industriegebiet ist zu Fuß zu erreichen. Nach vier, wenn die Betriebe Feierabend machen, rollen überfüllte Busse ins Viertel.
> *(G. Vesper: Nördlich der Liebe und südlich des Hasses. München: Hanser 1979, 18f.)*

Was wird aus den Kindern; den Kindern aus den Villen des „Ostviertels" ebenso wie aus dem „Neubaugebirge", aus den verschiedenen Vierteln der Innenstadt ebenso wie aus dem eingemeindeten Nachbardorf? – Diese Frage steht über den zwei Bänden zum Thema „Region und Sozialisation".
Antworten in Form der beschreibenden Wiedergabe gemachter Beobachtungen, in Form Kausalzusammenhänge stiftender Hypothesen sind offensichtlich – wie u. a. durch den eben zitierten Schriftsteller in seinem Buch demonstriert – zahlreich möglich. Doch hat dies wissenschaftliche Rekonstruktionsversuche lokaler Lebenswelten und Sozialisationsumwelten nicht beflügelt; sie wurden bis vor kurzem nur in wenigen Ausnahmen unternommen.

Es sind Ausnahmen im Rahmen einer Forschung über Umweltvoraussetzungen menschlicher Entwicklung, die ihre zentrale Aufmerksamkeit bislang der Familie bzw. verschiedenen Formen intendierter und institutionalisierter Lern- und Sozialisationsprozesse widmete; daneben Einflüssen der Massenmedien; daneben mit der Berufsposition in Beziehung stehenden Einflüssen.

Zur Analyse letzterer zählt auch die Formulierung von Beziehungszusammenhängen, die bis zu vermeintlichen Verhaltens- und Orientierungskonsequenzen bei den *Kindern* der Inhaber bestimmter beruflicher Positionen reichen. Vorstellungen von entsprechenden familialen Sozialisationsmilieus dienten der kausalen Verknüpfung. Ihre Generalisierung auf zwei oder drei, ganze Gesellschaften umfassende „Schichten" steht jedoch zunehmend unter Beschuß.

Einer der Kritikpunkte ergibt sich daraus, daß alltägliche konkrete Erfahrungen – vor allem von Kindern, von Jugendlichen, ihren nicht berufstätigen Müttern – sich in Quartieren/lokalen Umwelten abspielen, die hinsichtlich der väterlichen Berufspositionen so gut wie nie völlig homogen zusammengesetzt sind; z. B. auch nicht *nur* aus Industriearbeitern (außerdem: „Industriearbeiter" ist bloß eine grobe Sammelkategorie, impliziert sehr unterschiedliche Ausbildungswege, ausgeübte Tätigkeiten etc.).

Zudem dürfte einiges mehr das alltägliche Sozialisationsmilieu mitbestimmen als die mit dem *ausgeübten Beruf* zusammenhängende „Sicht der Dinge", „Finanzkraft" oder „gesellschaftliche Wertschätzung": so – im vorangestellten Zitat besonders nahe gebracht – bestimmte architektonische Arrangements; so – es folgen nur einige Beispiele für viel mehr – die Ausstattung einer Wohngegend mit einem Kindergarten bzw. weiterführenden Schulen, Schwimmbad und Parks, das Vorhandensein von Möglichkeiten informeller und formeller Jugendtreffs; so die Altersstruktur der Quartiersbewohner; und *vor allem*: der „normative Geist", der auf all das bezogen besteht (ob z. B. der Rasen im Park betreten werden darf; ob Jugendliche ihr „Zentrum" selbst verwalten dürfen etc.).

Die Konsequenz ist die Berücksichtigung dieses „regionalen Surplus", ein regionbezogenes Recherchieren, wie es in den allerletzten Jahren auch in etwas stärkerem Maße realisiert wurde. Für uns Grund und Anlaß, Darstellungen aus einschlägigen Forschungsprojekten an einem Ort zu versammeln – um darüber die (vergleichende) Diskussion zu erleichtern, anzuregen; eine Diskussion, die u. a. zu einer „Psychologie des Großstadtkindes" führen sollte, wie sie *Elisabeth Pfeil* vor 25 Jahren forderte und für die *Martha Muchow* vor 45 Jahren bereits ein Programm und erste Befunde vorlegte[1].

1 E. Pfeil: Das Großstadtkind. Stuttgart: Klett 1955. – M. u. H. H.Muchow: Der Lebensraum des Großstadtkindes. Bensheim: päd. extra ^{2}1978 (^{1}1935).

Das verstärkte Interesse an entsprechendem Wissen, entsprechenden heuristischen Konzeptionen ist jedoch nicht ausschließlich wissenschaftsintern zu begründen: Politisch rigoros verordnete, administrativ rigoros vollzogene Änderungen sozial-räumlicher Bezüge – Gebietsreform, Stadtplanung, Altstadtsanierung – haben Bevölkerungsgruppen mit Tatsachen konfrontiert, die in ihren entscheidenden Konsequenzen für die Verordnenden wie für die Betroffenen selbst erst allmählich Konturen annehmen. Wellen des Massenexodus auf Grund kriegerischer Auseinandersetzungen und politischer Umstürze katapultieren Bevölkerungsgruppen gigantischen Ausmaßes in völlig andere Weltgegenden. Zudem gehört ein erstaunlich hohes Maß an räumlicher Mobilität zu den Hauptmerkmalen westlicher Industriegesellschaften; Mobilität, die teilweise freiwillig, zum größeren Teil aber mehr oder weniger erzwungen ist; Mobilität, von der – hier stets unfreiwillig – eine große Zahl von Kindern und Jugendlichen betroffen ist. Damit wachsen nicht nur Gastarbeiter- und Exilantenkinder sehr häufig in Situationen auf, in denen schon ihre Eltern große Orientierungsprobleme, Schwierigkeiten im Zurechtfinden haben; deshalb auch gar nicht oder nur sehr unzulänglich in der Lage sind, zwischen den Heranwachsenden und dem weiteren sozialen/gesellschaftlichen Kontext zu vermitteln.

Als ,,gesunder Normalfall" wird hingegen angesehen: ,,*Familien sind Teile sozialer Netzwerke,* sie stehen in Bezugskreisen. ‚Das soziale System 'Familie' manifestiert sich im Netzwerk der Verwandten und Bekannten-Beziehungen'" (*Pfeil* 1972, 247). Es wird davon ausgegangen, daß ,,eine der ersten wichtigen Erweiterungen des Familienhaushalts für das Kind das Territorium der Nachbarschaft" ist: ,,Hier macht das Kind wichtige Erfahrungen mit Gleichaltrigen, aber eben auch mit Erwachsenen, den Nachbarn oder, etwas weiter gefaßt, den in der Nachbarschaft Wohnenden; durch diese Erfahrungen, wie sehr sie auch immer durch die elterlichen Bezugspersonen vorselegiert sind, beginnt das Kind – zunächst eine stabil bleibende und zur Wohnung geradezu kontinuierliche – soziale Umwelt sich anzueignen. In diesem Sinne bildet die nächste Umgebung der Wohnung einen Lebensraum für das Kind" (*Göschel et al.* 1979, 42 f.)[2].

Aufgrund solcher Aussagen ahnt man ein hohes Ausmaß an nie richtig zustande gekommener oder aber gebrochener ,,lokaler Identität"; daß das unterschiedliche Vorhandensein der angedeuteten Verhältnissse auf die Entwicklung und Entfaltung Heranwachsender einen nicht unbedeutenden Einfluß ausübt.

Im Bemühen, das Ahnen durch Wissen zu ersetzen, stößt man auch in wissenschaftlicher Literatur noch häufig auf Aussagen, die eher auf persönlichen Ein-

2 E. Pfeil: Großstadtforschung. Hannover: Jänecke 1972. – A. Göschel et al.: Infrastrukturdisparitäten und Segregation. Universität Göttingen: Soziologisches Seminar 1979.

drücken und normativen Standards als auf systematischer Konzeptualisierung und Befunderhebung zu basieren scheinen. Als Kontrast dazu erlebt man die dezidierten Kriterien einer lange schon institutionalisierten Orts-, Stadt,- Regional- und Landesplanung. Wie fundiert aber letztere auch sein mögen: Vollständig werden sie erst sein, wenn auch ein vermehrtes Wissen über regionale Voraussetzungen menschlicher Entwicklung in sie Eingang gefunden hat.
Der vorliegende Reader will ein Schritt in Richtung solch vermehrten Wissens – und Problembewußtseins – sein. – Die Neuheit seiner Thematik, die noch extrem unterschiedliche ,,wissenschaftliche Beheimatung" der zu ihm Beitragenden, hat den bei Sammelbänden üblichen Aufwand für die ,,Produktion" und ihre Koordination wohl deutlich übersteigen lassen[3]. All den Genannten und Ungenannten, die diesen Aufwand mitgetragen haben, sei an dieser Stelle nachdrücklich gedankt. Mag sich ihr Engagement darüber lohnen, daß ,,Region und Sozialisation" eine lebendige Diskussion auslöst.

Konstanz, im Sommer 1980

Heinz Walter

3 U. a. aufgrund des zum Referieren vorgesehenen, aber nur in Überwindung erheblicher Schwierigkeiten beigebrachten empirischen Materials und seiner Verarbeitung gingen die Erstfassungen der Beiträge zwischen dem März 1977 und Januar 1979 ein; mit ,,Spitzen" jeweils zum dritten Quartal 1977 und 1978.

Die Gegenwart der Vergangenheit. Sozialisation in einer Arbeiterwohngemeinde

Albert Ilien und Utz Jeggle

Der vorliegende Beitrag stellt Teilergebnisse unseres zeitweilig von der Deutschen Forschungs-Gemeinschaft geförderten Projektes „Urbanisierung“ vor (vgl. A. Ilien/U. Jeggle, Leben auf dem Dorf, Opladen 1978: Westdeutscher Verlag). Es ist vor allem in methodologischer Hinsicht für die von Hermann Bausinger wesentlich geprägte Empirische Kulturwissenschaft am Tübinger Ludwig-Uhland-Institut exemplarisch und steht auch inhaltlich in deren Forschungstradition.
Unsere sozialisationstheoretischen Annahmen sind über psychoanalytische Autoren (u. a. Sigmund Freud, Otto Fenichel, Anna Freud, Heinz Kohut) hinaus insbesondere durch die Arbeiten von Alfred Lorenzer bestimmt, deren nähere Kenntnis im folgenden jedoch nicht vorausgesetzt wird.
Vor allem Carola Lipp und Wolfgang Kaschuba sowie Karen Ellwanger sind wir für ihre engagierte Mitarbeit am Projekt zu großem Dank verpflichtet. Der vorliegende Aufsatz profitierte speziell von den Alltagserfahrungen Doris Iliens in der von uns exemplarisch untersuchten schwäbischen Arbeiterwohngemeinde Hausen und der Begegnungsbereitschaft jener Hausenerin, die wir im Text „Maria Ströbele“ nennen.
Welche Rücksichten uns zur Änderung des Ortsnamens und sämtlicher Personennamen zwangen, wird aus den Darlegungen selbst, vor allem aus der angehängten Darstellung der Forschungsstufen, hervorgehen.

1. Sozialisierendes dörfliches Sozialsystem

1.1. *Hausen – eine schwäbische Arbeiterwohngemeinde*

Man stelle sich Hausen mit seinen heute genau 1293 Einwohnern mitten im schwäbischen Ländle wenn nicht gerade idyllisch, so doch hübsch in einer kleinen Talsenke gelegen vor. Im Osten und Süden bildet seinen Horizont ein bewaldeter Höhenzug, der sich zum Dorfe hin öffnet, das mit gut einem Drittel seiner 497 Hektar großen Markung in ihn hinaufreicht. Von Südwesten nach Nordosten deutet die Ache, ein kleines, aber bisweilen heftiges Flüßchen, die nördliche Markungsgrenze an, die dem Flußverlauf jedoch nur an wenigen Stellen genau folgt. Die feuchte Flußaue wird von einer Bahnlinie jenseits der Ache auf einem Damm durchquert, der Weg vom Haltepunkt über die Brücke zum Dorfkern ist etwa 10 Minuten weit. Dabei läßt man rechter Hand ,,'s Fabrikle" liegen, die Filiale eines Reutlinger Textilunternehmens, in der gut 40 Hausener Frauen zumeist halbtägig Arbeit finden.

Dies ist allerdings der einzige städtische Betrieb, der sich nach Hausen ausgelagert hat; abgesehen von mehreren kleinen ortsständigen Handwerksfirmen im Dorf finden die Hausener üblicherweise ihre Arbeit in Reutlingen, Tübingen oder dem leicht verschlafenen Städtchen, zu dessen Nummer 8 ihr altehrwürdiges Dorf seit der plötzlichen Eingemeindung 1972 – wohl nicht nur postalisch – heruntergestuft wurde. Hausen ist von altersher katholisch, und obwohl man vom Kirchturm aus zum protestantischen Alt-Württemberg hinüberschauen kann, liegt der Evangelischen-Anteil nur bei 11 Prozent, knapp 2 Prozent über dem der Gastarbeiter, deren Zahl derzeit rückläufig ist. Hausen ist eine Arbeiterwohngemeinde und entspricht dem ,,verstädternden Pendler-Dorf" als modalem Soziotop; allerdings ist der Anteil der ,,urban" orientierten Zugezogenen, die sich zum ,,Dorf" in Distanz halten, mit etwa 30 Erst- und 50 Zweitgemeldeten, darunter zwei studentischen Wohngemeinschaften in verkommenen Bauernhäusern, etwas geringer als in den Nachbardörfern.

Von den Erwerbstätigen sind nur noch 6,5 Prozent der Land- und Forstwirtschaft zuzuzählen, die Zahl der landwirtschaftlichen Betriebe ging von 1949 bis 1960 um mehr als ein Drittel auf weniger als hundert zurück. Dabei werden selbst die seltenen größeren mit 7 bis 12 Hektar fast ausschließlich nebenberuflich, mit vollem Einsatz der Frau und weiterer, häufig älterer Familienangehöriger bewirtschaftet. Der geringen Betriebsgröße entsprechend sind auch die Felder extrem stark parzelliert: Die Realteilung, wonach alle Geschwister prinzipiell gleich viel erben, kennzeichnet die Flurgestalt ebenso wie die Siedlungsform des alten Dorfkerns, in dem die stattlichen Gehöfte fehlen und die einstigen Taglöhner- und Handwerkerhäuschen bis heute verwinkelte Gassen bilden. Obwohl der Anbau arbeitsaufwendiger Früchte zugunsten der mähdreschfähigen Getreide-Körnermais-Folge mehr und mehr zurückgeht, bestimmt die Landwirtschaft immer noch in hohem Maß das Leben im und ums Dorf, jahres- und wochenzyklisch, wobei der Samstag zum Hauptarbeitstag geworden ist.

Eingeschränkt wurde die Landwirtschaft auch durch die (mehr als) Verdoppelung der dörflichen Siedlungsfläche. So stieg die Zahl der Wohngebäude seit 1950 um mehr als 60 Prozent, die Einwohnerzahl fast ebensosehr, wobei Hausen als Wohnort auch für einheiratende Zuziehende aus Nachbardörfern recht attraktiv zu sein scheint. Die Neubausiedlungen finden sich vor allem im Südwesten, im

Süden und Osten des Dorfes, den Dorfkern halbkreisförmig einrahmend, an ihren beiden nördlichen Enden auch flußseits der Landesstraße, die Hausen von altersher durchquert und in zwei ungleiche Hälften teilt: Früher war die nördliche die größere, heute ist es die südliche.
Im alten Dorfkern liegt auf einer Anhöhe die Martinskirche aus dem 16. Jahrhundert. In den um sie herum gruppierten, teilweise verfallenden Gehöften, erkennt nur das geschulte Auge die dominierenden Anwesen von ehemals, Lehenshöfe im übrigen, darunter der Widdumshof. Bis heute eine wenig reputierliche Wohngegend ist das sich zur Talaue neigende Unterdorf geblieben, das in die Allmende übergeht. Immerhin finden sich dort heute der gepflegte Sportplatz und die neue Schule, die Hausens Grundschüler aufnimmt, während die Hauptschüler mit Bussen ins Nachbardorf transportiert und somit früh an eine Auspendlerexistenz gewöhnt werden: Sie fahren allmorgendlich gen Westen, ihre Kollegen auf den höheren Schulen nach Osten.

1.2. *Wissenschaft mit dem Zufall im Bund*

Man wird sich Hausen also, wie sein unaufwendiger Name schon andeuten mag, als ein für seine Art recht gewöhnliches, durchschnittliches Dorf vorstellen müssen, dem alles Spektakuläre fremd ist. Dies war auch der Grund, warum wir es vom Tübinger Ludwig-Uhland-Institut aus 1969 für eine kulturwissenschaftliche Gemeindestudie ausgesucht hatten. „Wir" bezieht sich auf die damalige Projektgruppe, trifft aber nur auf den einen der beiden Koautoren dieses Beitrags zu. Der andere nämlich, seit 1969 mit seiner Frau und (inzwischen) Familie in Hausen wohnhaft, stieß erst nach einem Interview im Sommer 1972 zur Projektgruppe, ohne übrigens bis dahin etwas vom Projekt gewußt zu haben. Er seinerseits verfügte bereits über gute Kenntnisse der dörflichen Situation, die anfänglich über die Berufstätigkeit seiner Frau als Lehrerin vermittelt waren, und brachte vor allem zahlreiche unbefangen gewonnene dörfliche Bekannte, darunter ein befreundetes einheimisches Ehepaar, als Gewährsleute in das Projekt mit, wodurch sich dieses beträchtlich veränderte.
Durch die neuen dörflichen Gesprächspartner boten sich der Projektgruppe aufregende, teilweise sehr desillusionierende Vergleichsmöglichkeiten. So trat die Fremdheit der Gesprächsformen deutlicher hervor, die den bisherigen Befragungs- und Interviewpartnern aufgenötigt worden waren; es traten – unter anderem – auch deren Strategien zutage, faktische Mitteilungsverweigerungen unauffällig zu verbergen. Beispielsweise war der alten Projektgruppe durchaus nicht hinreichend klar gewesen, wie wenig die Bevölkerung grundsätzlich von einer solchen Untersuchung hielt, wie skeptisch sie insbesondere gegenüber den beteiligten

Studenten eingestellt war. Es wurde uns nun aber auch deutlich, daß Mitteilungssperren teilweise eine direkte und unbeabsichtigte Folge dörflicher Grundeinstellungen sind: So war die unerhörte Gelassenheit, mit der die Hausener die revolutionsartigen Umbrüche ihrer Wirtschaftsstruktur, ihrer Wohn- und Lebensgewohnheiten innerhalb zweier Jahrzehnte hinzunehmen und zu nutzen imstande schienen – „'s isch halt so" –, keinesfalls bloß gespielt, sondern verwies auf ein spezifisches, vermutungsweise spezifisch dörfliches Realitätserleben. An dieser Stelle mag ansatzweise deutlich werden, warum das „Dorf" selbst zur Unterschätzung seiner Kompliziertheit zu verleiten vermag; wovon nicht nur die allzuhäufige Rede vom „einfachen Menschen" oder dem dort ansässigen „Volk", sondern vielleicht auch die bislang bevorzugten Methoden der mit dem „Dorf" einschlägig befaßten wissenschaftlichen Disziplinen auf ihre Weise zeugen. Verblüffend war für uns immer wieder, wie sehr die dorfoffiziöse Selbsteinschätzung, soweit sie sich verbal artikuliert, von Klischees bestimmt wird, die offenbar einer bürgerlichen Einschätzung, zumeist einer nostalgischen Idyllisierung des Dorflebens entstammen.

Der Zufall, jenes im akademischen Geschäft ansonsten so streng desavouierte Numen, hatte uns einen Strauß von Möglichkeiten, aber gerade darin auch eine Fülle von Schwierigkeiten zugespielt. So zum Beispiel waren wir gezwungen, Phänomene wie Begegnung oder Begegnungsfähigkeit ständig mitzubedenken, miteinander zu diskutieren, und zwar nicht nur als Probleme von Zu-Untersuchenden. „Hausen" entwickelte einen unerwarteten Eigen-Sinn, entwickelte sich von selbst zu einer Sozialisationsstudie und für uns zu einer Sozialisationserfahrung. So blieb es bis heute ein Problem, umfassend Erlebtes „objektiv" nachzuweisen: Verbale Äußerungen etwa können nur aus dem lebensgeschichtlichen und situativen Kontext, dem sie entstammen, angemessen interpretiert werden und bleiben hinter diesem zumeist beträchtlich zurück. Wissenschaft tut sich, wie es scheint, im Umgang mit den banalen Grundeinsichten besonders schwer.

Was unsere folgenden Ausführungen betrifft, so ist deren Didaktik – dies sei noch zur Vermeidung von generellen Mißverständnissen gesagt – ausschließlich der „*Sache*" einerseits und der „*Sensibilisierung für die Sache*" andererseits verpflichtet, nicht unbedingt den wissenschaftlichen Standards, wie sie etwa den Stand der deutschsprachigen Dorfforschung bestimmen. Auch sollen keine definiten Resultate vorgelegt, vielmehr soll verständige Aufmerksamkeit geweckt werden, Auseinandersetzung soll eröffnet, nicht abgeschlossen werden. Und schließlich ist zu bedenken, daß selbst wissenschaftlich plausibles Erklären noch keine Probleme der Betroffenen löst.

1.3. „*Dorf*" *als konsistentes Sozialsystem*

Die angedeuteten Schwierigkeiten schlagen aber auch in alle wissenschaftliche Berichterstattung hinein durch. Dies mag an der Befragung exemplarisch deutlich werden, von der in den folgenden Abschnitten die Rede sein wird. Alle ihre relevanten Hintergründe und Einzelheiten zu illustrieren, ist uns im Rahmen dieses Beitrags nicht möglich; sie jedoch ganz zu übergehen, würde die Resultate selbst verfälschen. Denn diese Resultate dürfen nicht aus ihrem Ermittlungskontext gelöst werden; daß sie – beispielsweise – nur auf einer außergewöhnlichen Vertrauensbasis erhebbar waren, charakterisiert sie ebenso wie die Art und Weise, wie sich dieses Vertrauensverhältnis zu den beiden Ehepaaren entwickelt hatte, die sich uns als Gewährsleute zur Verfügung stellten. Was „Vertrauen" dabei semantisch meint – diese und andere „Randerscheinungen" sind für dörfliche Interaktionen von großer Bedeutung. – Die im folgenden gemachten Ausführungen mögen m. a. W. erahnen helfen, warum wir der sich über ein Vierteljahr hin erstreckenden Kette von elf Befragungsabenden zum dörflichen Prestige eine so hohe Bedeutung und der kleinen Gruppe von Gewährsleuten eine derartig große Glaubwürdigkeit beimessen.
Die beiden einheimischen Ehepaare, seinerzeit, im Frühjahr 1974, 34/36 und 53/58 Jahre alt, waren von uns gebeten worden, die „Geltung im Dorf" ihrer sämtlichen Hausener Mitbürger anhand einer alphabetischen Bevölkerungskartei anzugeben. Die beiden Paare sind nicht verwandtschaftlich verbunden und wohnen in selbsterbauten Häusern zweier entgegengesetzt liegender Neubausiedlungen, haben auch sonst keinen näheren als den dorfüblichen Kontakt miteinander.

Die Formel „Geltung im Dorf" wurde nicht näher präzisiert und stammte von unseren Gesprächspartnern selbst, die aber ausdrücklich angewiesen wurden, nicht ihre persönlich-private Wertschätzung auszudrücken. Dabei stand ihnen eine Skala von 0 bis 10 zur Verfügung; also, einschließlich halber Punkte, insgesamt 21 verschiedene Werte. Die jeweilige Geltung bzw. Einstufung wurde anschließend kurz begründet. Der Geltungsindex stellte dann den Durchschnitt aus den vier Einstufungen dar.
Da Ehepaare auf Wunsch der Gewährsleute einheitlich eingestuft wurden, bezogen sich die 360 Punktungen der elf Abende auf 626 erwachsene Hausener; dabei wurden insgesamt 1303 begründende Kurzkommentare gegeben. Nicht in die Einstufung einbezogen wurden die „urban" orientierten Zugezogenen mit einem verhältnismäßig hohen Studenten- und Akademikeranteil, da sie außerhalb des dörflichen Geltungszusammenhangs stehen, ebenso wie die immerhin fast 100 Gastarbeiter. Auch über die jungen Erwachsenen wollten/konnten unsere Gewährsleute keine verläßlichen Angaben machen und schieden die unter 23jährigen

– soweit noch nicht verheiratet – von vornherein aus, da deren Prestige nicht hinreichend konsolidiert erschien.
Vom zweiten Abend ab wurden die Punktgebungen auf Vorschlag Peter Müllers, des älteren Gewährsmannes, verdeckt durchgeführt und die vier Notierungen dann gemeinsam aufgedeckt. Für die restlichen, also verdeckten, 335 Wertungen kamen unsere Gewährsleute auf jeweils folgenden Gesamtdurchschnitt: Peter Müller 2,734 P.; Luzia Müller 3,015 P.; Maria Ströbele 2,755 P.; Franz Ströbele 2,740 P. Im Zusammenhang mit der deutlichen Linksschiefe der Verteilung der vorgenommenen Punktungen muß darauf hingewiesen werden, daß das vorgegebene Spektrum (0 bis 10) sehr wohl ausgeschöpft wurde. Ebenso soll gleich erwähnt werden, daß pro Wertung im Durchschnitt zwei Gewährsleute exakt übereinstimmten, während die dritte Gewährsperson um 0,5, die jeweils vierte um 1 Punkt abwich.
Aus der spontanen Bereitschaft unserer Gewährsleute-Ehepaare zu einer solchen Befragung, bei der die Formel „Geltung im Dorf" ohne nähere Erläuterung von Anfang an und über 10 Abende hinweg diese bemerkenswert hohe Übereinstimmung in der Punktgebung ermöglichte, läßt sich die Existenz von „Dorf" als einem konsistenten Sozialsystem schließen, das in sich durch eine Ordnung sozialen Geltens wie durch eine Grammatik strukturiert wird.

1.4. *Sozialisierendes und einsozialisiertes „Dorf"*

Obwohl die Abende bei Bier und Wein recht gemütlich, häufig lustig verliefen, machten die Gewährsleute mehrfach auf die Anstrengung aufmerksam, die sie das Punktgeben koste. Luzia, die halbtags berufstätig ist, achtete darauf, daß unsere Termine nie auf besonders arbeitsreiche Tage gelegt wurden. Nach dem achten Treffen erlitt sie auf dem Heimweg eine Kreislaufschwäche, die sie auf die Konzentration während der an diesem Abend besonders zahlreichen Punktungen zurückführte. Dreimal fiel die Formel von der „gerechten Bewertung", um die man bemüht sei – gerade so, als ob die Einstufung reale Auswirkungen für die Betreffenden haben könne. Bereits aus dieser magischen Überschätzung des Punktungsvorgangs läßt sich die hohe affektive Bedeutung des realen dörflichen Prestiges erahnen.
Von unseren Gewährsleuten und übrigens vielen weiteren Informanten wurde uns eine Geheimhaltungspflicht selbst für uns nebensächlich scheinende Mitteilungen auferlegt. Offenbar aber wurde das Prestigethema als besonders heikel empfunden. Wie wichtig – zumindest für unsere Gewährsleute – das reale Prestige „im Dorf" ist, zeigt der Versuch der Müllers, ihre Besuche bei den Ströbeles, wo alle Treffen stattfanden, „vor dem Dorf" zu verheimlichen. Solche Aspekte: wann

dunkel, wann wenig Leut' auf d'r Gaß, usw., beeinflußten stets den jeweiligen Beginn, wobei die Ströbeles auf die Müllerschen Vorsichtsmaßnahmen in selbstverständlicher Gelassenheit reagierten.
Man war sich in dem Argwohn einig, die Umwelt könnte argwöhnisch reagieren. Offenbar ist das „Dorf"-Erleben mit Elementen von Furcht durchsetzt, wodurch das konkrete Verhalten stark situational und außenabhängig orientiert und ihm in Extremfällen die Selbstverantwortung entzogen ist. Der kollektive Druck, der sich in Vorformen „sozialer Angst" manifestiert, scheint durch seine Internalisierung den Charakter von Selbstverständlichkeit und Natürlichkeit anzunehmen, wodurch sich bewußter Leidensdruck nur rudimentär entwickeln kann.
Das solcherart strukturierte Sozialsystem ist für seine Mitglieder offenbar von hoher affektiver Bedeutung. Ihm ist eine erhebliche Sozialisationsrelevanz zu unterstellen, in dem Sinne, daß seine Mitglieder tendenziell kein hinreichendes Bewußtsein seiner – und damit der eigenen – Problematik entwickeln können. Dadurch tritt aber eine beträchtliche Komplikation in die Interpretation unserer Befragung ein. War nämlich zunächst und, wie sich zeigte, sehr zurecht auf der Notwendigkeit insistiert worden, sich in den Eigen-Sinn des dörflichen Sozial- und Prestigesystems von seinen Teilnehmern selbst einführen zu lassen, so wirkte sich gerade die Eigen-Art des Untersuchungsgegenstandes so sehr auf seine Teilnehmer – unsere Experten – aus, daß deren Verhalten und Aussagen nur im hermeneutischen Kontext ihrer eigenen spezifischen Sozialisiertheit hinreichend verstanden werden können. Das, worüber sie Angaben machen, ist zugleich auch das, was ihre Äußerungen spezifisch strukturiert, modifiziert, selegiert – weil es sie selbst in ihrer Existenz lebensgeschichtlich geprägt hat. Unsere Gewährsleute sind damit zugleich Betroffene, so sehr, daß für sie selbst die Art und Weise ihres Betroffenseins nicht in jeder Hinsicht bewußtseinsfähig sein kann.

1.5. *Komplizierte Einfachheit*

Solche Zusammenhänge sind es, die das zunächst so imponierend eindeutige Punktungsergebnis bei näherem Hinsehen als sehr kompliziert erweisen. Ein eindringliches Beispiel hierfür liefert die Prestigedifferenzierung nach der Geschlechtszugehörigkeit. Selbstverständlich drückt sich die Mehrgeltung der Männer gegenüber den Frauen schon im Einstufungsergebnis aus: So läßt sich eine Mindergeltung von Witwern gegenüber Ehepaaren in gleicher Soziallage nicht feststellen, während der Verlust des Ehepartners bei den Witfrauen mit einer Indexdifferenz von durchschnittlich einem ganzen Punkt zu Buche schlägt. Doch liegen sie ihrerseits deutlich über den gleichaltrigen ledigen Frauen; diese kommen insgesamt auf einen Indexschnitt von 1,78 P., während die ledigen Männer mit 2,45 P. bedacht werden.

Diese Unterschiede aus der von unseren Gewährsleuten bewußt vollzogenen Prestigequantifizierung werden jedoch durch die Verteilung der spontan-assoziativ hinzugefügten Kurzkommentare als unzureichend erwiesen: Auf die 626 eingestuften Personen wurden 1187 prestigebegründende bzw. -erläuternde Hinweise gegeben, von denen 116 beiden Eheleuten galten und darum doppelt gezählt wurden. Von diesen insgesamt 1303 Hinweisen beziehen sich 864 auf Männer, nur 439 auf Frauen, ein Verhältnis von fast genau zwei zu eins. Eingestuft aber wurden 337 Frauen und 289 Männer. Bildet man nun entlang der numerischen Prestigeskala sechs Gruppen und sieht sich für jede dieser Gruppen das Verhältnis der kommentierten Männer/Frauen an, so wird ein zusätzlicher, besonders starker und interessanter Trend deutlich:

Geltungs- indizes	Zahl der Kommentare, auf Männer	Frauen bezogen	Quotient
0–1	62 (21)	68 (26)	0,9
1,1–2	158 (54)	131 (70)	1,2
2,1–3	234 (82)	143 (111)	1,6
3,1–4	220 (79)	77 (78)	2,9
4,1–5	126 (37)	14 (37)	9,0
5,1–10	64 (16)	6 (15)	10,7

(In den Klammern ist die Anzahl der den einzelnen Geltungsgruppen zugeordneten Männer bzw. Frauen wiedergegeben.)

Das Verhältnis der Kurzkommentare entwickelt sich sprungartig: Die Frauen finden um so weniger Erwähnung, je höher das ganze Ehepaar eingestuft wird. Das Einstufungsergebnis verharmlost demnach, für sich betrachtet, die scharfen Unterschiede in der Geltung der Geschlechter, ja es deckt sie eher zu als auf. Um diesen Sachverhalt interpretieren zu können, müssen wir auf Ergebnisse unserer teilnehmenden Beobachtung zurückgreifen; und diese zeigt, daß auch die Indexdifferenz von 0,67 P. zwischen den ledigen Männern und ledigen Frauen den dörflichen Sachverhalt teilweise extrem unterschiedlicher Rollenzumutungen, der daraus sich ergebenden Interaktionsprofile und Bewegungsmöglichkeiten keinesfalls adäquat wiedergibt.
Der ursprünglich recht einfach scheinende Sachverhalt erweist sich bei näherer Betrachtung als einigermaßen kompliziert. Unsere Gewährsleute bringen mit großer Sicherheit (sich selbst und) ihre Hausener Mitbürger auf einer linearen eindimensionalen Rangskala unter, haben dabei aber ständig wechselnde Interaktionsräume mit je besonderen Rollenanforderungen als Teile des dörflichen Sozialsystems im Auge, legen je spezifische Kriterien an, die gegeneinander inkommensurabel sind.

Die durch die Punktgebung vollzogene Quantifizierung der durchaus qualitativen Differenzen ist demzufolge von sich her bereits eine objektive Verfälschung der sozialen Realität, wohl aber ein adäquater Ausdruck des subjektiven Bewußtseins der Mitglieder dieser sozialen Realität. Denn die Verfälschung wird von unseren Gewährsleuten offenbar ebenso wenig als solche empfunden wie sie von ihnen beabsichtigt ist. So geben die Geltungsbegründungen, wie noch zu zeigen sein wird, die Uneinheitlichkeit der angelegten Kriterien getreu wieder. Beispielsweise wird die kommunalpolitische Einflußlosigkeit der Frauen weder von unseren Gewährsleuten verheimlicht, noch von irgendeinem Hausener bestritten – aber auch nicht moniert: Täuschung ist also gewiß nicht angestrebt, scheint auch nicht möglich (noch nötig) zu sein. Denn tendenziell und prinzipiell ist die Hausener soziale Realität allen Hausenern evident.

Dem exakten Wissen scheint jedoch kein adäquates Bewußtsein des so detailliert Gewußten zu folgen: Das dörfliche Bewußtsein folgt eigenen Strukturierungsgesetzen und hat seine eigene Semantik entwickelt. Daß die ledigen Frauen beträchtlichen Einschränkungen, insbesondere etwa vom 30. Lebensjahr ab, unterliegen, weiß jedermann in Hausen, aber niemand nimmt daran Anstoß. Die „Mitleidlosigkeit" der Wahrnehmung ist aber realitätsgerecht insofern, als die ledigen Frauen sich selbst bislang willig in ihre Situation zu fügen scheinen; sie internalisieren demnach die soziale Rollenzumutung, wodurch ihre Situation als selbstverständlich so-sein-müssend erscheint.

In dem auffälligen Widerspruch zwischen einem eindimensionalen Rangmaßstab und einem Prestigesystem mit gegeneinander inkommensurablen Kriterien verbirgt/offenbart sich ein spezifisch dörfliches Bewußtsein der dörflichen Realität, in dem letztere zwar detailliert gekannt, aber gerade darin in ihrer Problematik nicht durchschaut wird. Diese Spezifik des Bewußtseins muß sich genau dem verdanken, das es unbewußt stabilisiert: dem dörflichen Sozialsystem, dessen hohe Sozialisationsrelevanz sich hier bestätigt. Sein innersystemisches Strukturierungsprinzip sozialen Geltens tritt zugleich als Sozialisationsfaktum und -faktor zutage, wobei sich eine einschneidende Relativierung des familialen Sozialisationsprinzips ankündigt; darauf wird noch zurückzukommen sein.

1.6. *Angeborene „Normalitäten"*

Die 1303 Kurzkommentare fielen recht heterogen aus; obwohl ihre grammatische Vielfalt (ob Adjektive, Substantive, Satzteile oder Sätze) nicht berücksichtigt und nur ihr Inhalt aufgeschlüsselt wurde. Drei sehr unterschiedlich große Gruppen ließen sich zunächst voneinander abheben: Neben allgemeinen Hinweisen zum Prestige wie etwa „gilt viel/was/nix" oder „sehr/wenig/kaum angesehen", insgesamt 60, und neben 477 auf konkret-individuelles Verhalten bezogenen Hinweisen finden sich 766 Aussagen, die man als dorfspezifisch-demographische bezeichnen könnte.

Letztere ließen sich unter neun verschiedene Merkmalsbereiche subsumieren: Familienstand, Konfession, Alter, lokal-regionale Herkunft, Verwandtschaft/Familie/Besitz, Kommunalpolitik, Berufsausübung, Vereinszugehörigkeit. Die Berufsausübung wurde nach Dorfberuf/außerdörfliche Berufstätigkeit differenziert, wobei auffällt, daß von 116 Hinweisen nur 30 der letzteren galten; immerhin sind zwei von drei Hausener Erwerbstätigen Auspendler.

Die Merkmalsbereiche als ganze sind von unterschiedlicher Prestigevalenz, wie eine Gegenüberstellung der positiv vs. negativ gemeinten Kommentare zeigt. (Die Einschätzung als ,,eher positiv" vs. ,,eher negativ" wurde mit Hilfe zweier Gewährsleute vorgenommen.)

Merkmalsbereich	Verhältnis pos./neg. Kommentare
Familienstand	0: 74 = 0,00
Konfession	0: 33 = 0,00
Alter	0: 29 = 0,00
lokal-regionale Herkunft	7:145 = 0,05
Verwandtschaft/Familie/Besitz	76: 70 = 1,09
Kommunalpolitik	25: 7 = 3,57
Dorfberuf	70: 16 = 4,38
außerdörfliche Berufstätigkeit	25: 5 = 5,00
Vereinszugehörigkeit	172: 12 = 14,33
Prestige allgemein	24: 36 = 0,67
konkret-individuelles Verhalten	98:379 = 0,26

Weit überwiegend positives Prestige begründen, wenn sie erwähnt werden, Vereinszugehörigkeit, außerdörfliche und innerdörfliche Berufstätigkeit sowie kommunalpolitische Funktionen; sodann scheint es einige Verwandtschaften zu geben, die überdurchschnittlich angesehen sind, und etwa ebensoviele, die überdurchschnittlich wenig gelten; endlich werden die Dimensionen ,,lokal-regionale Herkunft", ,,Familienstand", ,,Konfession" und ,,Alter" nur im Falle ihrer negativen Ausprägung erwähnt. Dies läßt aber auf die ,,Normalität" der positiven Ausprägungen schließen. ,,Normal" sein heißt demzufolge in Hausen: einheimisch, verheiratet, katholisch und erwachsen-mittelalt (nicht zu jung und nicht zu alt) zu sein.

Die Merkmalsbereiche ,,lokale Herkunft", ,,Familienstand", ,,Konfession" und ,,Alter" erscheinen aufgrund ihrer Normalitätsrelevanz nicht nur von grundlegender Bedeutung, sondern weisen auch interessante Beziehungen untereinander auf. Die erste kann vom Hinweis ,,altledig" her verdeutlicht werden. Daß Alter und Familienstand synoptisch vorgestellt werden, ist von ihrer wechselseitigen Prestigebedeutung her nahegelegt. Das ,,rechte" Alter beginnt heutzutage etwa, so läßt sich aus teilnehmender Beobachtung in Übereinstimmung mit dem Einstufungsergebnis schließen, nach einer Konsolidierung des Ehe- und Familienlebens: wenn das selbstgebaute Haus bezogen ist, die ersten Kinder getauft sind und das gepflegte Auto die Garage nutzt. Sein Beginn liegt damit deutlich früher als etwa vor zwanzig Jahren, wie ältere Gewährsleute und beispielsweise der Altersdurchschnitt der damaligen im Vergleich zu den heutigen Dorfparlamentariern bezeugen. Es endet relativ spät, für den überlebenden Witwer später als für die Witwe, auf jeden Fall mit Arbeits- und Zurechnungsunfähigkeit. Ledigsein wird erst bei Überschreitung eines gewissen Alters (ca. 30 Jahre) und für die Männer mit geringerer Zunahme kontinuierlich negativer. Frauen verändern heute noch deutlich ihr Auftreten im Dorf nach der Heirat: Sie werden, wenn nötig, seriöser, sozusagen ,,älter", werden auch respektvoller behandelt.

Ein zweiter Zusammenhang wird über historische Studien deutlicher: ,,Konfession" erweist sich in ihnen als eine Unterdifferenzierung der ,,lokalen Herkunft". Evangelische waren in Hausen stets Zugezogene; Evangelische sind, das ergibt teilnehmende Beobachtung, einfach deshalb besonders fremde Zugezogene, weil sie sich nicht über die Teilnahme am kirchlichen Leben ins allgemeine Dorfleben integrieren können, woran auch die seit 1960 institutionell vorangetriebene und in letzter Zeit merklich nachlassende ökumenische Bewegung im Prinzip nichts ändert. Früher gab es nur einzelne Evangelische, die ihrem einheimischen Ehepartner das seinerzeit von kirchlicher Seite forcierte Mischehenproblem mit ins Haus brachten. Daß andersgläubige Ehepaare ins Dorf kamen, ergab sich erst durch die Flüchtlingszuwanderung; die damaligen Zwangszuweisungen entbanden beträchtliche soziale Probleme und erneuerten alte Vorurteile. Inzwischen hat sich die Durchdringung des Kirchlichen und des Dorföffentlichen leicht gelockert. Die durch Jahrhunderte währenden Vorurteile gegen Evangelische qua Evangelische haben in den letzten Jahren so rapid nachgelassen, daß es schon wieder nachdenklich stimmen möchte, wo sie geblieben sein könnten.
Die ,,Vorstellungseinheit" lokal-regionale Herkunft/Konfession ist damit jedoch noch nicht ausreichend erläutert. Beachtet man nämlich den historischen Tatbestand, daß Dorffremde üblicherweise als Einheiratende ins Dorf kamen, dann wird klar, daß die Einheimischen, selbst wenn sie den Zuziehenden zuvor nicht kannten, immerhin eine Menge über seine Zukunft wußten, vielleicht mehr als dieser selbst, beispielsweise wie das Haus, in das er zog, eingerichtet war, welche Felder dazugehörten, welche wirtschaftlichen Verhältnisse er antraf, wieviel Milch die Kühe gaben, welche Schwiegermutter ihn erwartete, wieviel seine zu-

künftige Familie im Dorf galt – alles durchaus existentielle Faktoren, wie sich noch zeigen wird.

Der diese Synoptik aufschlüsselnde Sachverhalt heißt „Verwandtschaft". Der gebürtige Hausener ist „verwandt", der zuziehende wird es üblicherweise. Ist nun fremde Herkunft offenbar zunächst und automatisch abwertend, dann wird sie sich auch auf das Ansehen der jeweiligen Verwandtschaft auswirken. Der Zuziehende mindert also die Geltung der Verwandtschaft, in die er einheiratet, ebenso wie sein Prestige sich zunächst an dem seiner neuen Verwandtschaft orientiert. Im Zusammenhang mit der eben deutlich gewordenen „ökologischen" Vorstellungsweise vom Dorfgenossen, die eine detaillierte Vergegenwärtigung seiner Wohnstätte sowie (früher) seines gesamten Lebens-, Besitz- und Arbeitsraumes bedeutet, läßt sich das Ineinander von Verwandtschafts- und, wo zutreffend, Fremdseins-Assoziationen so zusammenfassen: Der verwandtschafts- und damit vorgeschichtslose Fremde zieht doch an einen vorbestimmten „Ort" im geographischen wie im sozialen System „Dorf". Die Dorfbewohner wissen immer schon, was ihn da erwartet, ja, wer er zu sein hat; was sie nicht wissen ist, wie er sich in den vorgängigen Rollen- und Verhaltenszumutungen zurechtfinden wird. Die jeweils synoptischen Merkmalsbereiche Verwandtschaft/Herkunft/Konfession sowie Alter/Familienstand bilden damit zwei verschiedene Dimensionen in der Prestigezuordnung der Hausener aus, in ihnen ist jeder Dorfbewohner sozial „verortet". Dies trifft nicht auf die ebenfalls benannten Bereiche Beruf (dorfinnerhalb/-außerhalb), Kommunalpolitik und Vereinszugehörigkeit zu, denn sie sind nicht für jeden Hausener relevant; demzufolge besagt das Fehlen ihrer positiven Merkmale für die betreffenden Hausener noch keine „Anomalität" – wenn es sich auch selbstverständlich geltungsrelevant niederschlägt.

Dem Einstufungs- und Kommentierungsergebnis zufolge, so wie es uns vorliegt, vermag allerdings niemand in Hausen zu einer durchschnittlichen, geschweige denn höheren sozialen Geltung zu gelangen, ohne sich dorföffentlich, also beruflich und/oder kommunalpolitisch und/oder vereinsmäßig, zu engagieren. Zugleich zeigt sich, daß die besagten Bereiche nahezu exklusiv Männern vorbehalten sind, wobei noch einmal an die eingangs gegebenen Hinweise zur Geschlechtsdifferenz erinnert sei.

Damit offenbaren die von unseren Gewährsleuten namhaft gemachten acht bzw. neun „dorfdemographischen" Bereiche, nimmt man die in ihrer Unauffälligkeit so virulente Geschlechtsdifferenz hinzu, eine aufschlußreiche systemische Strukturiertheit. Jeder Hausener ist nach Alter/Familienstand sowie Verwandtschaft/Herkunft/Konfession, vor allem auch nach der Geschlechtszugehörigkeit, sozusagen dreidimensional definiert. In allen drei Dimensionen wird Grundlegendes über seine soziale Stellung und demzufolge sein Prestige vorwegbestimmt – vor jedem konkreten Handeln –, in allen dreien gibt es markante Grenz-

linien zur „Anomalität" als sozialem Stigma, wozu durchaus auch und gerade die Zugehörigkeit zum weiblichen Geschlecht zu zählen ist. In Hausen gibt es kein bürgerliches Kokettieren mit der „besseren Hälfte": Der „normale" Hausener ist nicht nur mittelalt-verheiratet, aus ordentlicher Verwandtschaft (einheimisch und katholisch), sondern auch männlichen Geschlechts.
In dieses grundlegende dreidimensionale Vorstellungs- und „Verortungs"-raster sind die Bereiche Dorfberuf, Kommunalpolitik und Vereinszugehörigkeit so eingelagert, daß sie in deutlicher Wechselwirkung mit dem Syndrom „Verwandtschaft – Herkunft – Konfession" stehen. Der außerdörfliche Beruf spielt allenfalls mittelbar eine dorfinterne Rolle, dann nämlich, wenn er für dorföffentliche Funktionen prädestiniert. Die Makel „angeborener" Verwandtschaft, die Stigmen lokaler oder gar konfessioneller „Fremdheit" können über ein zumeist sehr langwieriges Engagement in den genannten dorföffentlichen Bereichen kompensiert werden; ein Tatbestand, der sich ökonomischen Entwicklungen verdankt, die historisch zur Dynamisierung des zunächst statischen, agrarisch geprägten Sozialsystems führten – davon wird im zweiten Hauptabschnitt zu berichten sein. Somit ist zugleich angedeutet, daß die Struktur der dörflichen Sozialgeltung, wie sie in den spontan-assoziativen Kommentaren unserer Gewährsleute greifbar wird, auch historische Etappen der dörflichen Entwicklung kontaminiert. Das basale dreidimensionale „Verortungs"-System, aus der agrarischen Vorgeschichte des Dorfes erwachsen, erscheint heute noch grundlegend, wenn auch durch Strukturen modifiziert – und dadurch überlebensfähig gemacht –, die das schiere „Angeborensein" von Prestige relativiert haben.
Eine kurze Bemerkung soll den verständigen Zugang zum Gemeinten erleichtern. Zunächst ist zu betonen, daß der bloße Hinweis auf die Relevanz des Geschlechtsunterschiedes beispielsweise oder der Verwandtschaftsabstammung solange noch relativ wenig besagt, wie nicht die jeweiligen konkreten Auswirkungen im Hausener Sozialleben – einst und jetzt – näher beschrieben sind, wie nicht deren semantischer Niederschlag entfaltet wurde, der die speziell dörflichen Wortbedeutungen bestimmt. Gilt es demnach also, u. a. auf die Besonderheiten dörflichen Wortgebrauchs zu achten, so ist in Parallele dazu die eigene bildungsbürgerlich-wissenschaftliche Sprache auf ihre Eignung für den fremden Gegenstandsbereich zu prüfen; wobei gleichzeitig ihre unauffällig in Semantik eingelagerten moralischen Wertungen, anthropologischen Voranannahmen und gesellschaftlichen Vorurteile aufgedeckt und bewußt gemacht werden müssen. Die Mühe des Fremdverstehens ist ohne die Bereitschaft zu realistischerem Eigenverstehen nicht denkbar.

1.7. *Dörfliche Eigenheit: das Verwandt-Sein*

Um die Spezifität der dörflichen Betrachtungsweise noch ein Stück weiter zu veranschaulichen, seien einige Kommentare zum Merkmalsbereich Verwandtschaft/Familie/Besitz zitiert, die teilweise der Befragung entnommen sind, teilweise aus teilnehmender Beobachtung ergänzt wurden. Unter vielen anderen scheinen folgende als besonders typisch: „Familie ist komisch und hochnäsig", „angesehene Familie", „Die ganz' Verwandtschaft hat großes Maul, unehrlich . . .", „Die Sailes halten zusammen", „reiche Verwandtschaft", „Katzedreckeler" (= Pedanten), „arbeitsame Familie", „Verwandtschaft ist reich und angesehen", „Verwandtschaft arm . . . arbeitsscheu", usw. Besonders typisch erscheint uns, wenn einer unserer Gewährsleute das bloße Wort „Verwandtschaft" mit einem bestimmten Gesichtsausdruck und entsprechender Intonation ausspricht – was dann offenbar schon alles sagt; oder wenn die bloße Nennung der Namen oder gar „Aunäme" (= „Unnamen" = Spitznamen) vollauf genügt. Häufig sind auch Formeln wie: „Der isch (un bleibt) halt a Atzinger!"
Gruppiert man die auf Einzelpersonen und Ehepaare gegebenen Kommentare nach ganzen Verwandtschaften, so zeigt sich erstens, wie eng Wohlhabenheit und Ansehen bzw. Armut und geringe Geltung tatsächlich verbunden sind, wobei die Einschätzung stark auf historisch zurückliegende agrarische Zustände zurückzugreifen scheint. Zweitens zeigt sich, daß in Hausen mit verschiedenen Verwandtschaftsnamen auch moralisch gefärbte Verhaltenserwartungen verbunden werden: Da soll es ganze Verwandtschaften geben, die „jähzornig", „Katzedreckeler", „Leisläufer" (= unaufrichtig, hintenherum), „lügnerisch", „hochmütig", „arbeitsam", oder auch „arbeitsscheu" sind; ganze Familien „können auf zwei Achseln Wasser tragen" (vertreten bei wechselnden Partnern widersprüchliche Standpunkte um des eigenen Vorteils willen), verwandtschaftsweise sind alle Männer „Bruddler" (= Nörgler), die Frauen „Beißzangen" oder besonders „pfloatschig" (= ungehobelt, dick, faul). Wie es scheint, fallen die moralischen Assoziationen, zumindest soweit sie artikuliert werden, wenig freundlich aus – wobei mangelnde moralische Integrität hohe Geltungsintensität keinesfalls ausschließt! Charakteristisch ist drittens für den Hausener Sprachgebrauch der häufige Wechsel, wenn von Einzelpersonen die Rede ist, vom Singular zum Verwandtschaftsplural: „Der Paule . . . die waren immer schon so . . .". Viertens ist erwähnenswert, daß die Gewährsleute fast ausschließlich zwei Arten von Verwandtschaften hervorheben: solche, die überdurchschnittlich viel, und solche, die überdurchschnittlich wenig gelten, wie oben bereits angedeutet. Es entsteht der Eindruck, daß das über die engere Familie hinausgehende Verwandtschaftsbewußtsein im Hinblick auf die mittelwertig-„normalen" Verwandtschaften weniger deutlich ausgeprägt ist.

1.8. *Fazit: Gegenwart des Vergangenen*

Faßt man das bislang Entwickelte kurz zusammen, dann ist zunächst die bemerkenswert systemische Konsistenz des dörflichen Sozialgefüges mit seiner hohen Sozialisationsrelevanz für seine Teilnehmer festzustellen; als zweites die Autonomie dieses Sozialsystems, dessen regulative Grundstrukturen offenbar gegenüber modernen gesamtgesellschaftlichen Entwicklungen eine gewisse Resistenz entwickelt haben. Mehrfach schimmerte durch, warum das ;,,Dorf" selbst zu einer Unterschätzung seiner durchaus schwierigen Situation zu verleiten vermag und daß gerade diese scheinbare Unkompliziertheit beträchtliche Probleme birgt. Zugleich wurde spürbar, daß die dörfliche Vergangenheit sich eine kryptische Aktualität bewahrt hat, daß sie das heutige Sozialsystem nach Gesetzmäßigkeiten strukturiert, die inzwischen ihre historische Basis eingebüßt haben. Um sie überhaupt zu verstehen, muß man ihren historischen Sinn, ihre Genese untersuchen. – Dies geschieht im nächsten Abschnitt, wobei wir aus unseren Archivstudien ein typisches Beispiel herausgreifen.

2. Wurzeln des Heute im Gestern

2.1. *Sterben heißt erben*

Am 2. November 1845 starb der alte Schnaidt im Kreise seiner Familie. Die Frau, die drei Kinder, die mit im Haus lebten, auch der Älteste, der seit seiner Heirat im Jahre 1840 bei seinen Schwiegereltern wohnte, standen um das Bett in der Stube. Für das bäuerliche Wirtschaften hatte der Alte in der Tat sein Sterbedatum gut gewählt; denn auch die Kartoffeln waren im Keller, und damit galt die Ernte als abgeschlossen. An der Leiche wachte jede Nacht eines der Kinder und trank, um sich die Zeit zu vertreiben, für zwölf Kreuzer Schnaps; weil man sich angesichts der Leiche vor der Dunkelheit fürchtete, verbrannte man allnächtlich ein halbes Pfund Wachs. Drei Tage später, abends um halb fünf, als der Arbeitstag schon zur Neige ging und die Dämmerung kam, trugen sie ihn, begleitet von der ganzen Gemeinde, vom Trauerhaus in die Kirche und von dort ans Grab. Der Herr Lehrer sprach die passenden Worte, die er für einen Gulden und dreißig Kreuzer bei jeder Leiche sprach. Danach ging die Verwandtschaft der Schnaidts noch in den ,,Adler" zu einem Leichenschmaus, der allerdings, der Situation angemessen, bescheiden war. Acht Gulden wurden dafür von der Erbmasse abgezogen. Der Schmerz wurde, wie die Rechnung des Adlerwirts zeigt, mit einheimischem Obstschnaps und

Hausener Wein hinuntergespült. Allzu viel war wohl nicht nötig; denn der alte Schnaidt muß ein eigensinniger, rechthaberischer Mensch gewesen sein, der Zeit seines Lebens „sein' Sach' zusammengehalten hatte".

So war bis zum Tod des Vaters, der immerhin schon fünfundsechzig Jahre zählte, nur der älteste Sohn verheiratet, und der hatte das wohl auch nur deshalb zu Hause durchgesetzt, weil er seiner Braut einen „dicken Schurz" gemacht hatte, daraufhin muß der Vater die Eheerlaubnis gegeben haben; wie begeistert er über diesen Entschluß war, das zeigt die Größe des ehelichen Beibringens, mit dem er seinen Erstgeborenen ausstattete: zwei Viertel Morgen Ackerland und 1 Viertel Morgen Wiese (1 Morgen mißt 32,9 ar). Die junge Frau hatte ein Viertel Wiese mehr bekommen, so daß sie zusammen 1 Morgen Ackerland und 3 Viertel Wiese bewirtschaften. Damit war im Hausen der 40er Jahre des letzten Jahrhunderts nicht über die Runden zu kommen; der Schnaidt Bonifaz gab deshalb nach seiner Eheschließung als Beruf Steinhauer und Tagelöhner an. Das hieß, im Frühjahr ging er von zu Hause weg, wie die meisten in seiner Lage, walzte in die Schweiz, schaffte dort an wechselnden Plätzen auf dem Bau; zur Ernte kam er dann zurück. Sein Lohn und der Ertrag der paar Äcker mußten zum Leben ausreichen. (In bar brachte damals ein Acker um die 8 Gulden Reinerlös, eine Wiese 10 Gulden; aber für die Schnaidts waren das ja Lebensmittel und keine Waren.) Es war den Umständen entsprechend; ein eigenes Haus konnten sie sich noch nicht leisten, so gab es dauernd Querelen mit den Schwiegereltern, die den Platz selber brauchten, den die Jungen beanspruchten. Sie hatten keine eigene Stube, keine eigene Scheuer, auch kein eigenes Zugtier; wenn es ans Pflügen ging, mußten sie den alten Schnaidt um seine Simmentaler-Kuh bitten, die dann beim Erbgang um 20 Gulden versteigert wurde.

Auch die anderen Geschwister waren wohl über den väterlichen Heimgang nicht nur unglücklich. Der Zweitälteste war mit 35 Jahren noch immer unverheiratet, das hieß, er stand unter der Fuchtel des Alten, war von ihm abhängig wie ein Kind oder ein Knecht, hatte kein eigenes Land, noch einen festen Lohn, noch das Bürgerrecht in der Gemeinde. Auch er war im Sommer zumeist abwesend, denn die vier Morgen Ackerland und die 2 Morgen Weide, die der alte Schnaidt insgesamt sein eigen nannte, boten nur beschränkt Arbeit, jede überflüssige und nicht ausgelastete Arbeitskraft war ein unnützer Esser. Die beiden Jüngsten waren Mädchen; die Jüngste war 25 und muß wohl ansehnlich gewesen sein, denn nach Ablauf der üblichen Trauerzeit von einem Jahr heiratete sie einen Keßler, das war eine Familie, die einiges mehr galt und hatte als die Schnaidts.

Die Ältere war 27, sie galt als „simpelhaft" und wäre von daher für die Hausbesorgung besonders gut geeignet gewesen – in dem Sinne, daß durch ihre Beschränktheit eine eventuelle Konkurrenz zwischen künftigem Ehemann und angestammten Eltern ausgeschaltet und eine lebenslange Versorgung der Eltern garantiert war. Doch die Schnaidts hatten ganze Arbeit geleistet und diese Tochter zu einem hoffnungslosen „Dubbel“ gezogen, so daß sie nicht einmal mehr zu einfachen Arbeiten zu gebrauchen war und nach dem Tod des Vaters in die Versorgungsanstalt Liebenau abgeschoben werden mußte.

Vielleicht die einzige, die wirklich traurig sein mußte, sofern sie könnte, war die Mutter. Auch sie hatte den Alten erst bekommen, als ihr Bonifaz bereits gezeugt war. Das war nicht unüblich, jede fünfte Hausener Ehe wurde so angebahnt; trotzdem war es ein unsicherer Joker, den man damit ausspielte. Gelegentlich, vor allem bei reicheren Familien, kam es vor, daß die Abneigung gegen eine unstandesgemäße Ehe größer war als die Angst vor der Schande, und die Tochter dann mit ihrem Bankert und bescheidenen Alimenten (manch einer zog sich mit 20 Gulden aus der Schlinge) dasaß. Vor allem die Geschwister drängten in solchen Fällen auf keine Wiederherstellung der Moralität: denn eine unverheiratete Schwester, auf die man dazuhin noch herabsehen konnte, verbesserte die Chance auf einen größeren Anteil am elterlichen Erbe.

Der Bruno und sie hatten sich im sechsten Monat durchgesetzt. Die Alten hatten das Beibringen ausgehandelt. Jeder wollte möglichst viel kriegen und möglichst wenig geben und das lief am Ende auf gleich große, richtiger gesagt, gleich kleine Stücke hinaus. Zum Glück starb ihr Vater schon bald nach ihrer Hochzeit und sie erhielt schon relativ früh den Rest ihres Erbes von insgesamt drei Morgen zugesprochen. Das war für Hausen schon ein ganz schönes Stück, aber sie hatte auch nur mit einem Bruder teilen müssen. Ob der Bruno sie oder ihre zu erwartenden drei Morgen mehr liebte, war für sie keine Frage; denn die Sinnlichkeit von Grundbesitz war ihr genauso selbstverständlich wie ihm. Liebe hieß zusammenpassen in den wichtigsten Dingen des Lebens – und das waren eben Acker und Wiese.

Der Bonifaz war drei Monate nach der Eheschließung auf die Welt gekommen. Noch acht weitere Male lag sie im Kindbett, drei Kinder waren gleich bei oder kurz nach der Geburt gestorben, eines im ersten, ein weiteres im sechsten Lebensjahr. Geweint hatte man jedesmal, aber beim letzten waren es andere Tränen, denn es konnte schon laufen und sogar bei den Hausarbeiten helfen – die anderen waren zu kleine Wesen, als daß man sie schon hätte mögen können – es wäre ja auch umsonst gewesen. Und wenn alle überlebt hätten, wohin wäre man gekommen; die sechs Morgen in neun Teile, da wäre für jeden gerade noch ein Handtuch übrig geblieben. Vier waren ja immer noch zwei zu viel.

Übrige Zeit hatte man für die Kinder nicht gehabt; gestillt wurden sie nur eine ganz kurze Zeit, denn das wurde als etwas angesehen, für „das nur die Städterinnen Zeit haben“. Man verabreichte den Kindern vielfach eine Mischung aus Mehl und Kuhmilch als Grundnahrung, und der Oberamtsarzt Dr. Scheef wußte wohl, warum er die mangelhafte Ernährung dafür verantwortlich machte, daß die Kindersterblichkeit in der Hausener Gegend eine der höchsten im Königreich Württemberg war. Auch später wurde auf kindliche Eigenheiten wenig Rücksicht genommen. Bei einer Umfrage im Jahr 1850 ergab sich, daß schon in der Unterklasse der Hausener Volksschule über 50 % der Kinder ein tägliches Quantum Most verabreicht bekamen, die Hälfte davon regelmäßig mehr als einen halben Liter.

Die Ehe der Schnaidts war gut, das hieß, die Familie kam ihren Aufgaben nach. Die Schnaidtin war 81 Monate – wenn man die sechs vorehelichen dazuzählt – innerhalb eines Zeitraums von 16 Jahren schwanger gewesen. Aber das war in fast allen funktionierenden Hausener Ehen ähnlich. Die Frau und die Kinder hatten auch in der Landwirtschaft mit anpacken müssen, besonders in schlechten Jahren, dann suchte sich der Mann Tagelohnarbeit; denn bei Mißernten, zuviel Frost, Regen oder Sonne, je nachdem, reichten die 6 Morgen kaum für 6 Mägen. Aber Mühe und Plage war Hausener Alltag, anderes kannte man nicht.

Jetzt war sie Witwe, das hieß, sie behielt zwar ihr Stück Allmandland, aber die Rolle, die sie im Haus gespielt hatte, mußte sie aufgeben. Mit dem Tod des einen Eheteils zerbrach in der Regel die Dominanz der herrschenden Generation. Die Kinder, die ja längst keine Kinder mehr waren, sondern nur noch so behandelt wurden, drängten auf Übergabe des Besitzes, der ihnen erst ein eigenes Leben erlaubte. Wie dieser Streit aussah und ausging, war eine Machtfrage. Die Männer versuchten, wenn es noch irgendwie ging, durch eine zweite oder dritte Ehe ihre Regierungszeit zu verlängern. Sechzigjährige Spätfreier waren in Hausen keine Seltenheit. Die Frauen hatten es auch da schwerer. Eine Witwe mit erwachsenen Nachfahren konnte nur, wenn sie ungewöhnlich reich war, eine zweite Ehe durchsetzen.

Kein Ehepartner – weder Mann noch Frau – war allein für sich längerfristig hof-fähig. Denn der Eheschluß war ja die Verbindung von für sich allein nicht lebensfähigen Teilen: Mann und Frau, Wies' und Acker wurden zusammengefügt, um als Besitz- und Produktionseinheit selbständig zu werden. Die kleinste lebensfähige Einheit in Hausen war die Familie, nicht der Einzelne. Ohne Mann gab es keine Frau, ohne Frau keinen Mann; die gehörten so eng zusammen, daß nur das Fehlen auffiel, nicht das Zusammen-Vorhandensein. Eigentumsstruktur und Form der Arbeitsteilung machten die Familie unauflöslich. Der Tod des einen bedeutete in der Regel auch die soziale Schrumpfung des anderen, bei den Frauen allerdings viel stärker als bei den Männern. Gleichzeitig hieß Sterben aber auch Erben – so kurz hat der Hausener Volksmund das merkwürdig spitze Aneinanderstoßen von Leid und Freud zusammengepreßt; in dieser Formel wird gleichzeitig deutlich, daß die emotionalen Widersprüche, die uns an dieser Geschichte zunächst bewegten, in Hausen kein Problem waren und es deshalb für uns zunächst auch nicht sein sollten – in Hausen hieß Sterben wirklich Erben.

Erst im März gingen die Schnaidt'schen Erben zum Hausener Schultheißenamt, um das Erbschaftsinventar und ihren ausgehandelten Teilungsvorschlag notariell beglaubigen zu lassen. Beim Bargeld war es einfach, es war nur wenig und beliebig teilbar, bei der „Fahrnus", also der Kleidung, Wohnungs-, Kücheneinrichtung und den Wirtschaftsgeräten wurde es schon schwieriger. Man versteigerte deshalb die gesamte Habe außer dem mütterlichen Eigenbesitz, also ihren Kleidern, Bettzeug, Bettwäsche, Bett, Trog und ein paar Kochgeschirren – und teilte den Erlös von 48 Gulden wiederum auf die vier Erben auf.
Bei den Liegenschaften konnte man diesen Weg nicht gehen, denn es gab keinen Grundstücksmarkt in Hausen. Wer seine Grundstücke verkaufte, der war heimatlos. Ihre Teilung war deshalb die höchste Kunst, die sehr viel Zeit und sehr viel Geschick kostete. Die Stücke mußten nicht nur gleich groß sein, sie mußten auch den gleichen Wert haben und dazu hin noch gleichmäßig über die drei Zelgen verteilt sein. Die Dreifelderwirtschaft, so wie sie in Hausen praktiziert wurde, hatte in einem langen kollektiven Erfahrungsprozeß ein System herausgebildet, das den Boden optimal nutzte, ohne ihn auszubeuten. Die Markung war in drei Zelgen unterteilt und jedes Jahr wurde der Anbau jedes Teils gewechselt. Man begann mit dem Wintergetreide, es folgte das Sommergetreide, im dritten Jahr lag die Zelg brach. Als der Schnaidt starb, waren allerdings bereits 70 % der Hausener Brache „angeblümt" und wurden mit Futterpflanzen oder Hackfrüchten bebaut. Die freie Verfügung über das Eigentum war entsprechend eingeschränkt. Weil es kaum Wege gab – dafür war der Boden zu wertvoll – mußten komplizierte Überfahrtsrechte beachtet, bestimmte Termine innerhalb der Abfolge der Ernte beachtet werden und vor allem der Fruchtwechsel eingehalten werden. Das hieß aber: wollte man nicht ein Jahr bloß Dinkel, das nächste bloß Gerste und im dritten nur Erbsen oder Linsen essen, mußte der Besitz auf jeder Zelg einigermaßen gleichmäßig verteilt sein. So hätte man wohl am liebsten jeden Acker in ebenso viele Teile zerlegt wie Erbkandidaten da waren. Aber die Winzlinge hatten natürlich auch beträchtliche Nachteile, sie lagen zerstreut, waren beschwerlicher zu bearbeiten, man konnte beim Pflügen nur schwer wenden und verlor dabei auch noch bebaubares Land. Die Schnaidts einigten sich auf einen Kompromiß, zerlegten den Stolz des Vaters, den 2 Morgen großen Acker im Gewann „Klausenäcker", das einst dem abgegangenen Kloster gehört hatte, in vier Stücke und versuchten die anderen Kleinparzellen so zusammenzukomponieren, daß sich gleichwertige Stücke ergaben. Diese Arbeit war schwierig, und sie war erst abgeschlossen, wenn alle Erbberechtigten mit dem Teilungsvorschlag einverstanden waren. Dann konnte gelost werden. Das Urteil des Loses war unumstößlich.
Die Mutter, obwohl sie erst 63 Jahre alt war, hatte ihren Anteil ebenfalls zur Disposition gestellt, allerdings gegen ein Leibgedinge, in dem sie sich jährlich auf Martini „für die Dauer ihrer Lebenszeit unweigerlich in guter Qualität und ko-

stenfrei 1 Scheffel Dinkel, 1 Viertel Gerste, 1/2 Klafter Holz, 25 Büschele Reisig und 2 Pfund Schmalz und von jedem wöchentlich 1 Hafen süßer Milch" ausbat; außerdem bedingte sie sich aus „den ungestöhrten Siz in ihrem Haus, wo es ihr beliebt, lebenslänglich" und schließlich fügte sie noch dem Vertrag hinzu, daß diese Regelung hinfällig würde „falls eines oder das andere sie lieblos behandle, ja sogar mishandele oder das Leibgedinge nicht abrichte oder solches in schlechter Ware abmühen wollte".
Einen Vertrag schließt man, um sich zu schützen, und die alte Schnaidtin hatte bei diesem Passus Vorgänge im Auge, die nicht selten waren, etwa daß alte Leute Kleinigkeiten von den Kindern vor Gericht einklagen mußten, daß sie sich beim Schultheiß über Schimpf und Prügel ausweinten. Aber selbst solche Probleme wurden in Hausen nicht auf einer moralischen Ebene erlebt, diskutiert oder gar erledigt, auch sie waren eine Sach- und Machtfrage. Der Besitz war das wichtigste Faustpfand, mit dem man die Kinder, je größer und bedrohlicher sie wurden, erpressen konnte.
Die Übergabe von Besitz war einer der dramatischsten Momente in den Hausener Lebensschicksalen, denn was für die Jungen Unabhängigkeit und Selbständigkeit bedeutete, war für die Alten Aufgabe der Autonomie und Existenzverlust auf Raten. Deshalb wurde auch oft erst dann geteilt, wenn die Alten wirklich nicht mehr konnten. Die Gefühle, die ein vierzigjähriger Sohn, der bis dato wie ein Knecht gehalten wurde, für den zurücktretenden Altvordern hegte, kann man sich vorstellen. So gesehen war es für den alten Schnaidt ein Glück, daß er 65jährig gestorben war.

2.2. *Einleben in Geschichte*

Diese Beschreibung des Schnaidtschen Sterbens und Erbens klingt streckenweise wie ein Kapitel aus einem historischen Bauernroman, wenn vielleicht auch manches dafür zu prosaisch ist. Als wir begannen, nach den Sinnzusammenhängen des Hausener Lebens im Ortsarchiv zu suchen, das wohlsortiert auf 60 Regalmetern im dortigen Rathaus steht, schwebte uns tatsächlich ein dramatisches Szenarium vor: Die Schicksale der Hausener Bauern wie die eines Heinrich IV. oder Richard III. zu beschreiben, das war unser zugegeben unbescheidenes, vielleicht auch nicht ganz ernstes Ziel. Aber es war nicht nur unsere gestalterische Unfähigkeit, die auch die Tendenz unserer Absicht nach kurzer Zeit blockierte, sondern es war das historische Hausener Alltagsleben selbst und die Art, wie es in den Akten aufbewahrt ist, die uns einschüchterten und uns auf sehr undramatische Zugänge verpflichteten. Es begegneten uns zwar Einzelwesen, aber sie kämpften nie mit ihrem Schicksal, sie waren fast ausnahmslos Opfer: arme Sünder in den Gerichtsakten, arme Teufel in den Pflegschaftsakten, Schuldner in den Steuerlisten; in der Ordnung der Akten wurde nur die Rationalität der Verwaltungsbehörde greifbar. Die innere Struktur von Hausen, die das Dorf zusammenhielt und die Menschen eben nicht als Individuen an ihr Dorf band, wurde nur punktuell und nicht systematisch deutlich. Den Codex, der die Verhaltensweisen innerlich regelte, fanden wir erst, als wir nicht mehr die Verhältnisse zwischen den Personen untersuchen wollten, sondern uns den Eigentumsverhältnissen zuwandten. Wer hat was?, war die erste Form unserer Frage nach dem Besitz. Wir lernten sie umdrehen, als wir von der Einwohnerkartei auf die Durcharbeitung der Lager- und Grundbücher übergingen. Was hat wer?, hieß es dann; und schließlich spitzten wir diese Form der Abhängigkeit noch zu – Was hat wen?

Das war für uns – wir schafften zu viert im Ortsarchiv – eine ganz neue Dimension, uns fremd, aber für die Hausener Verhältnisse ein Schlüssel, der uns die Tür für viele weitere Erfahrungen öffnete. Wer drei Morgen Land besaß, der konnte in einem normalen Jahr ein für unsere Maßstäbe unerträgliches Leben ganz gut durchstehen; wer mehr hatte, der konnte auch einmal einen Hagelschlag oder einen Sturm oder eine Überschwemmung überleben, ohne gleich bei fremden Leuten Arbeit suchen oder gar betteln, stehlen oder verhungern zu müssen. Die oft kargen Akten verrieten uns, als wir uns abmühten, diese Leben in Hausen verstehen zu lernen, ständig mehr: Wir lernten, aus den trockenen Inventaren – und die wurden, gerade weil Eigentum so wichtig war, in jedem Leben zumindest zweimal, beim Tod und bei der Hochzeit angelegt – auf Lebensumstände zu schließen.

Wenn ein Haushalt nur über ein zweischläftiges Bett verfügt, aber die Eltern fünf Kinder haben, dann kann man sich ausmalen, wo die schlafen; wenn die Baupläne zeigen, daß in Häusern mit einer beheizbaren Stube über dem Stall, einer Küche und einer Kammer 7 Personen lebten, dann kann man sich den Rahmen, in dem Erziehung stattfand, vergegenwärtigen. Die leblos scheinenden Akten erhielten plötzlich eine ungeahnte Lebendigkeit. Was bedeutet es, wenn sich in einem Haus nur ein Stuhl befindet, wenn jemand nur ein Hemd hat, die Bettwäsche nur einmal gezählt wird? Schließlich verstanden wir uns auch darauf, fehlende Dinge zu interpretieren; was es heißen kann, wenn Kinderkleidung fast nie auftaucht, wenn Handtücher, Hygiene-Artikel – sieht man von einer Schüssel ab, in der aber sicher auch der Salat gewaschen wurde – gänzlich fehlen.

Die Dechiffrierung war spannend und bedrückend, die Erregung, die sich damit verband, mußte immer wieder in der Arbeitsgruppe ausagiert werden. Die Affekte, denen man sich vielleicht nur in der bergenden Gruppe von Ähnlichempfindenden längerfristig zu überlassen vermag, waren oft so stark, daß wir nach dem Aktenstudium stundenlang zusammenblieben, um sie gemeinsam bewältigen und in analytische Erkenntnisse umsetzen zu können. Die starke Aktivierung unserer Vorstellungskraft ließ uns das Handeln der Hausener szenisch nachvollziehen.

Wir fragten uns, was ein Hausener zur Erntezeit mit seinem fieberkranken Kind machte. Wir lernten, daß er anders handelte und handeln mußte als wir handeln könnten.
Die Natur, die uns nur ab und zu aufs Glatteis führt, war für ihn noch ungebändigt und unberechenbar. Das kleine Kind, das die Frau in der Stube unter Schmerzen gebar, konnte ihr den Tod bringen, und es selbst starb 1845 mit mehr als 50prozentiger Wahrscheinlichkeit noch in seinem Geburtsjahr – was konnte man sich da ob einer Geburt schon freuen, die anschließende Trauer wäre um so lastvoller gewesen; das Getreide, das vielversprechend auf dem Halm stand, konnte von einem Hagelschlag plattgewalzt werden; die Wiese am Bach konnte von der Ache überschwemmt und mit Kies vollgeschüttet werden; die Kuh, die einen mit Milch versorgte und trotzdem anstandslos den Pflug über den Acker zog, konnte bei nächster Gelegenheit von einer Viehseuche weggerafft werden.
1799 waren in Hausen auf einen Schlag 168 Tiere verendet und Sankt Wendelin, den man, nachdem der Tierarzt aus Reutlingen nicht helfen konnte, um Fürsprache gebeten, hatte die Seuche zwar zum Stillstand gebracht, aber auch erst, nachdem fast alle Tiere tot waren. Die Natur, die einen umgab, war verheißungsvoll und bedrohlich zugleich – alles Gute konnte sich schlagartig zum Bösen wenden; alles, was Leben versprach, konnte auch Tod bedeuten. Die Natur war durch und durch zwiespältig, konnte geben und nehmen. Darüber hinaus war auch ihre Sprache nicht eindeutig. Frost konnte gut sein, wenn durch ihn im Januar die Scheermäuse auf den Wiesen erfroren, er konnte schädlich sein, wenn durch ihn die aufkeimenden Apfelblüten zerfielen; Regen konnte gut sein, wenn er die Saatkörner benetzte, er konnte schädlich sein, wenn das Heu noch nicht unter Dach und Fach war und auf den Wiesen verfaulte. Es gehörte zum Hausener Einmaleins, daß jedes Ding mehrere Seiten hatte, die man allerdings nie gleichzeitig sah. Die Natur, der große Lehrmeister, von dem die Hausener lebten und lernten, zwang sie, jede Situation und jede Aktivität auf ihren Nutzen zu betrachten. Unnütze Dinge gab es in Hausen praktisch nicht – nur nützliche oder schädliche.
Auch die Beziehungen der Menschen zueinander standen unter diesem Zwang des Naturwüchsigen: Eine Frau war nützlich, solange sie schaffen konnte, wurde sie krank oder gebrechlich wurde sie schädlich, und es gibt (für ein heutiges Bewußtsein erschütternde) Dokumente, wie sich in solchen Situationen die historisch erzwungene Unfähigkeit der Hausener, ein im bürgerlichen Sinne konsistentes Mitleid zu empfinden, auswirkte; das Kind war nützlich als Arbeitskraft, schädlich als Esser; der Vater war nützlich, so lange er noch mithalf, schädlich, wenn es nicht mehr ging und er ein Pflegefall wurde; der Bruder war nützlich, wenn man zusammen mit ihm aufs Feld ging, schädlich, wenn er einem als Erbgegner am Tisch gegenübersaß; Sinnlichkeit war nützlich, wenn sie Äcker zusammenfügte, schäd-

lich, wenn sie Besitzschranken zu negieren versuchte; Trauer war brauchbar, solange sie entlastete, sie belastete, wenn sie die Schaffenskraft einschränkte.
Wir fragten uns dann, wie es möglich war, so widersprüchliche Situationen auszuhalten, wie ein Bewußtsein beschaffen sein mußte, das derartig disparate Erfahrungen aushielt, ohne zu zerbrechen. Wir bemühten Begriffe einer kritisch orientierten Interaktionsanalytik, und diese waren auch zum Vorverständnis nützlich. Wir faßten mit ihnen die Hausener Psyche als inkonsistent. Aber wir bemerkten, daß dieser Begriff einer anderen Welt entstammt. Denn er bezieht seine Bedeutung aus dem, was er negiert: einer möglichen psychischen Konsistenz. So wird auch und gerade in der Negation mitgedacht, was historisch-real nicht möglich war. Damit erweisen sich bereits die psychologischen Kategorien als unangemessen. Beachtet man aber deren Anachronismus, wird die Verwendung legitim; denn eine historisch relativierte psychologische Analyse setzt bei dem im Gestern Diagnostizierten dessen fortgesetzte, bis ins Heute (und vielleicht noch weiter) reichende Sozialisationsrelevanz mit. Die im Hinblick auf früher als anachronistisch durchschauten Begriffe signalisieren dann die Tendenz der gemeinten psychischen Strukturen selber, im Laufe historischer Weiterentwicklungen anachronistisch zu werden, weil ihr Fortbestehen objektiv überflüssiges Leiden bedeutet, weil es Zwänge tradiert, die nicht mehr überlebensnotwendig sind.

2.3. *Schicksal: Geschlecht und Alter*

Die vorderösterreichische Grundherrschaft hatte schon relativ früh eigentumsähnliche Verfügungsrechte zugelassen, deshalb entstanden sehr enge Beziehungen zwischen Grundbesitz und Familie. Die Familien wurden in ihrer Längslinie durch die Äcker zusammengehalten und ihre Hauptaufgabe war es, die Äcker zusammenzuhalten. Von diesem sehr einfachen Tatbestand her sind sehr viele Hausener Lebensäußerungen besser zu verstehen, manches, das uns vorschnell als verdreht erscheinen könnte, erhält dadurch einen sehr einfachen Sinn. Das sei im folgenden noch einmal an ein paar Einzelpunkten verdeutlicht.
Jeder Hausener hatte ein Interesse daran, seinen Besitz zu vergrößern, denn das verhieß mehr Sicherheit und mehr Distanz zu dem Abgrund, in den man blickte, wenn man die Bettelleute, von denen an manchem Tag bis zu 20 durchs Dorf kamen, oder die Ortsarmen sah, die jeden Freitag legal betteln durften und die, so erinnern sich alte Hausener noch, von Haus zu Haus zogen, an der Tür niederknieten, ein Vaterunser beteten und dann Eßbares überreicht bekamen. Das Vorführen der Armut war Brauch, sie war damit ins Dorfleben integriert, aber nötigte gleichzeitig die Gesetze des Hausener Lebens regelmäßig dem Bewußtsein auf: Ohne Besitz von Boden konnte man in die gleiche Situation kommen.

Allerdings, Boden konnte man nicht erwerben, der gehörte zu einer Familie und er wurde nur auf „natürlichem" Weg weitergegeben, durch Erbe oder Heirat. Diese beiden wichtigen Situationen waren nicht vollständig voneinander zu trennen und wurden gewiß auch als zusammengehörig erlebt. Wer erbte, konnte heiraten, denn wer heiratete, der mußte das Beibringen als Teil seines Erbes in die Ehe bringen. Soweit erschienen Mann und Frau ebenbürtig, jeder brachte gleich viel mit.

Die bäuerliche Arbeit aber und die ihr spezifische Arbeitsteilung trennte deutlich zwischen Haus und Flur. Das Haus war die Werkstätte der Frau, sie war in erster Linie für die „Reproduktion" zuständig. Der Mann gab auf dem Feld den Ton an, und das zumeist ziemlich barsch. Allerdings war die bäuerliche Produktion auf jener Stufe auf einen autoritären Führungsstil angewiesen: Wenn das vielzitierte Gewitter aufzog, mußte rasch und sachgerecht gehandelt werden, und das war auch in weniger dramatischen Momenten der Fall.

Die Einteilung der Arbeit, soweit diese nicht vom Rhythmus der Natur vorgegeben war, oblag dem Mann. Er war als Ackerbauer auch für die Eigentumsfragen zuständig, so wie er früher der Lehensträger und Fronpflichtige gewesen war. Und das war für seine Dominanz wohl letztlich entscheidend: er war federführend bei Verträgen, Grenzstreitigkeiten, für alle Gemeindeangelegenheiten. „Gemeind" bedeutete im alten Hausen die Gemeindeversammlung und das waren ausschließlich die männlichen Besitzer. Diese Gemeinde trat da zusammen, wo Rechte, Ansprüche, Forderungen, Interessen der Genossen aneinanderstießen und sich rieben. Alle öffentlichen Angelegenheiten waren deshalb Männersache. Die Frau gehörte zum Haus wie das Gerät und die Tiere. Sie war notwendig und wenn sie fehlte, mußte eine neue her, um den eigenen Niedergang zu verhindern, den die eigenen Kinder ansonsten inszenierten. So entstand eine gegenseitige Abhängigkeit, die aber, so lange sie funktionierte, vom Mann eindeutig beherrscht wurde und eigentlich nur am Anfang und am Ende, beim Erben und beim Sterben als wechselseitig erfahrbar wurde.

Eine wichtige Aufgabe der Ehe war es, die eigenen Erben heranzuziehen. Die Sexualität belehrte die Hausener darüber, zumindest als unbefriedigte, daß es neben den sachorientierten Bedürfnissen des Besitzes auch unmittelbar subjektiv-menschliche gab. Allerdings, so scheint es aufgrund der Statistik, konnten sich die ohne Äcker mehr Lust leisten. Die Unehelichen-Statistik zeigt, bei allen Unschärfen und Tücken, die sie enthält, daß die Wohlhabenden, zumindest die Mädchen, sich enger am Zügel hielten – oder gehalten wurden – als ihre ärmeren Genossinnen; denn diese hatten weniger oder nichts zu verlieren. Bei einem Bauern war jedes Kind auch Erbe, und deshalb sah er seinen Besitz bei allzuvielen Geburten schrumpfen. Zwei Kinder waren ideal, ihre Arbeitskraft reichte aus bei den Hausener Dimensionen, und sie würden auch nach dem eigenen Leben die Äcker

der Familie bewahren. Aus dieser Perspektive heraus wurden Knaben bevorzugt, weil man die Familie als Stammhalter des Besitzes ansah und das Verständnis von Familie patrilinear akzentuiert war. Ein Schwiegersohn im Haus, „do kaschs glei ahzünda“, sagen die Hausener bis heute.
Die Kinder wurden in Hausen von Geburt an nach ihrem Was, nicht nach ihrem Wer gesehen und behandelt; sie waren potentielle Erben, Träger des Namens, Arbeitskraft, Altersversorgung.
Keine Kinder zu haben, war ein noch schlimmerer Fluch als zu viele; denn das hieß, den Besitz nicht mehr in der eigenen Familie behalten zu können. Schlimmer noch: wenn man alt oder krank wurde, dann freuten sich vielleicht die Geschwister und deren Kinder. Aber in der Regel zehrte man selbst den Besitz auf, denn man mußte sich in Pflege begeben. Wenn das auch nur 7 Kreuzer am Tag kostete, so gab das in einem Jahr schon 48 Gulden, soviel wie zwei Kühe kosteten, und wenn man zu zweit war, dann war in einem Jahr ein Morgen Acker weg. Besaß man kein Eigentum, fiel man der Gemeinde zur Last. Das gehörte zu ihren Aufgaben. Daß sie einen nicht großherzig versorgte, kann man sich angesichts des allgemeinen Hausener Elends leicht vorstellen.
Sozialfälle, etwa verwaiste Kinder, wurden zum Niedrigstgebot versteigert, sie dienten meist armen Leuten zur Aufbesserung der Kasse. Von der Furcht vor der potentiellen Notwendigkeit ihrer Versorgung war ebenfalls das Ansehen der Kinderlosen bestimmt. Konsequentes Mitleid konnten die Hausener nicht kennen; sie sahen in allem die schlimmste Möglichkeit; diese pessimistische Sehweise hatte sie die Natur gelehrt. Genauso schlecht erging es Ehelosen; auch sie waren eine Gefahr für die Gemeinde, konnten ihr im Alter anheimfallen; deshalb wurde ihr Schicksal nicht akzeptiert oder gar als persönliches Unglück bedauert, sondern eher als öffentliches Unglück und asoziale Handlungsweise angesehen.
Das Hausener Leben zerfiel in bestimmte Phasen, die aber alle einer zugeordnet waren. Das war die Zeit nach der Eheschließung, mit der man erst ein Vollhausener wurde, und diese Phase endete mit der Krise, die heraufkam, wenn die Kinder eigentlich Manns genug waren, selbständig zu sein und der Alte nicht schwach genug, um zurückzutreten. Auch diese Konkurrenz hatte ihre Folgen: Starke männliche Persönlichkeiten waren von Vorteil für die Bewahrung des Besitzes; sie bedeuteten aber im Hinblick auf die Kinder eine heftige Konkurrenz zur älteren Generation. So war es in Hausen nicht selten, daß ein starker Vater die ältesten Söhne psychisch erdrückte, aus unbewußter Angst, vorzeitig entmachtet zu werden. Das Verhältnis zu den jüngeren Kindern war vielfach entkrampfter, was wiederum die Spannungen innerhalb der Geschwisterreihe nicht unbedingt entschärfte.
Der normale Hausener war ein Mann, der verheiratet sein mußte und der „sein Sach“ schaffen konnte; dann war er ein angesehener Bürger in der Gemeinde.

Selbstverständlich war, daß er aus Hausen stammte, denn Äcker ,,kann mer net rumtraga"; ein Ehepartner ohne Grund und Boden verschlechterte die Existenzgrundlage um exakt die Hälfte. Nur die wohlhabenden Bauern konnten sich Mädchen von auswärts leisten, aber auch erst, als mit dem Hopfenanbau kapitalintensivere Formen der Landwirtschaft ihren Einzug hielten und eine schöne Stange Bargeld den Kauf der Hopfenstangen erlaubte, den man sonst nur durch den Verkauf von Grund und Boden hätte bewerkstelligen können.

2.4. *Der Grund von allem*

Die Gesetze, die im Hausener Kosmos galten, bezogen sich alle auf die materielle Sicherung des Lebens; Besitz war die Grundlage, der Besitz bestimmte deshalb das Leben der Hausener mehr als alles andere. Das Grundeigentum und die spezifischen Formen der bäuerlichen Arbeit legten die Hausener fest, ihre Regeln, ihr Leben, ihren Charakter. Die Besitzer waren Hausener Bürger und das nicht nur im rechtlichen Sinn; die Bürger-Gemeinde entwickelte eigene Formen, die allerdings wiederum darauf angelegt waren, Besitz zu wahren. Übergriffe wurden streng geahndet. Die alte Witwe Brenner wurde 1839, als sie von einem Wegrain ,,ein Büschele Gras rupfte", wohl um damit ihre Hasen zu Hause zu verköstigen, vom Feldschütz ertappt, angezeigt und vom Gemeinderat mit einer Strafe von einem Gulden belegt, und weil sie den natürlich nicht bezahlen konnte, ersatzweise zwei Tage in den Ortsarrest gesteckt.
Als Besitzer war man Hausener mit bestimmten Rechten und Pflichten. Jeder Besitzer hatte die gleichen Rechte, aber nicht jeder hatte den gleichen Besitz. Mancher trieb auf die Gemeindewiese, die allen Hausenern gleichermaßen offenstand, vier Kühe, mancher keine; und selber konnte er das Gras nicht fressen. Die für heute seltsame Mischung von kooperativen und privaten Formen des Wirtschaftens trieb innerhalb des genossenschaftlichen Verbands deutliche soziale Unterschiede heraus. Die Gemeinde bestimmte den Hausener als Hausener. Sie allein gab einen gemeinsamen Comment, legte so die eher sozialen Fähigkeiten, die von heute aus teilweise auch als Unfähigkeiten erscheinen, fest. Aber ein Hausener, der darauf gepocht hätte, als Gemeindebürger soviel zu gelten wie jeder andere, wäre noch nicht einmal ausgelacht, er wäre gar nicht verstanden worden. Gerade weil der Besitz das Leben so umfassend determinierte, wurde man eben nicht nur durch das Abstraktum des Besitzens bestimmt, sondern genauso sehr durch den Umfang des einem Eigentümlichen.
Die Produktionsmittel, also vor allem Grund und Boden, gehörten der Familie. Letztere war die Produktionsgemeinschaft, die – beschränkt arbeitsteilig – das eigene Anwesen betrieb. Erben und Heiraten waren die einzige Möglichkeit, um an

Boden zu kommen. Die generationelle Längslinie war sicher die deutlichere, aber ebenfalls wichtig waren die Heiratskreise, die alle auf einer Ebene lagen. Da jede Familie die Tendenz hatte, möglichst viel Grund und Boden dazuzuheiraten, gab es überwiegend Eheschließungen in „ebenbürtigen" Bereichen; oder anders herum gesagt: diejenigen Familien, die ungefähr gleich viel besaßen, waren irgendwie „um sieben Ecken num" miteinander verwandt. Soziale Gruppierungen in bestimmten Höhen und Tiefen erschienen so den Hausenern naturwüchsig als Verwandtschaft.

Die Gemeinde bestimmte die Gemeinsamkeiten der Hausener und die allgemein verbindlichen Formen des Zusammenseins. Die „subjektiven" Spielräume legte das Verwandtschaftsprinzip fest. Wenn der Bub in der Wiege lag, kräftig schrie und dicke Arme hatte, dann war das die eine Seite; die andere war, ob er Keßler oder Brenner hieß, zumal er bei den Brenners in gar keiner Wiege, sondern auf einem Haufen von Lappen lag. War es ein Keßler, dann wußte man, daß er einmal mindestens 10 Morgen erben würde, daß er eine Ströbele oder wenigstens eine Kienzle heiraten würde, daß er Butter aufs Brot zu streichen hätte, Milch zu trinken, nicht nur am Sonntag Fleisch essen könnte, daß er in der Kirche weiter vorne sitzen, und daß man im Gemeinderat auf ihn hören würde. Das alles brauchten die Hausener nicht aufzuschlüsseln, das gehörte zum Erscheinungsbild eines Keßlers dazu wie die kräftige Nase oder die wulstigen Lippen. Besitz war ein Teil des Charakters, wurde ebenso natürlich erlebt wie Geiz oder Armut.

Und das war die gnadenlose Kehrseite: Armut war Schicksal, gehörte zu den Brenners wie selbstverständlich dazu. Aufstieg im traditionell bestimmten landwirtschaftlichen System gab es höchst selten, dazu war das Risiko des Abstiegs zu groß. Was man erbte, war ebenso sehr festgelegt, als wen man heiratete. Da galt es sich zu fügen und sein Schicksal hinzunehmen. Die Kunst des Erbens hatten die oben so gut wie die unten zu beherrschen, nur bedeutete sie oben Übernahme relativer Fülle, unten dagegen die Akzeptierung absoluter Not.

Solange die bäuerliche Welt intakt blieb, war das Prinzip des Konservierens bestimmend; auch die, die nichts zu erben hatten, erbten das. Das Dorf auf Erhaltung des Zustands getrimmt, konnte eigene, grundlegende Entwicklungen nicht einleiten. Das bäuerliche Denken sah den Stillstand als sicherste Existenzform, Bewegung bedeutete Verunsicherung, und solange die Natürlichkeit dieser Statik und der in sie eingeschlossenen sozialen Klüfte selbstverständlich war, gab es auch in Hausen keine Zeichen zum Aufbruch.

2.5. *Sozialisation durch Fehlen von „Erziehung"*

Erziehung als vom Erzieher intentional gesteuerte Sozialisation des Heranwachsenden bedarf des Raumes, der Zeit, der Denk- und Handlungsalternativen. Diese

unabdingbaren Voraussetzungen waren für die Hausener Menschen bis weit in die Mitte des vorigen Jahrhunderts hinein nicht hinreichend gegeben.
„Erziehung" fand damals kaum statt, und gerade deshalb mußten die Zwänge einer notdürftigen Erwachsenenwelt um so katastrophenähnlicher über das kindliche Erleben hereinbrechen. Kinder selber konnten ja Katastrophenbringer sein, die gellenden Schreie der Kreißenden, die jeder im damals eng zusammengerückten Dorf hören mußte, hatten mehr als einmal die Totenglocke angekündigt; Kinder waren auch durch ihr narzißtisches Verfallensein an die eigene Bedürftigkeit, die so häufig den Möglichkeiten und Erfordernissen der Umwelt entgegenstand, Verkörperung eines unverschämten, rebellischen Lebenswillens, der verschollene Gefühle in den Erwachsenen wachrührte, sie in eine eigenartig aggressive Spannung versetzte.
In den 40er Jahren des vorigen Jahrhunderts geriet auch Hausen in den Sog der damaligen Agrarkrise, und in jenen Zeiten etwas essen bedeutete für die meisten: selber nicht genug, aber bereits den anderen etwas wegessen. Eltern mußten ihren Kindern etwas wegessen, die der Hunger zu gierigen, rücksichtslosen Animalien machte. Im damaligen Hausen brauchte so kein Mythos vom unschuldigen Kind entmythologisiert zu werden: Kinder erschienen von sich her als egozentrisch-aggressive Wesen, als Asoziale, und mußten darum – ihre Gegenwehr bestätigte es nur – frühzeitig und gewaltsam der unabänderlichen Realität unterworfen werden. So waren die Kinder den selbstverständlichen Folgen der Armut und der Enge deshalb im eigentlichen Sinne ausgeliefert, weil ihnen die affektive Bergung durch die Erzieher fehlte, die ihrerseits die eigene Not an ihren Kindern ausleben mußten. Der Schutzraum „Erziehung" gegenüber den Zwängen der Umwelt fehlte. Nur die Hälfte der damaligen Heranwachsenden überlebte die eigene Kindheit. Und wer von den Erwachsenen hätte angesichts der ständigen Vernichtungsdrohung sein Herz an sein Kind hängen können? Wie hätte man das geradezu alltägliche Erlebnis von Säuglingen in Todeskrämpfen – „Gichter" steht in den alten Chroniken – gefühlsmäßig verarbeiten sollen! Affektarmut, Mitleidslosigkeit oder Gefühlsambivalenz und -inkonsistenz sind darum unter der Übermacht solcher Verhältnisse nicht nur Persönlichkeitsdefizite, sondern historische Notwendigkeit, sind Selbstschutz, freilich unbewußt-blinder.
Die Kinder aber erfuhren vor aller bewußten Erfahrung, daß sie nur dann eine Überlebenschance in dieser feindlichen Umwelt hatten, wenn es ihnen zur „zweiten Natur" wurde, beständig auf der Hut zu sein, selbst und gerade in den nächsten Angehörigen den potentiellen Feind zu wittern, aber auch jederzeit fähig zu sein, die eventuelle Gunst des Augenblicks zu nutzen. Die Verwahrlosung, bereits in den ersten Lebensjahren zugrundegelegt, erreichte damals in Hausen ein erschreckendes Maß, die Kriminalitätsrate schnellte empor, Bettelei und Diebstahl, aber auch rüde sexuelle Delikte nahmen überhand. Die Not der Kindheit setzte

sich so in die Bindungsangst, Mitleidlosigkeit und teilweise Grausamkeit der zukünftigen Erwachsenen um, überlebte auch noch ihre eigene Basis und damit objektive Notwendigkeit, indem sie in einigen Hausener Familien aus dem Unterdorf über die eigentlichen Hungerjahre hinaus sich bis weit in das 20. Jahrhundert hinein fortpflanzte. Not zeigt demnach eine Tendenz, vermittelt über Sozialisation, ihre objektive Notwendigkeit zu überdauern. Dazu neigt dörfliche Not deshalb ganz besonders, weil sie als Stigma in der moralisierenden Erinnerung der von den Mächtigeren bestimmten Dorfmeinung festgehalten wird.
Die Not der Jahrhundertmitte begann in Hausen die beiden traditionellen Bevölkerungsgruppen – die Bauern und die von ihnen stark abhängigen Taglöhner – klassenähnlich auseinanderzutreiben. Als „Bauern" sind hier diejenigen Hausener bezeichnet, die auch nach einer Mißernte weder Wanderarbeit suchen, noch sich bei fremden Brotgebern verdingen mußten. Dem nach genauen Ertragsberechnungen festgelegten Grundsteuerkataster von Hausen zufolge lag die Grenze etwa bei einem Gulden Grundsteuer. Über diesem Betrag lagen 1844 z.B. von den 210 steuerpflichtigen Hausenern nur neun; es waren zu diesem Zeitpunkt also nicht einmal 5 Prozent der dörflichen Oberschicht zuzurechnen. Ihr Grundbesitz begann etwa bei drei Hektar.
Diese Bauern, die – für heutige Verhältnisse – sehr wohl karg lebten, aber zumindest nicht Hunger litten, mußten sich schärfer denn zuvor gegen das Absinken in die nun verwahrlosende Unterschicht schützen. Eine geringe Zahl potentieller Erben wurde offenbar recht naturwüchsig durch eine selbstverständliche Vernachlässigung der Kleinkinder erreicht, deren Sterblichkeit ebenso hoch war wie bei den Armen. Die Bauernkinder wurden beispielsweise nicht gestillt und nur die kräftigsten überlebten ihre Ernährung, dafür aber brauchten sie in späteren Jahren nicht Hunger zu leiden. Wenn etwa ihre hohläugigen Schulkameraden aus dem Unterdorf mit ihren Eltern freitags zum Betteln in die Stube kamen, dann erfuhren die Bauernsprößlinge, in welch unterschiedliche Welt sie hineingeboren worden waren, und auch, welches Glück ihnen beschieden war. Zugleich hatten sie von Kind auf am eigenen Leibe erfahren, wie man die Machtlosen zu behandeln hatte. Damit setzte sich die Not der Armen in die dünkelhafte Notwehr der besitzenden Bauern hinein fort.
Ist Not schon von sich her ein Sozialisationsfaktor ersten Ranges, weil sich – wie im kindlichen Hunger – die eigenen Bedürfnisse quälend gegen das unreife Subjekt selbst kehren und diesem damit die Angst vor sich selbst aufnötigen, dann ist es auch die Nicht-Not der Wohlhabenderen im Angesicht der Not: Auch der Dünkel, das überhebliche Insistieren auf angeborener Privilegiertheit, mag damit als Notwehr gegenüber dem selbstgefährdenden Mitleid erscheinen.

2.6. *Aufbruch: die bäuerlichen Handwerker*

Die Hungersnot der Jahrhundertmitte trieb aber nicht nur die beiden traditionellen Schichten des Dorfes auseinander, sie brachte auch eine neue, nicht mehr nur über den Grundbesitz bestimmte soziale Gruppierung hervor. Dies war allerdings erst ermöglicht durch außerdörfliche wirtschaftliche Weiterentwicklungen, deren Chancen sich ein Teil der Unterschicht schleunigst zu nutzen anschickte. Im Agrarbereich hatte es bereits beträchtliche Veränderungen des Zelgsystems durch das Anblümen der Brache, insbesondere durch den Kartoffelanbau gegeben; was vor allem die Situation der weniger Begüterten verbessern half. Die Industrialisierung in erwanderbaren Gegenden erschloß neue Möglichkeiten, insbesondere Bauhandwerker trafen auf gute Verdienstmöglichkeiten. Im Dorf wiederum waren es die Stadterfahrenen unter den Hausenern, die sich als erste den Hopfenanbau als neue Erwerbsquelle erschlossen oder das in den kommenden Jahrzehnten recht lukrative Ziegelgewerbe betrieben. Die Öffnung des dörflichen Horizonts war auch durch die Eisenbahn bereits in den sechziger Jahren des vorigen Jahrhunderts forciert worden.

Innerdörfliche Not und außerdörfliche Neuentwicklungen brachten so gemeinsam eine neue Schicht hervor, die sich im Dorf etablierte und sehr bald eine bemerkenswerte Eigenständigkeit bewies. Innerhalb weniger Jahrzehnte machte sie das bis dato starre Sozial- und Prestigesystem durchlässiger, wie unsere Archivstudien belegen. Sie lockerte – so läßt sich daraus schließen – vor allem den bislang naturwüchsigen Abhängigkeitszusammenhang zwischen Wirtschaftsweise, Lebensweise und Sozialisation, indem sie letzterer eine – wenn auch bescheidene – Eigenbedeutung einräumte. Denn die neue, stärker handwerklich orientierte Existenz machte längerfristiges, innovatives Planen nötig, erforderte Flexibilität und Disziplin, sie verlangte einen neuen Menschentypus, wie ihn weder die reaktionäre Bauernschaft noch der verwahrloste Teil der Unterschicht hervorbringen konnte: obwohl er Züge der einen wie der anderen an sich trug.

Denn mit den Bauern hatten die handwerklichen Mittelschichtler den männlichkeitsorientierten Patriarchalismus gemeinsam und zugleich den kraftmeiernden Stolz; zunächst gegenüber der Unterschicht, von der sie sich, auf ihren Aufstieg pochend und aus Angst vor neuerlichem Abstieg, scharf abzusetzen trachteten; bald auch gegenüber den Bauern, mit denen sie den dörflichen Konkurrenzkampf aufnahmen. Von ihrer Herkunft aus der Unterschicht her, die durch ihren Aufstieg erst eigentlich desavouiert wurde, hatten sich die Handwerker eine gewisse Verschlagenheit bewahrt, eine Fähigkeit, im unbewachten Moment zuzuschnappen und sich dann schlitzohrig und ohne Skrupel aus der Affäre zu ziehen, wofür sich im Hausener Ortsarchiv, gerade was die Stammväter bis heute maßgeblicher Verwandtschaften betrifft, bemerkenswerte Belege finden.

Die neuen Mittelschichtler waren Männer, die sich gegen den Elendssog ihrer Herkunft und die Unterdrückung der Bauern gleichermaßen zur Wehr setzten, aber auch in der fremden, bisweilen städtischen Umwelt, etwa zu Zeiten der Walz, bewähren mußten. Dabei gewannen sie gegenüber den Bauern einen beträchtlichen Erfahrungsvorsprung.
Festgeschrieben blieb aber auch die Inferiorität ihrer Frauen, die allenfalls zum Markt ins benachbarte Städtchen kamen. Dennoch erlangten auch diese durch die sorgfältigere Kinderpflege eine neue Funktion. Die niedrigere Mortalitätsrate ihrer Kleinkinder (als bei den Bauern und Armen) verweist auf die wirtschaftliche Brauchbarkeit insbesondere von Söhnen im handwerklichen Betrieb, deutet auch an, daß „Erziehung" einsetzte. Denn die Handwerksexistenz schloß vorausschauendes Planen ein; Durchhaltevermögen mußte in den Subjekten etabliert werden. Dies aber bedeutete den Durchbruch einer neuen Subjektivität, dem bäuerlichen „Ich bin, was ich habe" wurde das individualisierende „Ich bin, was ich erreiche (n werde)" entgegengesetzt. Dieser auf Zukünftigkeit hin dimensionierte Aufbruch des Subjekts schloß aber gerade die freiwillige Übernahme temporären Leidens um des späteren Erfolges willen ein, dessen Risikohaftigkeit nur den um so größeren Stolz herausforderte. Während den Bauernkindern ihr Erbe sicher war, mußten die Handwerker ihre Entbehrungen ohne Erfolgsgarantie auf sich nehmen. Dies war nur durch eine trotzige Besinnung auf die eigene subjektive Kraft möglich; der Aufbruch war ein kämpferischer, der Not der Umstände abgetrotzter und darin verhafteter.
Die wirtschaftlichen Erfordernisse der neuen, sowohl agrarisch als auch handwerklich bestimmten Existenz erzwangen die beschriebenen Weiterentwicklungen der Sozialpsyche. Ein energisches, flexibles, wo nötig skrupelloses Ausnützen sich bietender Chancen war erforderlich geworden. Hierzu erwies sich das von großen narzißtischen Spannungen bestimmte Selbst-Bewußtsein der Handwerker-Bauern als besonders tauglich, als ökonomisch funktional. Frühe anale Fixierungen, überhaupt ein wenig rücksichtsvoller Umgang mit kindlichem Selbstbehauptungswillen, hatten – getreu der dörflichen Tradition – eine hohe Libidinisierung des materiellen Besitzes und eine starke Ritualisierung und Funktionalisierung der sozialen Interaktionen erzwungen; aber es steckte auch Weitertreibendes in dem neuen Bewußtsein.
Denn die neue wirtschaftliche Situation mit ihren Auswirkungen auf den Lebensvollzug der Erwachsenen hatte – wie rudimentär auch immer – „Erziehung" nötig gemacht: Wer sich später an unvorhergesehene Situationen anpassen können sollte, durfte nicht schon vorher blind angepaßt sein.
Die Zukunft als teilweise eigenmachbare hatte schließlich auch die Kinder erreicht, in den Familien der Handwerker-Bauern wurde sie ihnen in für das Dorf neuartiger Weise eröffnet. Gewiß steigerte hier die höhere Kinderzahl in den –

nach wie vor – beengten Verhältnissen die Rivalitäten, übrigens war auch dies eine Schule fürs spätere Leben. Grundsätzlich aber war die neugeforderte psychische Struktur, insbesondere das Ich-Ideal mit seiner selbstkontrollierenden Disziplin, aber auch gerade darin seinem Glauben an sich selbst, nur durch eine ansatzweise sorgfältigere Erziehung von den ersten Lebensmonaten ab möglich geworden.

2.7. *Neue dörfliche Kultur*

In mehrfacher Hinsicht mischten sich im Bewußtsein und Handeln der Handwerker-Bauern das Überkommene und das Innovative zu einer komplizierten und zugleich eigenständigen Synthese. Sie stammten nicht nur aus dem Dorf, das sie geprägt hatte, sie blieben auch dem Dorf verhaftet, kehrten stets wieder in es zurück. Und hier war es ihr Grundbesitz – typischerweise zwischen 1 und 3 Hektar – der immerhin für einen Teil ihrer Ernährung sorgte. Sie blieben zugleich auch Bauern, ja, sie versuchten in Hausen von Anfang an den Landbesitz zu mehren, die Konkurrenz zu den vermögenden Bauern nahmen sie gerade auch in deren Domäne auf.

Doch hatte sich das ihnen aufgenötigte, aber auch bewußt anerzogene Selbstbewußtsein gerade in der Fremde für neue Impulse geöffnet, war offenbar sensibilisiert für Aspekte der bürgerlich romantisierenden Kultur, die nachgerade wie für sie, wenn auch nicht von ihnen selbst, geschaffen war. So waren es führende Handwerker-Bauern, die gemeinsam mit dem Dorfschulmeister anno 1856 den bis heute bestehenden „Liederkranz" gründeten; ebenso wie sie 1874 den „Kriegerverein" initiierten, nationaler, beim Militär erlebter Größe damit ihre dörfliche Huldigung erweisend. Diese beiden ersten Hausener Vereine zeugen von der enormen Innovationsbereitschaft und der Begeisterungsfähigkeit jener neuen Schicht; sie lassen auch, vermittelt durch ihre Chroniken, beachtliche Rückschlüsse auf ihre Mentalität, indirekt auch auf die kindliche Sozialisation zu.

So muß das originär bürgerliche Liedgut durch seine Rezeption in Hausen eine neue Funktion gewonnen haben, das in den neuen Lieblingsliedern so häufig beschworene „Dorf", die stets dörflich gemeinte „Heimat", wäre hier ganz anders durch die Realität zu kontrastieren gewesen als etwa in der Sangesmuße städtischer Sängerkränze. Die sich in den Liedern erhebende Sehnsucht nach der dörflichen Heimat mußte auf dem Dorf eine andere sein als anderswo. Welche dorfspezifische Bedeutung mögen die sich besonders häufig wiederholenden Topoi der Lieder gehabt haben, etwa die Animisierung der Natur – verständiger Lindenbaum, bergender Wiesengrund – oder die Bevorzugung tragischer Personenbeziehungen – Untreue der Geliebten? Etwa zwei Drittel der Lieder sind von einer wund-wehen Grundgestimmtheit; jener neue Mythos von der numinos-umfassenden Hei-

mat wird besungen, aber durchweg als das Verlorene: „ach, wie gerne kehrt' ich um", so erhebt sich die ergreifende Klage. So wenig sich die tatsächlichen Verhältnisse in den Liedern widerspiegeln, so sehr läßt sich in ihrer Rezeption das Aufbrechen einer neuen Sensibilität entdecken, eine wehmütige Rückerinnerung an ein Geborgensein, das unwiederbringlich verloren wurde. Sollte sich, freilich in metamorphem Klischee, frühkindliches Erleben bezeugen, das den Menschen die seelische Kraft vermittelt hat, die späteren Zwänge durchzuhalten und in eine ungeschützte Zukunft hinauszutreten?: „Die kalten Winde bliesen mir grad ins Angesicht, der Hut flog mir vom Kopfe, ich wendete mich nicht."
Gerade sein Aufbruch ließ das neue Bewußtsein die Schwere der alten dörflichen Not erleiden. So konnte es nicht hinreichend zu sich selbst durchstoßen. Der Druck der Verhältnisse, eine – den Schilderungen der Alten zufolge – vom frühen Trotzalter ab sehr autoritäre Erziehung ließen dies nicht zu. Es war nicht nur offen für die bildungsbürgerlich ästhetisierte Kultur, es verfiel gerade ihren Klischees, entdeckte sich kurzschlüssig darin wieder. Die nur – aber immerhin – partiell befreite, dann offenbar rigide unterdrückte Emotionalität mußte in starkem Maße selbstfremd werden, verkehrte sich zu diffuser Sentimentalität und lieferte die Menschen darin den bestechend vertraut scheinenden Fragmenten einer ursprünglich fremden Kultur aus.
Die notwendig hohe libidinöse Besetzung des „Schaffens", die gerade bei den Handwerker-Bauern eine kaum vorstellbare Arbeitsdisziplin hervorbrachte, scheint jene Sentimentalität bei sich zu haben, zu der die Hausener in festlich-unalltäglichen, bisweilen auch bloß feierabendlichen Situationen (bis heute) neigen. Zusammen mit frühzeitig fixierten narzißtischen und autoritären Tendenzen waren es wohl solche psychischen Dispositionen, die für die Anfälligkeit der neuen, dorfkulturell führenden Mittelschicht gegenüber angebotenen Heroismen verantwortlich sind.
Von solchen sozialisationsvermittelten Neuentwicklungen scheint in Hausen die katholische Kirche ebenfalls profitiert zu haben. Denn die historischen Zeugnisse für einen konfessionalistisch-militanten Aufschwung mehren sich im letzten Viertel des vorigen Jahrhunderts, führende Handwerker kehrten als Kolpingssöhne von der Walz zurück und verbündeten sich in einzelnen Punkten mit den Pfarrern.

Der ekklesiale Aufschwung scheint dabei nicht nur kulturelle (Liederkranz), liturgische (neue Frömmigkeitsformen) und dogmatische (Konfessionalismus), sondern auch einzelne sozialethische Impulse ins Dorf befördert zu haben. Die Spar- und Darlehenskasse, kurz nach der Jahrhundertwende gegründet, half finanzielle Schwierigkeiten der weniger Begüterten überbrücken und wurde unter der Ägide des Pfarrers gegen den Widerstand der oberen Bauernschicht durchgesetzt. Auch scheint eine neuerweckte Marienfrömmigkeit die Mutterfunktion der Frauen stär-

ker im öffentlichen Bewußtsein verankert und abgesichert zu haben: ein Zwischenschritt, immerhin, zur Akzeptierung der kindlichen Eigenexistenz.
Dennoch bleibt der martialische, bisweilen grausame Zug unübersehbar, der durchs Militär und den deutsch-französischen wie den I. Weltkrieg weniger gebrochen als bestärkt worden zu sein scheint. Als die kollektiv narzißtische, durch den wirtschaftlichen Aufschwung beförderte Verführung des Nationalsozialismus über Hausen hereinbrach, zeigten sich viele Dorfbewohner von soviel Wucht fasziniert. In „die Partei" trat damals gut ein Sechstel aller Männer ein.
Die Nazis schafften neue Fronten, indem sie führende Bauern mit führenden Handwerker-Bauern verbündeten. Auch einige der weniger Geltenden kamen hier zu kurzlebigen Ehren und gereichten so der Partei innerhalb Hausens eher zum Spott. Neben der großen apathischen Mehrheit kannte der Ort auch einzelne strikte Nazi-Gegner: traditionalistische Bauern, konfessionell überzeugte Handwerker und andere, ebenfalls Handwerker, die sich in der Stadt eine „rote Gesinnung" geholt hatten; Anfang der 30er Jahre gab es hier mehr als 30 KPD- und halbsoviel SPD-Wähler.
Vertraut man den Äußerungen älterer Hausener Gewährsleute, dann erscheint trotz aller angedeuteten Neuentwicklungen erst die Mitte dieses Jahrhunderts als eigentlich epochaler Einschnitt, und das Gefühl der einheimischen Alten von einer einheitlichen historischen Phase, die sich über ihre Kindheit um die Jahrhundertwende hinaus im geschichtlichen Halbdunkel verliert, verweist nicht nur auf ein spezifisch dörfliches Geschichtserleben, es hat auch seine ökonomische, demographische, soziale, kulturelle und sozialpsychologische Berechtigung. Denn bis in die 50er Jahre dieses Jahrhunderts hinein blieb die Landwirtschaft der dominante Prägefaktor des dörflichen Lebens, blieb das Dorf zugleich Arbeits- und Wohnstätte, bewegte sich die Bevölkerungszahl kaum über dem Niveau von 1860, blieb die Zahl der Wohnhäuser konstant, gab es kein Dutzend Evangelische im Dorf, regierte Entbehrung den Alltag der Menschen.
Dieser dörflich-agrarische Alltag hielt die Hausener so in Atem, daß sie dazu neigten, alles, was über das Dorf hereinbrach, in Analogie zu Naturgewalten wahrzunehmen, sozusagen unter dem Aspekt des ohnehin Unabänderlichen semantisch zu vereinheitlichen, darunter mehrere Dürren, einige größere und mehrere kleinere Unwetterkatastrophen, vier Feuersbrünste, eine längere Hungersperiode, mehrere Epidemien, ebenfalls die Nöte der Kriege, endlich auch wechselnde politische Systeme. Man marschierte als Württemberger, kehrte national zurück, marschierte für Kaiser und Führer – und starb auch dafür, in diesem Jahrhundert waren es nahezu hundert junge Männer, die ihr Leben fürs jeweilige Vaterland ließen.
Im Dorf aber blieb, trotz vieler Neuerungen, Wesentliches beim Alten: so das hohe Prestige und die Macht der Bauern. Das Schultheißenamt etwa bekleidete

von 1921 bis 1941 der mit anderthalb Dutzend Hektar reichste Bauer, an den man sich in Hausen zurückerinnern kann; und die Ära der Bauern-Bürgermeister ging erst 1953 zu Ende. Im Gemeinderat aber dominierten seit den 20er Jahren die Handwerker-Bauern, die damals mit dem Schwung der Jugendbewegung gleich zwei Vereine, den Sport- und den Musikverein, ins Leben riefen. Überhaupt verzeichneten Kommunalpolitik und Vereinsleben eine ständig steigende Bedeutung im Dorf, und durch beide setzten sich die Handwerker-Bauern mehr und mehr durch. Gleichzeitig steckten immer noch einige Familien in dem Elend, das vor zig Jahren sich verfestigt hatte, reproduzierten im Generationenzirkel ihre Asozialität, auf die sie die Dorfmeinung längst festgelegt hatte.
Die neue Schicht hatte seit etwa 1850 für ein Jahrhundert lang stellvertretend für das ganze Dorf, das sie damit umprägte, neue Möglichkeiten der städtisch dominierten Außenwelt genützt, soweit sie wirtschaftlicher Natur waren, assimiliert, sofern sie kultureller Art waren. Gerade indem sie den Wettbewerb im Dorf forcierte, soziale Differenzen teils selber überwand, teils durch eine originär bürgerliche, großenteils kirchliche, Moralisierung neu festschrieb und mit agrarischen Vorstellungsresten legierte, indem sie gerade auch vereinfachende Klischees, die von außen angeboten worden waren, übernahm, brachte sie ein neues dörfliches Sozialbewußtsein hervor und vereinheitlichte so das Dorf aufs neue.

2.8. *Sich überlebende Not*

Um ihren Anspruch einzulösen, muß eine Sozialisationsanalyse der beschriebenen Epoche methodisch ihre eigenen Grenzen überschreiten – zumindest in zweifacher Hinsicht. Als erstes zeigt sich, daß diese in vielen Hinsichten so neuartige, an Innovationen und Brüchen reiche Phase wesentliche Strukturen beibehielt, die der Vergangenheit entstammten; wie sie ja auch der Not verhaftet blieb, deren Überwindungsversuche sie prägten. Ist es demnach nicht möglich, das Sozialleben dieser Phase zu verstehen, ohne ihre Vorgeschichte zu kennen, dann zeigt sich zweitens, daß die Prädominanz der wirtschaftlichen Verhältnisse und der den Lebensbereich bestimmenden Arbeitswelt gegenüber dem Interaktionssektor „Erziehung" bestehen blieb und dessen Eigenständigkeit weitgehend verhinderte.
Behält man beides im Auge, dann zeigt sich in der – oben freilich pointiert dargestellten – Sozialpsyche der neuen Handwerkerschicht, daß sie ältere Interaktionsstrukturen angesichts der neuen wirtschaftlichen Möglichkeiten/Erfordernisse beizubehalten und auszuentwickeln, andere aufzugeben vermochte. Der Aufbruch blieb aber den notvollen Strukturen verhaftet: Die Quasidichotomien zwischen Männern und Frauen, den Alten und den Jungen, zwischen Ledigen und Verheirateten, armen und vermögenden Verwandtschaften, Einheimischen und

Zugezogenen, besonders den konfessionell Fremden, blieben bestehen und mit ihnen das dreifach dimensionierte Prestigesystem in seiner eminenten Sozialisationsrelevanz. Es regenerierte sich in den Modifikationen, die die Handwerker-Bauern in es eintrugen: Beruf, Verein, Kommunalpolitik, alle Domänen der Männer; alle drei führten zu Veränderungen innerhalb der Verwandtschaftsdimension, die deren Bedeutung jedoch nicht minderten.
Die sozialpsychische Basis dieses Systems, das die sozialen Interaktionen nach den Gesetzen der wirtschaftlichen Erfordernisse reglementierte, mußte deren Zwänge abbilden, in sich aufnehmen, um sie dadurch kollektiv und subjektiv erträglich zu machen. In der Empathiearmut und Mitleidslosigkeit gegenüber den jeweils Schwächeren blieb die Abwehr eigener traumatischer Kindheitserfahrungen virulent, in dem streng wettbewerbsorientierten Existenzkampf konnten verdrängte Sehnsüchte in der Außenwelt abgearbeitet werden, trieb sie zwangsähnliches Arbeiten, aber auch zärtlichkeitsarme, ritualisierte Beziehungsformen zu den Mitmenschen hervor; die zudem, als desymbolisierte, sentimentalisierbar, ideologisch abrufbar blieben, zur Verführbarkeit disponierten. Weil nur solche Interaktionsstrukturen angesichts der unerbittlichen wirtschaftlichen Situation dem Einzelnen seine Überlebenschancen eröffneten, kam ihnen historische Notwendigkeit zu, was bei den oben verwendeten, Psychopathologie signalisierenden Begriffen beachtet bleiben muß, sollen sie nicht ahistorisch mißverstanden werden.
Erst in der Aufschwungphase nach dem II. Weltkrieg wurden die äußeren Voraussetzungen zur Überwindung dieser Interaktionsstrukturen geschaffen, davon wird im folgenden zu sprechen sein.

3. Heutige Sozialisationsprofile

3.1. *Ein anständiger Wahlkampf*

Das sicherlich herausragende Ereignis der 50er Jahre in Hausen war die Bürgermeisterwahl von 1953, als mit Romuald Saile der letzte Hausener Bauers-Bürgermeister den Posten freigab. Der Wahl stellten sich drei Kandidaten aus dem Dorf, alle um die fünfzig Jahre alt, die sich sämtlich Siegeschancen ausrechneten; denn Wahlniederlagen gelten allgemein als schimpflich. Alle drei stammten aus führenden Aufsteiger-Verwandtschaften. Bei Josef Keßler, dem Baumwart – ein wichtiger und angesehener Beruf – hatten gleich drei der vier Urgroßväter zwischen 1845 und 1864 einen Aufstieg aus der Gruppe wenig besitzender Handwerkerbauern geschafft, der sie an die Seite der Hausener Bauern mit dem größten Hektarbesitz stellte. Bei Karl Kienzle, dem Kaufmann, gelang dies den beiden Großvätern zwischen 1882 und 1897. Handwerker waren auch die Vorfahren des Gipsermeisters

Josef Wiedmaier, allerdings stieg erst sein Vater zur dörflichen Führungsschicht auf. In allen drei Verwandtschaften war der Aufstieg mit einer geschickten Heiratspraxis (Bauerntöchter) verbunden gewesen, und bereits in den 20er Jahren gaben die Väter der drei im Hausener Gemeinderat den Ton an. Neben der überdurchschnittlichen beruflichen Ausbildung verfügte jeder von ihnen über vermehrte Erfahrungen in der Fremde, die auch innerdörflich zu Buche schlagen sollten. Josef Keßler hatte den Hausener Obst- und Gartenbauverein gegründet, dessen Vorstand er war, Karl Kienzle war Vorstand des Liederkranzes. Josef Wiedmaier gilt bis heute als der vereinspostenreichste Hausener überhaupt.
Die Hektik der damaligen Wahl soll alles Vorhergehende und Nachfolgende in den Schatten gestellt haben. Bei einer effektiven Wahlbeteiligung von 93 % schied Josef Keßler denkbar knapp für die Stichwahl aus. Seine Wählerschaft ging dann im Verhältnis 3:1 zu Karl Kienzle über, so daß dieser, obwohl bei der ersten Wahl noch deutlich hinten liegend, die Stichwahl überlegen gegen seinen künftigen Stellvertreter im Amt gewann. Insgesamt sechs Flugblätter wurden im Dorf verteilt, die letzten beiden noch am Wahlsonntag. Am Vorabend der Stichwahl hatten beide Kandidaten unabhängig voneinander zwei Wahlzettel im Dorf verteilen lassen, die hier ausschnittweise zusammengestellt sind:

Josef Wiedmaier:
Zu Anfang dieser Aufklärung danke ich allen meinen Wählern und Wählerinnen auf das herzlichste für das mir am letzten Wahlsonntag ausgesprochene große Vertrauen.
Ich wollte Euch am liebsten vor diesem Zettel, bzw. Aufklärung, bewahren, und zwar deshalb, *weil ich einen anständigen Wahlkampf* führen will.
Ich wurde aber leider dazu gezwungen, denn von Leuten werden *Gerüchte verbreitet*, die vor Gott und der Welt nie zu verantworten sind.
Ich soll nämlich vor dem ersten Wahlgang eine Schlachtung gemacht, und sogenannten Wahlspeck an Wähler verteilt haben, ja sogar Mehl sei in dunkle Kanäle gewandert.
. . . Aber meine lieben Hausener Wähler, ich kann Euch vor Gott und an Eidesstatt versichern, daß *dies alles* erfunden und nur eine Wahlhetze gegen mich ist, was hier von unverantwortlichen Leuten verbreitet wird.

Karl Kienzle:
Von ganzem Herzen danke ich jedem, der beim ersten Wahlgang mir seine Stimme gab.
Mit Rücksicht . . . habe ich mich vorher jeglicher Wahlpropaganda enthalten. Da nun aber meine politische Vergangenheit und meine Person vor allem von den Anhängern meines jetzigen Wahlpartners den gehässigsten Angriffen und Verleumdungen ausgesetzt wird, kann ich nicht mehr schweigen.
Ich würde mich schämen, mit Einladungen, Versprechungen und Zuwendungen verschiedenster Art (ins Haus getragen) und Verleumdung meines Gegners um Stimmen zu feilschen. Wenn *ich* etwas übrig habe, gebe ich es den Notleidenden ohne Hintergedanken.

3.2. *Gegner-Gegner als Führer*

Die 1953er Wahl kann, als Musterfall einer das ganze Dorf betreffenden und nach Frontlinien aufteilenden Kontroverse, mehrere Zusammenhänge verdeutlichen helfen. Zunächst läßt sich eine direkte Abhängigkeit der Hektik der Beteiligten von der Wichtigkeit der Entscheidung vermuten. Die Bedeutung, die dem Bürgermeisteramt in Baden-Württemberg kommunalpolitisch zukommt, konnte sich zu dem Zeitpunkt, als Hausen revolutionsartig die angestammte Armut zu neuen Lebensmöglichkeiten hin überwand, erst richtig entfalten: Der Bedeutungsverlust der Äcker durch das Stadtpendlertum machte, zumal nun Geld ins Dorf kam, die neue Bauwelle möglich. Indem dem alten Sozialsystem mit seinen Verwandtschafts-Staffelungen also die ursprüngliche ökonomische Basis entzogen wurde, der Grund und Boden seine entscheidende wirtschaftliche Funktion verlor, kam doch gerade den Verwandtschaften mit ihren gemeinsamen Bodeninteressen plötzlich die Chance zu, sich günstige Bauplätze zu sichern bzw. Boden einträglich zu verkaufen. Ebenso wurde die enorme Bautätigkeit von den Hausenern in Verwandtschaftshilfe bewerkstelligt. So konnten ältere Gewährsleute unabhängig voneinander die wesentlichen Wählerblöcke von 1953 erstaunlich übereinstimmend retrognostizieren, wobei sie jeweils den Verwandtschaftslinien folgen. Dieser Befund verdient besonderes Interesse angesichts des gegenläufigen Trends zu vereinsspezifischem Wahlverhalten, wie er die Gemeinderatswahlen in Hausen in der Weimarer und der Nachkriegszeit kennzeichnet.
Bemerkenswert ist, daß gerade die neuen verlockenden Aussichten, die angestammte Kärglichkeit der Lebensweise hinter sich zu lassen – etwa: aus den engen Bauernhausstuben in geräumige Einzelhäuser zu ziehen – das Ausmaß an Rivalität entbunden zu haben scheinen, für das die obigen Zitate nur symptomatisches Indiz sind. „Neid“ ist für die Hausener eine zentrale Vokabel bei der Diagnose des Verhaltens ihrer Mitbürger.
Der Befund der 53er Wahl wird aber bei näherem Hinsehen noch komplizierter. So zeigt sich, daß zum Wählerblock des Josef Wiedmaier auch eine Verwandtschaft zählte, die mit über 80 Stimmberechtigten doppelt so groß war wie seine eigene. Diese hatte offenbar deshalb keinen Kandidaten präsentiert, weil sie nur durchschnittliche Sozialgeltung besaß, von sich aus nicht zusammenarbeitete und ihr herausragende Persönlichkeiten fehlten. Um so bemerkenswerter war aber das einhellige und deutliche Engagement für den „Sepper“. Das Beispiel deutet an, sowohl, daß das Verwandtschaftssystem auch 1953 die Macht für wenige im Dorf reservierte, als auch die Machtlosen sich beträchtlich „verkämpften“ – für Mächtigere und deren Interessen. Daraus läßt sich nun vermutungsweise schließen: erstens, daß heftiges und hektisches Engagement nicht in allen Fällen dem Verfolg eigener realer Interessen diente, sondern hier ein frei fluktuierendes Aggressions-

potential abgerufen werden konnte; zweitens, daß die Blockbildung über Identifikationen mit mächtigen Führerpersönlichkeiten sich vollzog – nicht umsonst war der Wahlsieger bereits Ortsgruppenleiter; drittens, daß die weniger Geltenden in Hausen untereinander bemerkenswert unsolidarisch waren und ihre formellen demokratischen Chancen nicht nutzten.
Betrachtet man die Ereignisse, die der Bürgermeisterwahl folgten, dann erweist sich die zweite Vermutung: Identifikationsneigung mit Mächtigen, als ergänzungsbedürftig; ebenso wie der Zusammenhalt der führenden Verwandtschaften eventuell falsch verstanden werden könnte. Denn die Allianzen in der Wahlphase zerfielen teilweise sehr bald wieder, die beteiligten Brüder und Vettern fochten wenig später ihre (zumeist Erb-)Streitigkeiten mit der alten Unerbittlichkeit weiter aus. Die Identifikation galt semantisch nicht dem eigenen „Freund", sondern dem mächtigen „Gegner-Gegner". So trafen wir bei Interviews häufig auf den merkwürdigen Sachverhalt, daß die jeweils eigene Verwandtschaft als klein und wenig kooperativ empfunden wird, während man bei den angeblich großen „gegnerischen" Verwandtschaften eine starke Zusammenarbeit vermutet, in allen wichtigen Fragen Konspiration wittert. Verwandtschaften, die es auf dem Rathaus zu Lobbys bringen, werden in Hausen durch Führerpersönlichkeiten formiert, sie orientieren sich nicht nur mechanisch an der Abstammung, schließen häufig weiter entfernte Verwandte ein und nähere aus; sie sind weniger Verwandtschaft „für sich" als „gegen andere".
Aus diesen Beobachtungen folgert auch die extrem situative Varianz des Verhaltens, die Inkonsistenz in den Objektbeziehungen und -besetzungen. Der heftig beschimpfte Gegner bei der gestrigen Wahl kann heute der geschätzte Fachmann beim Hausbau, morgen der gleichgültig lassende Dorfgenosse sein, den man ohnehin schon allzu gut kennt. Die stark situativ-szenisch bestimmten Verhaltensweisen, die zumeist vorteilsbezogen, dann aber auch von heftigen rivalitätsorientierten Affekten bestimmt sind, haben in ihren Schwankungen eines gemeinsam: die hohe Ambivalenz der jeweiligen Partnerrepräsentanzen.
Die zitierten Flugblatt-Sentenzen machen schlaglichtartig deutlich, daß trotz der Transparenz und Überschaubarkeit des dörflichen Sozialsystems die Deutung der Ereignisse in Konfliktsituationen extrem kontrovers ist, wobei jede der gegeneinander widersprüchlichen Interpretationen sich selbst für die realitätsgerechte hält. Dabei korrespondiert mit der überscharfen Wahrnehmung der „gegnerischen" Handlungen und Motive eine äußerst naive Selbsteinschätzung, die sich beharrlich an einem überzogenen Ich-Ideal orientiert. Durch die Neigung, eigene uneingestandene Verhaltenstendenzen stets bei den Partnern wahrzunehmen, werden diese zu – wenigstens potentiellen – Widersachern; die von ihnen vermutungsweise ausgehende Bedrohung setzt entsprechende Gegenmaßnahmen in Gang, die man selbst als Schutz interpretieren zu dürfen glaubt, der andere jedoch als Ag-

gression auffassen muß. Auf diese Weise bestätigt sich die skeptische Vorerwartung, erfahren sich die Dorfgenossen in wichtigen Situationen „tatsächlich" als angriffslustige oder hinterhältige Widersacher.
Aus dem mangelnden Selbst-Bewußtsein und der durch Projektionen bestimmten Partnerwahrnehmung resultiert eine äußerst skeptische Einstellung zu Phänomenen wie dem rationalen Diskurs, der allenfalls in feierlichen Ansprachen umschreibend beschworen wird, an den aber kaum jemand in Hausen glauben kann. Die alltägliche Erfahrung spricht allzu sehr dagegen, daß es ihn überhaupt gibt. Je heftiger Interessen im Dorf aufeinanderprallen und je stärker die Partner involviert sind, um so zwangsläufiger stellt sich die subjektive Erfahrung von der gegnerischen Bösartigkeit und der eigenen Integrität ein.
Faßt man die Ereignisse der 53er Wahl kurz zusammen, dann ist zunächst auf die Wiederbelebung des traditionellen Verwandtschaftsprinzips hinzuweisen. Es zeigt sich, daß Hausen die bruchartigen Neuerungen durch die Reaktivierung „ungleichzeitig" gewordener, neofunktional-traditioneller Strukturen beantwortete. Die früher notwendige, kämpferische und rivalitätsorientierte Einstellung zum Dorfgenossen wurde angesichts der neuen Aufstiegschancen erst recht entbunden. So zeigten sich die dörflichen Interaktionsstrukturen durch die demokratischen Selbstbestimmungschancen teilweise beträchtlich überfordert; die Hausener machten denn auch kaum Anstalten, die nationalsozialistische Vergangenheit aufzuarbeiten. Die traumatogene Virulenz der früheren Verhältnisse entfaltete sich nun erst im eigentlichen Sinne, weil sich diese in Interaktionsstrukturen verselbständigt hatten, die inzwischen, zumindest vom Stand der Produktivkräfte her, nicht mehr historisch notwendig waren.

3.3. *Demokratische Überforderung*

Die Blütezeit der Hausener kommunalpolitischen Selbstbestimmung dauerte genau zwei Jahrzehnte, rechnet man sie vom Jahre 1950 ab. Als Karl Kienzle 1969 sein Bürgermeisteramt abgab, nicht ohne dabei die Gemeinderatsmitglieder der Josefschen Verwandtschaftslobby für den Verlust seiner Gesundheit verantwortlich zu machen, kandidierte kein Einheimischer mehr. Man wollte nun einen unabhängigen Kandidaten und Verwaltungsfachmann. Unsere Projektgruppe erlebte die Bürgermeisterwahl im Frühjahr 1970 direkt mit; das Wahlverhalten der einzelnen Hausener, ihre Motivation, Vorder- und Hintergründe wurden durch Eigenbeobachtung und vor allem mit Hilfe dörflicher Gewährsleute weitgehend genau rückermittelt und analysiert.
Diese Wahl scheint gegenüber der 53er besonders durch zwei Faktoren gekennzeichnet. Erstens korrespondierte dem Zurücktreten unmittelbarer materieller

Eigeninteressen kein entsprechendes Ausbleiben der regressiven Hektik; diese zeigte sich vielmehr erneut in heftigen dorfinternen Streitigkeiten, weil jede Seite Beweise zu haben glaubte, die andere kollaboriere bereits mit dem Gegenkandidaten. Formal ähnelte die Frontbildung dem, was von 1953 berichtet wurde. Als blockformierende „Autoritäten" fungierten diesmal wieder Karl Kienzle und Josef Wiedmaier, besonders aber der Pfarrer und – vor allem über den Liederkranz – der Schulleiter. Inhaltlich, dies ist wiederum ein Unterschied zu 1953, war 1970 durch eine erhebliche Bedeutungszunahme der Vereine auch im Rahmen der Bürgermeisterwahl gekennzeichnet und durch ein entsprechendes Nachlassen des verwandtschaftsspezifischen Wahlverhaltens. Eigenartigerweise erschien uns aber der Einsatz mehrerer Vereine für einen der beiden Kandidaten von wenig sachlichen Motiven geleitet, obwohl doch die Vereine gewisse demokratische Formen zu praktizieren pflegen.
Hausen blieb seinen Selbstbestimmungschancen nur unzureichend gewachsen. Die kaum vorbereitete und – hier wie andernorts – sehr willkürliche Eingemeindung von 1972 mitsamt ihren Begleiterscheinungen und Folgen, die das ohnehin schwach entwickelte Demokratiebewußtsein der Hausener weiter untergruben, scheinen diesen Sachverhalt von außen und von oben fürs erste besiegelt zu haben.

3.4. *Dörfliches Prestige als historisches Erbe*

Lenkt man noch einmal die Aufmerksamkeit auf den Ausgangspunkt dieses Aufsatzes – die Befragung zum dörflichen Prestige – zurück, dann läßt sich nun ihr Ergebnis besser einordnen. Die neun als prestigerelevant ausgemachten Merkmalsbereiche

Alter	Beruf im Dorf	Beruf dorfaußerhalb
Familienstand	Kommunalpolitik	
Verwandtschaft	Verein	
lokale Herkunft		
Konfession		

stammen aus drei verschiedenen Epochen der Hausener Geschichte. Die ersten fünf bilden, zusammen mit der „Geschlechtszugehörigkeit", das klassische dreidimensionierte Prestigesystem, das die agrarische Produktion mit dem Grundbesitz als dominantem Schichtbildner hervorgebracht hat. Die zweite Gruppe „Beruf im Dorf – Kommunalpolitik – Vereine" bezeichnet die neuen Faktoren, mit denen die Handwerker-Bauern das alte agrarisch festgelegte System durchlässiger machten, prinzipiell jedoch regenerierten. Nur der letzte und – u. a. aus der Zahl der entsprechenden Kommentare erschlossen – bemerkenswert unbedeutende Merkmalsbereich ,,(städtischer) Beruf dorfaußerhalb" gibt die Auswirkungen der urbanisationsintensiven Phase seit etwa 1950 wieder. – Dieser Sachverhalt bestätigt zunächst, was die 53er-Wahl schon anzeigte, daß sich nämlich das in den agrarischen Grundstrukturen verhaftete dörfliche Sozialsystem auch und gerade während des ökonomischen Umbruchs der Nachkriegszeit konsolidierte und bis heute innersystemisch intakt blieb.

Freilich muß sich die Funktion der einzelnen traditionellen Merkmalsbereiche angepaßt und damit verändert haben. Für diesen Prozeß bietet der Bereich ,,Verwandtschaft", wie oben bereits angedeutet, ein besonders illustratives Beispiel. Ihre Neufunktion im Zusammenhang von Kommunalpolitik und Bautätigkeit läßt allerdings fragen, warum Hausbesitz kein einziges Mal als geltungsbegründende Kategorie anläßlich unserer Befragung auftauchte. Dies ist jedoch nur ein scheinbares Versehen unserer Gewährsleute. Indirekt bestimmt Hausbesitz die abgegebenen Kommentare stark mit. In den zunächst mit ,,konkret-individuelles Verhalten" etikettierten Kommentaren finden sich Verben wie ,,schafft", ,,arbeitet (viel)", Adjektive wie ,,fleißig", ,,arbeitsam", Substantive wie ,,Wuahler", ,,Schaffer". Sie alle beziehen sich auf das alltägliche Arbeiten im Dorf, und dieses meint, häufiger noch als landwirtschaftliche Nebentätigkeit, das Häuserbauen. So steckt auch hinter dem anerkennenden ,,gilt was" der Erfolg solchen Arbeitens; hinter der sozial-positiven Kategorie ,,beliebt" oder vor allem ,,hilfsbereit" verbirgt sich preisgünstige Handwerkshilfe beim Bauen.

Diese wenigen Hinweise vermögen eine spezifische Wahrnehmungsweise zu verdeutlichen. Arbeitstätigkeit, -erfolg, -produkt und subjektiver Charakter verschmelzen in Hausen sehr stark zu einer Vorstellungseinheit, liegen auch semantisch sehr eng beieinander, wobei der personale Aspekt deutlich abgeleitet, also untergeordnet erscheint. Dazu fügt sich – dies ist die eigentliche Erklärung für das Fehlen von Hausbau/-besitz unter den ,,dorfdemographischen" Bereichen – die ,,ökologische" Vorstellung des Dorfgenossen: Jeder Name evoziert präzise Assoziationen vom Haus, in dem der Betreffende aufgewachsen ist, das er gebaut hat, in dem er jetzt lebt; und diese Assoziationen konnotieren stets Werte wie ,,traditionell wohlhabend/angesehen", ,mittelmäßig", ,,erfolgreich", ,,zu ehrgeizig" usw. Der konkrete Ort, an dem jemand wohnt und wie er ihn gestaltet hat, sagt für die Hausener Entscheidendes über den Betreffenden selbst; die Verortung ist zugleich eine soziale, prestigebedeutsame: Besitz und Besitzer sind in Hausen zu einer Vorstellungseinheit verbunden.

Wie dieses Beispiel vom in den Kommentaren nicht spezifisch angesprochenen Hausbau/-besitz zeigen mag, haben Gewährsleute und andere Befragte stets Schwierigkeiten, das für sie Evidente in seiner vermeintlichen Selbstverständlichkeit so zu artikulieren, daß es für den Außenstehenden bequem greifbar ist; können Wissenschaftler leicht dazu neigen, das Maß ihres Außenstehens zu unterschätzen.

3.5. *Heimat, selbst erbaut*

In sehr vielen, gerade den „ordentlichen" und angeseheneren Familien wird die frühkindliche Sozialisation weitgehend vom Hausbau bestimmt, der in die ersten Ehejahre fällt, zumindest während dieser Zeit vorbereitet wird. Um ihn zu ermöglichen, scheint kaum ein Opfer zu groß: Die junge Ehefrau ist voll berufstätig; der Ehemann hat sich längst durch mehrfache Arbeitshilfe in der Verwandtschaft, bisweilen auch der Nachbarschaft, seltener bei Vereinsbrüdern, „Jahrgängern" (= Gleichaltrige) usw. die künftigen Helfer für seinen Hausbau gesichert. In dieser Zeit wohnt man denkbar beengt, vielleicht bei den Eltern in einem der alten, renovierten Wohnhäuser des Dorfkerns; die Miete darf jedenfalls nicht viel kosten. Das erste Kind wird zumeist von Verwandten erzogen, häufig der „Ahne" (= Großmutter). Die Anfangsjahre sind für beide Ehepartner strapaziös, die Männer haben kaum Kontakt zu den Kindern, da sie gerade an Feierabenden und Samstagen fest schaffen. Die eigentliche Bauperiode ist besonders hart, in Hausen sind mehrere Fälle gesundheitlicher Schädigung nach dem monatelangen Streß bekannt.

Dennoch läßt sich die soziale und je individuelle Bedeutung des eigenen Hauses nur unzureichend aus den Anstrengungen erklären, die sein Bau gekostet hat. Denn umgekehrt werden diese Mühen als selbstverständlich erachtet; wer in Hausen nicht Hausbesitzer ist oder alles daran setzt, es zu werden, der gilt nicht bloß nichts, er verhält sich auch unverständlich, so als ob ihm ein natürlicher Trieb fehle. Franz Ströbele etwa weiß von allen Neubauten präzise Einzelheiten, beispielsweise die Abmessungen auf den halben Meter genau und die Baukosten, obwohl man über solche finanziellen Privatdinge selten offen spricht. Mit einem Wort, das Haus sagt Entscheidendes über seine Bewohner, vor allem über die Tüchtigkeit des Mannes, der es erbaut hat; es ist sein Eintrittsbillett in die eigentliche Dorföffentlichkeit, in die Gruppe der erwachsenen Männer.

Es ist nun wichtig, die Folgen dieser Praxis für die Betroffenen, und das sind letzten Endes die kleinen Kinder, zu bedenken. Allerdings läßt die Selbstverständlichkeit, mit der viele Hausener den Kindern die elterliche (die väterliche, aber auch mütterliche) Zuwendung frühzeitig und in großem Maß vorenthalten, die Vermutung zu, daß die äußere Streßsituation nur scheinbar der Grund der manifesten Vernachlässigungen ist. Sie verweist ihrerseits auf eine starke Funktionalisierung der Kommunikation. Als Rudiment aus dem früheren, durch die Großfamilie geprägten Lebensvollzug wird auch heute noch vielen Hausener Großmüttern

die Erziehung der Kleinkinder übertragen. Diese bevorzugen – wie man leicht beobachten kann – einen traditionalistisch-autoritäten Erziehungsstil.
Der oft auffällig distanzierten Beziehung vieler Mütter zu ihren älteren Kindern, die sich bisweilen bei den jüngeren in fühlbarer Bevorzugung manifestiert, korrespondiert die wenig überschwengliche, den Sachzwängen des Hausbaus konsequent unterworfene Beziehung der Ehepartner. Diese ist, was die Arbeitsdisziplin betrifft, durchaus gleichberechtigt, wenn auch die Funktionen teilweise verschieden sind; im Hinblick auf das soziale Prestige wird die Rolle der Frau jedoch als bloß komplementär zu der des Mannes betrachtet. Dieser gibt beim wichtigen Hausbau beispielsweise den Ton an. Die Kinder spüren nicht nur das weit größere Ansehen der Männer, sie erleben auch mit – analog zur früheren bäuerlichen Arbeit –, wie diese mit Körperkraft schwere Aufgaben meistern, Sichtbares schaffen. In dieser Hinsicht ist die moderne dörfliche Kleinfamilie also durchaus nicht „vaterlos". Die faktische Arbeit der Männer und das dieser traditionell zukommende Prestige bestimmen nach wie vor das Zusammenleben als paternalistisch und die Geschlechtsrollendifferenzierung als dementsprechend scharf.
Legt der Hausbau inhaltlich die ersten Ehejahre und das Schicksal der in dieser Zeit geborenen Kinder fest, dann läßt er zugleich beachtliche Rückschlüsse auf grundlegende familiale Interaktionsstrukturen zu. Dabei zeigt sich, daß eine Analyse des bloßen Interaktionsbereichs schon im Ansatz zu kurz greift, objektiv und durchaus auch vom subjektiven Bewußtsein der Betroffenen her. Denn das familiale Interagieren gerade auch der jungen Ehepaare erscheint dem Erreichen materieller Ziele rigid untergeordnet, die zwar vom einzelnen als drängende *Eigen*bedürfnisse empfunden werden, aber so streng *sozial verankert* sind, daß gerade diese Bedürfnisse als teilweise *zwanghafte* beurteilt werden müssen, weil sie von den Betroffenen zu wenig auf ihren tatsächlichen Sinn befragt werden.
Wird hier der kollektive Druck des „Dorfes" deutlich, so lassen sich gerade darin Auswirkungen der Urbanisierung erahnen. Auch auf dem kulturellen Sektor, im Vereinsleben, werden als Folgen einer offenbar problematischen Arbeitssituation in der Stadt (inferiore Ausgangssituation, ungeübte Kommunikationsformen usw.) kompensatorische Tendenzen greifbar. Zwei Vereine etwa übernahmen gezielt die sogenannte „Pflege heimatlichen Brauchtums". Gründung und sichernder Ausbau der eigentlichen „Heimat", Ausbau einer unbewußt motivierten Gegenerfahrungswelt gegen den städtischen Arbeitsalltag, scheinen wichtige Motive für das Hausbauen, überhaupt für die Persistenz des dörflichen Sozialsystems zu sein, das jedoch – weil zu starke „entfremdete" Bedürfnisse in es einfließen – ein Zuwenig an individueller oder gemeinsamer kritischer Kontrolle zuläßt.
Hinter den Sachzwängen des Hausbaus stecken also auch problematische gesamtgesellschaftliche Verhältnisse sowie dorfspezifische soziale Sanktionen, ein starker Druck, sich vor der Dorföffentlichkeit im Rahmen ihrer Normen zu bewähren,

der durch seine mangelnde Bewußtheit nur um so virulenter ist. Die daraus abgeleiteten Interaktionsstrukturen weisen scharfe Rollenzumutungen mit einer relativ ausgeprägten Männerdominanz auf. Dem innerfamilialen Paternalismus korrespondiert also eine starke Abhängigkeit auch der Männer von den sozialen Normen, dem Zwang, sich vor dem „Dorf" profilieren zu müssen; was ihre Position gegenüber den Frauen, die dies zumeist durchschauen, als sehr ambivalent erscheinen läßt. Durch die gemeinsame Arbeitsüberlastung bleiben aber wesentliche Konflikte latent: Die ehelichen Beziehungsprobleme, Folge der mit starken unbewußten Ängsten aufrechterhaltenen Geschlechtspolarisierung werden arbeitend ausagiert. War früher Beziehungsarmut die Vorausetzung, um die harte Arbeit bewältigen zu können, so hilft heute das rastlose Schaffen, die angestammte Distanz nicht bewußt erleiden zu müssen.
Immerhin wird, trotz der Unterordnung der Frauen, eine gewisse Solidarität der Ehepartner im gemeinsam Geleisteten erlebt und gefestigt. Andererseits verstärkt sich die Gewohnheit bloß tätigkeitsfunktionaler Kommunikation. Beziehungsprobleme werden kaum verbal artikuliert, werden selten in rationalem Diskurs angesprochen. Gerade darüber aber wächst vielen Sachfragen eine eminente Beziehungsproblematik zu. Bis heute ist die Hausener Alltagssprache denn auch im kommunikativen und emotionalen Bereich semantisch sehr wenig entwickelt.
Starker sozialer Druck kennzeichnet selbstverständlich nicht nur die Situation der Männer, sondern auch der Frauen. Letztere erfahren zudem weit weniger Bestätigung als die Männer; überdies sind die Restriktionen enger. (Beispielsweise werden die für dörfliche Entscheidungen wichtigen Orte – Rathaus und Wirtshaus – von Frauen weit seltener, jedenfalls nie ohne Männerbegleitung, aufgesucht.) Die Gefühlseinstellung der Hausener Durchschnittsfrau zu Mann und Männern ist von einer schwer nachvollziehbaren Polyvalenz. Selbsterniedrigende Bewunderung, devote Unterwerfung einerseits, gelassene Gleichgültigkeit oder affektive Kälte und Verächtlichkeit andererseits existieren bisweilen dicht beieinander, können innerhalb kurzer Interaktionssequenzen gegenüber ein und demselben Partner zum Ausdruck kommen. Der inkonsistenten bzw. in sich widersprüchlichen Partnerrepräsentanz entspricht eine in der affektiven Besetzung stark schwankende Selbstrepräsentanz, die bei vielen Frauen auffallend masochistisch geprägt ist. Leicht abrufbar sind bei ihnen deutliche, wenn auch subjektiv zumeist unbewußte Schuldgefühle, die für die hohe Bereitschaft zu sentimentalen Phantasien mitverantwortlich scheinen. Viele Frauen sind durch eine starke Tendenz zum Selbstmitleid gekennzeichnet. Tränenausbrüche in konfliktreichen Situationen sind recht häufig, haben u. a. die unbewußte Funktion, den Partner prophylaktisch versöhnlich zu stimmen. Gerade in der auffälligen Schüchternheit und Ängstlichkeit vieler Hausener Frauen, mit der sie sich auf Begegnungen mit „Autoritäten" (Geistliche, Lehrer usw.) vorweg einstellen, spiegeln sich kindliche –

und nicht nur kindliche – Erfahrungen mit unbarmherzigen Erziehern, läßt sich auch das Maß an internalisierter Aggression erahnen, das ihnen aufgezwungen wurde und bis heute aufgenötigt wird.

3.6. *Fremdbestimmter Eigensinn*

In ihrer schwankenden Selbstrepräsentanz und der alltäglichen Arbeitsüberlastung (die sie selber zu suchen scheinen) sind die meisten Hausener Frauen bereits durchschnittlichen Ansprüchen, die man an Kindererzieher stellen möchte, nicht hinreichend gewachsen. Dieser Tatbestand wird üblicherweise gerade dann offenbar, wenn die jungen Ehepaare sich die äußeren Voraussetzungen für ein optimales Leben in der Kleinfamilie und mit den Kindern erarbeitet haben.
Denn die großen Möglichkeiten der schmucken Häusle bleiben gerade im Hinblick auf die Kleinen schlecht genutzt; im Gegenteil, das „Haus" scheint einen denkwürdigen Eigen-Sinn zu entfalten, indem die Aufrechterhaltung seiner Ordnung sich zu einer wichtigen Erziehungsmaxime aufbläht. Wie wenig Raum man buchstäblich der kindlichen Entfaltung läßt, ist schon an der Kleinheit der Kinderzimmer, vor allem ihrem Benutzungsreglement abzulesen, schließlich auch daran, welche Räume ansonsten noch von den Kindern, wann und wie benutzt werden dürfen. Die Möbel sollen noch nach Jahren fabrikneu erscheinen, und um die Wohnung stets blitzblank zu halten, wird sie von vielen Hausfrauen tagtäglich einmal „durchgeputzt"; in mehreren Häusern werden die Kinder dabei auf die Straße gesperrt, viele Kinder dürfen keine Freunde ins Haus mitbringen – Sachverhalte, die übrigens bisweilen verbal bestritten werden.
Die Putzzwänge der Frauen lassen auf die affektive Bedeutung des Hauses, ihre Identifikation mit seiner Sauberkeit schließen. Sie scheinen einerseits den frühzeitig aufgezwungenen Schuldgefühlen, andererseits – befördert über generelle dörflich-bäuerliche Minderwertigkeitsgefühle gegenüber Städtern – einer kollektiven Negation des früher allgemeinen und bis heute teilweise noch notwendigen Umgangs mit Jauche und Mist, einer reaktiven Abwehr des „im-Dreck-Wuahla" zu entspringen. Gerade diese Zwänge bekommen die Kleinkinder in Hausen frühzeitig zu spüren. Neun von zehn unter ihnen werden, sobald sie sitzen können, also etwa mit einem halben Jahr, auf dem Töpfchen zur sogenannten Reinlichkeit angehalten; die Sauberkeitsdressur beginnt in einer angesehenen Hausener Familie von der sechsten Lebenswoche des Säuglings an, wie wir uns mit eigenen Augen überzeugt haben.
Ein auffallender Erziehungseffekt der Hausener Kinder im Vorschulalter ist die rigide Geschlechtertrennung, die von den Kleinen selbst bereitwillig (nach-)vollzogen wird und bereits in der ersten Grundschulklasse zu sehr spezifischem Verhalten führt. In vielen Familien wird den Buben ein erstaunlich undiszipliniertes Auf-

treten zugebilligt, das allerdings dann und wann, ist es einem der Erzieher plötzlich zuviel, hart bestraft wird. Auch Mädchen werden körperlich gezüchtigt, allerdings eher von den Müttern; sie erscheinen sehr früh überfolgsam, überangepaßt „vernünftig", sind zumeist sehr fleißig; dann aber auch wieder weinerlichlaunisch.

Während die Mädchen nach wie vor zu häuslichen Arbeiten herangezogen werden (Küchenhilfe, Kinderhüten), entfällt für die Buben (mit einigen gravierenden Ausnahmen) mehr und mehr die Notwendigkeit, bei den Feldarbeiten oder im häuslichen Handwerksbetrieb mitzuhelfen. Die ökonomische Urbanisierung treibt hier eine unterschiedliche Gewichtung der familialen Mitverantwortung hervor.

Die frühzeitige Abkapselung gegen das andere Geschlecht verweist auf eine partiell sehr massive Einschüchterung des kindlichen Selbstbewußtseins. Diese zwingt zur Überidentifikation mit zugewiesenem Rollenverhalten, Ängste werden so kanalisiert, Bedürfnisse nach Identität erzwungen und zugleich sozial fixiert.

Wie bereits kurz angedeutet, spielt die Geschwisterreihe eine wichtige Rolle bei der elterlichen Zuwendung. Besonders häufig ist das Verhältnis der Väter zum ältesten Sohn schwer gestört, obwohl dieser (wenn er nicht vorzeitig zur Welt kommt) stets sehnlich erwartet war. In mehreren Fällen begründeten Eltern ihre gefühlsmäßige Distanz zu einem Kind uns gegenüber damit, daß es schlechte Eigenschaften, zumeist aus der Verwandtschaft des Ehepartners, geerbt habe. Das Beispiel deutet erstens an, wie stark Kinder mit unbewußten Substitutenfunktionen (etwa im Zusammenhang latenter ehelicher Probleme) belastet werden; daß zweitens der Vererbungsmythos in Hausen als wesentliches Erklärungsmuster für kindliches Verhalten dient; daß dadurch drittens die Auswirkungen eigenen elterlichen Fehlverhaltens ignoriert zu werden pflegen: Die Kinder – wie tendenziell alle Schwächeren in Hausen – sind stets selbst schuld.

Emotionale Inkonsistenz der Erwachsenen fließt damit in ungleiche und häufig ungerechte Rollenzumutungen gegenüber den Kindern ein, bestimmt aber auch das alltägliche Erziehungsverhalten in bezug auf ein und dasselbe Kind. Dieses macht frühzeitig zwei wichtige Erfahrungen. Erstens wiegt eine Tat dann besonders schlimm, wenn Besitz beschädigt wird. In vielen Fällen ist deshalb schon der Umgang mit dem Spielzeug streng reglementiert; besonders geahndet wird Beschädigung von Gegenständen mit besonderem Repräsentationscharakter, allem voran Automobil und Wohnzimmereinrichtung. Dies leitet zur zweiten wichtigen Erfahrung über. Kindliche Taten können allein dadurch zu Untaten werden, daß der Nachbar sie beobachtet hat oder sich die Eltern sonstwie durch die Kinder blamiert fühlen. Vor allem in Anwesenheit von „Autoritäten" lassen Eltern ihre eigenen Spannungen häufig an den Kindern ab, erfahren diese ihre Erzieher als

plötzlich sehr unterwürfig „nach oben“ und merkwürdig distanziert-unsolidarisch „nach unten“.
In beiden Erfahrungen schlägt sich ein familialer Umgangsstil nieder, wie er schon anläßlich der Hausbausituation beobachtbar war. Dieser Umgangsstil ist nämlich stark durch das Streben nach Besitz, dessen Ausbau und Pflege bestimmt, dieses Streben wiederum ist mit dörflichen Konventionen und Sozialzwängen eng verschränkt; beides, die starke Abhängigkeit der Dorfbewohner von ihrem Sozialsystem („Heimat“) wie auch ihre Sehnsucht nach der vor allem im Haus repräsentierten eigenen Identität und Integrität („Heim“), scheint einiges mit historischen und aktuellen Erfahrungen ihrer Unterlegenheit und Machtlosigkeit gegenüber anderen gesellschaftlichen Realitäten zu tun zu haben.
Der hierin deutlich werdende Einbruch äußerer Verhältnisse in die eigentliche familiale Interaktionssphäre zeitigt bei den Kindern die Bildung eines externalisierten Über-Ichs, wie überhaupt die Prädominanz übermächtiger bzw. zu wenig hinterfragter und hinterfragbarer Verhältnisse in partiellen Störungen des Symbolbildungsvermögens – bereichsweise undifferenzierte Semantik, unterentwickelte Diskursfähigkeit und -bereitschaft – subjektiv erzwungen, ermöglicht und verfestigt wird.
Wie das oben aufgeführte spezifische Verhalten gegenüber „Autoritäten“ bereits ankündigte, stellt die dörfliche Situation Lehrern, Geistlichen usw. einige Probleme. Die Erfahrungen des am Ort wohnenden Mitautors dieses Beitrags mit den Hausener pädagogischen Institutionen und den beamteten Erziehern waren schon sehr extensiv und auch intensiv, bevor er zur Projektgruppe stieß. Von Beobachtungen seiner Frau aus ihrem Schulalltag ausgehend, hatte man zusammen mit der rührigen Kindergartenleiterin sowie drei Studenten und unterstützt vom Pfarrer, der den Gemeindesaal zur Verfügung stellte, für die Kindergarten-Eltern eine Gesprächsrunde zum Thema „Kleinkinderziehung“ initiiert, die an insgesamt zwölf Abenden jedesmal recht gut besucht war (30 bis 40 Teilnehmer). Dabei ging es generell um die Bedeutung der ersten Lebensjahre, um konkrete Probleme, etwa der Sauberkeitserziehung, des kindlichen Trotzes usw.
Trotz des äußeren Erfolgs war die Veranstaltungsreihe von Anfang an in ein fatales Gespinst innerdörflicher Beziehungen, Vorurteile und Intrigen verflochten. Sie provozierte Animositäten, die nie offen ausgesprochen wurden, die unser künftiger Projektmitarbeiter aber noch Jahre später – etwa als er in den Ortschaftsrat gewählt wurde – deutlich zu spüren bekam. Manche der damaligen Schwierigkeiten lassen sich leicht auf dörfliche Kommunikationsprobleme zurückführen, so auf das alltagsweltlich reduzierte Sprachverhalten der Dorfbewohner, das von einer narzißtisch-selbstgewissen Einschätzung der eigenen Sprache wie überhaupt des eigenen Realitätsbezuges begleitet und abgesichert wird: „I' seh's doch, wie's isch!“

Die hochgradig ambivalente Einstellung zu den Veranstaltungsinitiatoren gehört in solche Zusammenhänge; so erwartete man von diesen sehr weitgehende Hilfestellungen, z. B. praktikable Rezepte zur Intelligenzförderung der Kinder im Hinblick auf spätere Schulerfolge; übrigens auch zum Abbau von Schüchternheit, unter der man selber litt. Wenn jedoch, was zumeist der Fall war, die Umsetzung der Hinweise eine Veränderung der familialen Lebenspraxis zur Folge gehabt hätte, schlug dies regelmäßig in eine Kritik dieser Ratschläge um, wobei sie als bloß ,,theoretisch" entlarvt zu werden pflegten: ,,Theorie" ist im Hausener Sprachgebrauch der Ausdruck für die Realitätsfremdheit von Fremden, die Scheinintelligenz realer Torheit. Der alltägliche Lebensvollzug aber konnotiert sozusagen für die Hausener seine fraglose Vernünftigkeit. Aufklärung, um in solcher Lebenswelt zu sich selbst zu kommen, müßte sich ihrer eigenen – bürgerlichen – Bedingtheiten entledigen, müßte offenbar anders ansetzen als auf der unbemerkt-abstrakten Ebene von Vorträgen oder Gesprächsrunden.
Besondere Aufschlüsse über die Situation der Hausener Pädagogen aber ließen seinerzeit diejenigen Begleitereignisse zu, die man als Außenstehender spontan der Klatsch- und Tratsch-Ebene zuordnen und denen man damit vorschnell ihre Dignität für wissenschaftliche Analysen aberkennen möchte. Eine solche methodische Ausklammerung des scheinbar rein Persönlichen, des ,,Menschlich-Allzumenschlichen", liefe jedoch Gefahr, die eigentliche Pathogenität des dörflichen Sozialsystems zu verschweigen, die gerade in der Verleitung des einzelnen zu angstorientiertem – zumeist angstabwehrendem – Rollenverhalten liegt.
Hausens Schulleiter Nägele etwa, damals vierzigjährig, Mitglied von Gemeinderat und Kirchengemeinderat, Dirigent von Liederkranz/Kirchenchor sowie Hausener Hausbesitzer und Familienvater, brauchte nicht viel dazu zu tun, um seinen grundsätzlichen Argwohn gegenüber der Veranstaltungsreihe bestätigt zu bekommen: Bereits nach dem ersten Gesprächsabend diente sich ihm, wahrscheinlich freiwillig, eine Zuträgerin an. Nachdem sich deren Information als Falschmeldung erwiesen hatte, vermied es Nägele eine Zeitlang, die Initiative und ihre Träger öffentlich anzugreifen, während in einigen Verwandtschaftszirkeln und speziell in seinem Verein schwer greifbare und um so unangreifbarere Gerüchte weiterkursierten (Beispiel: Es sei bei den Abenden geraten worden, ,,die Kinder alles machen zu lassen"); so brauchte sich Nägele, ohne Namen zu nennen, nur gelegentlich von all dem ,,Modernen" zu distanzieren. Der Schulleiter, im Dorf stets auf leutselige Distanz und untadelige Korrektheit bedacht, sah sich dann in seinen pädagogischen Maximen vom Empfinden seiner allermeisten Hausener Gesprächspartner bestätigt. Hausen, so lautet das Fazit im Hinblick auf seine beamteten Erzieher, bietet den ,,Autoritäten", wollen sie nicht dorffremd bleiben und ohne Hintergrundkenntnisse sich auf bloßes Unterrichten beschränken, verführerisch-symbiotische Integrationsmöglichkeiten, verführerisch, weil sie nar-

zißtisches, von geheimen Trennungsängsten bestimmtes Rollenverhalten sozial prämiieren. Daß auch eine nur lernzielorientierte Schulpädagogik trotz elaborierter Curricula sowohl die Rollenschwierigkeiten der dörflichen Pädagogen wie auch die speziellen Probleme der Kinder im toten Winkel beläßt, versteht sich von selbst – es ließe sich auch am Beispiel jüngerer Kollegen in Hausen exemplarisch belegen.

In solchen Zusammenhängen erheben sich Fragen wie etwa: Was kann eine Primarstufenpädagogik in Dörfern wie Hausen überhaupt an gewollter und kontrollierter Sozialisationswirkung erzielen? Wie müßte die Sozialisation der Erzieher, ihre berufliche Ausbildung, orientiert und beschaffen sein? Aber auch: Wie wären gründliche Reformen politisch durchsetzbar? – Vielleicht aber werden die Autonomie und die Sozialisationseffizienz der Schulen generell überschätzt, Hausen könnte zu denken geben.

Wie sich also die Bildungsinstitution Schule erstaunlich problemarm in das Hausener Dorfsystem fügt, so angepaßt erweist sich die Mentalität der Hausener Berufstätigen für die städtische Arbeitssituation, wo viele von ihnen sich mit Fleiß und Disziplin in recht verantwortungsvolle Stellungen hochgearbeitet und eine erstaunliche berufliche Mobilität entwickelt haben, mit der Tendenz zu zukunftssicheren Angestellten- oder Beamtenpositionen.

Analog zu Erfahrungen am Arbeitsplatz bestätigen den Hausenern ihre Beobachtungen der „großen Politik", daß in unserer Gesellschaft eben doch die Starken das Sagen haben, daß man sich einfügen muß. Gerade die studentische Protestwelle Ende der 60er Jahre und erst recht die jüngsten Terrorvorkommnisse haben in Hausen die Forderung nach hartem Durchgreifen, nach „klarer Führung" beträchtlich verstärkt; sie pflegt bisweilen durch historisch mehr als eindeutige Verweise präzisiert zu werden. Verblüffend die Häufigkeit, mit der beides – die pessimistische, soziale Ungerechtigkeiten behauptende Diagnose der aktuellen gesellschaftlichen Situation; die Forderung nach kompromißloser Führung – innerhalb kürzester Redesequenzen, sozusagen in einem Atemzug, artikuliert werden.

3.7. *Betroffene ohne Betroffenheit: Adoleszenz in Hausen*

Diejenige Bevölkerungsgruppe, an der die ganze Spannungsbreite der Hausener Existenz ihren heftigsten Austrag findet, sind die Jugendlichen etwa zwischen dem 15. und dem 20. Lebensjahr. Deren Problematik ist aus vielfältigen Gründen schwer beschreibbar.

Vor allem scheint eine zentrale sachliche und damit methodische Prämisse unseres Untersuchungsansatzes, nämlich die relative Sozialisationsautonomie der dörflichen Lebensweise, im Hinblick auf diese Altersgruppe unzutreffend. Zu jung, um sich durch Familiengründung und Hausbau eine identitätsstiftende Beheimatung

im dörflichen Sozialsystem gesichert haben zu können, die den städtischen Arbeitsalltag kontrastiert, um nicht zu sagen: verdrängen hälfe, sind die Jugendlichen zwei disparaten Lebenswelten, der städtisch geprägten Arbeits- (oder Schul-) und der dörflichen Lebenswelt überantwortet – deren wichtigste Übereinstimmung in der jeweilig inferioren Ausgangsposition der jungen Leute besteht.
Im dörflichen, traditionell von den Erwachsenen bestimmten Kontext wird – wie oben dargelegt – den kindlichen, aber auch den jugendlichen Eigenbedürfnissen wenig Beachtung oder gar Verständnis zuteil. Hier herrschen noch familialer Paternalismus, nachbarliche Vorsichtnahme, verwandtschaftliche Verpflichtung, eine rigide (wenn auch keineswegs konsequente) Moral und zahlreiche Konventionen, darunter – beispielsweise – das Gebot sonntäglichen Kirchgangs usw. Diese immer noch bemerkenswert geschlossene, sich als fraglos richtig darstellende Welt erweist sich jedoch am Arbeitsplatz oder in der Schule als gesellschaftlich marginal, zählen doch hier Können und Stundenlohn, Wissen und Zensuren, sind doch die Werte wie die Interaktionen von außerdörflichen Gesetzen, von gesamtgesellschaftlichen Standards diktiert.
Die früh eingeübte Praxis sehr überwiegend tätigkeitsfunktionaler Kommunikation und das den Kindern ohne verbale Hilfestellung zugemutete und zugetraute Beobachtungslernen ermöglichen den Hausenern bis heute ihre große manuell-handwerkliche Tüchtigkeit und Vielseitigkeit. Durch die mangelnde Förderung und partielle Störungen des Symbolbildungsvermögens wird aber gleichzeitig den Heranwachsenden der Ausdruck, davor schon die subjektive Bewußtwerdung neuartiger Konflikte erschwert; geschweige denn, daß deren kommunikative Aufarbeitung – etwa mit den Eltern – stattfände.
Während die zu wenig personorientierte Wahrnehmung und Beziehung von seiten der Erwachsenen die Kinder „naturwüchsig" in allerlei Substitutenfunktion drängen – wodurch in Hausen eine sehr heftige Adoleszenzkrise herausgetrieben wird –, läßt die Reaktion der eigentlich Betroffenen doch sehr wenig bewußte Betroffenheit erkennen; obwohl die Dynamik des unbewußten Ausagierens die Virulenz der Konflikte bezeugt. Es sind zugleich auch die alten Kindheitskonflikte, die in ihnen wieder aufbrechen, der – ganz im Sinne kirchlicher Erziehungsanweisungen – bewußt gebrochene kindliche Trotz erhebt sich wieder, in seiner Ausdrucksweise die alten Traumen re-präsentierend: Verweigerung kennzeichnet das Verhalten der Hausener Jugendlichen, die üblicherweise höchst asymmetrische Kommunikation mit den Eltern wird eingefroren, auf das Allernötigste reduziert. Zwar neigen die Erwachsenen aufgrund der eigenen Verdrängungsmechanismen dazu, die sich manifestierenden Sexual- und Emanzipationsbedürfnisse der Jugendlichen angst- und zwanghaft zu bekämpfen, wobei die Auseinandersetzungen in vielen Familien in sehr heftigen Szenen gipfeln; andererseits aber werden die Schwierigkeiten, so ungezügelt Reaktion und Gegenreaktion auch situativ aufein-

andergeprallt sein mögen, grundsätzlich nicht allzu tragisch genommen. Das Generationsproblem ist altvertraut; und hinzu kommt, daß der Harmoniedruck der eher bürgerlichen (Klein-)Familienideologie sich in Hausen erst zu entwickeln beginnt.

So ergibt sich der recht merkwürdige Sachverhalt einer faktisch sehr tiefen, vom Bewußtsein der Beteiligten, der Jugendlichen wie der Erwachsenen, aber recht gleichmütig zur Kenntnis genommenen Adoleszenzkrise. Dem entspricht, daß den Heranwachsenden zwar sporadisch heftige Gefühlsausbrüche, aber selten längerfristig-konsistente Erziehungsstrategien der Erwachsenen zugemutet werden. Widerwillig, aber doch in erstaunlichem Ausmaß, wird den Hausener Jugendlichen ein Ausleben ihrer Bedürfnisse zugebilligt, wobei einige Verhaltensweisen als besonders charakterisch hervortreten.

Der familialen Abkapselung und dem von der erwachsenen Dorföffentlichkeit eingeräumten sozialen Moratorium entsprechend findet bei den meisten Heranwachsenden eine starke Hinwendung zur Gruppe der Gleichaltrigen statt. Charakteristisch für diese erscheint die narzißtische Sehnsucht nach Allmachtserlebnissen und Geborgenheitserfahrungen, beispielsweise im Zusammensein bei lauter Musik in überfüllten Räumen oder bei halsbrecherischen Motorradfahrten.

Als sich vor wenigen Monaten Martin Schnaidt, von dessen Ahn im historischen Teil unseres Beitrags die Rede war, Mitglied der Hausener Motorradgruppe „Black Panther", achtzehnjährig auf einer Landstraße bei Reutlingen zu Tode fuhr, blieb der Tachometer seiner Yamaha bei 146 km/h stehen. Bei der Beerdigung, für die sich viele Hausener Berufstätige arbeitsfrei genommen hatten, sprach der Pfarrer nur von einem tragischen Unglücksfall. „Schicksal" war auch der betroffene Kommentar mancher Dorfbewohner; von Raserei und Unverantwortlichkeit sprach man nicht, obwohl man sonst mit moralisierenden Wertungen schnell zur Hand ist.Dafür aber fuhren die „Black Panther" geschlossen in der selbstverzierten Lederuniform zum Trauergottesdienst und noch einmal am Friedhof zur Grablegung vor, eskortiert von den „Black Lions" aus dem Nachbardorf. Beide Gruppen wurden dann eigens in der Danksagung der Trauerfamilie im zuständigen Lokalblatt erwähnt.

Von dieser eigenartigen Dennoch-Integriertheit der mehrfach alleingelassenen Jugendlichen zeugt auch eine Gepflogenheit der Hausener Vereine: Vom Trachten- bis zum Sportklub veranstaltet man einen großangelegten Tanzabend am Vorfreitag der Hauptfeste. Während die Musik vom Festzelt in der Flußaue zum alten Dorfkern herüberdröhnt, rollt dann die mobile Jugend aus Hausen und sämtlichen Nachbarorten an: Die Einnahmen stellen den stärksten Aktivposten der Vereinskassen dar.

Das Beispiel der unter den Hausener Jugendlichen hochangesehenen Motorradgruppe ist noch in anderer Hinsicht aufschlußreich. Im Umfeld Hausener Mund-

art klingt der freigewählte Name ,,Black Panther" besonders einschüchternd, bemerkenswert daran ist jedoch vor allem die unschuldige Ignoranz der politischen Konnotationen dieses Namens. Auch die beiden Gymnasiasten sahen sich offenbar nicht zur Aufklärung ihrer Freunde bemüßigt; übrigens spielten sie in der ziemlich festen Geltungshierarchie der Gruppe nur eine untergeordnete Rolle. Die Hausener Jugendlichen sind jedenfalls, und das gilt auch für die meisten der nun schubweise zahlreicher werdenden Gymnasiasten, politisch hochgradig desinteressiert, auch, beispielsweise, kommunalpolitisch. Diese Feststellung bezieht sich auf die Hausener Jugendlichen und Jungerwachsenen von den frühen 50er-Geburtsjahrgängen ab, zu denen unser Hausener Mitarbeiter durch eine Veranstaltungsreihe (mit Filmen, Discothek, Tanzkurs) im Jahre 1970 sowie sein Fußballspiel beim TuS Hausen einen sehr guten Kontakt hatte.
Die besagte politische Apathie ist jedoch eine junge Entwicklung. Nimmt man die Zusammensetzung des – freilich in seiner Bedeutung geschrumpften – heutigen Ortschaftsrats als Indiz, dann hat inzwischen die Generation der kurz vor dem II. Weltkrieg Geborenen eine gewisse Führungsposition im Dorf eingenommen, was eine Vorverlagerung des einflußintensiven Erwachsenen-Reifealters bedeutet, die sich gewiß dem Urbanisationsprozeß mitverdankt. Die Jugendphase dieser heute Vierzigjährigen fiel in eine entbehrungsreiche Zeit, sie war eingespannt zwischen landwirtschaftliche Pflichten und die Erfordernisse einer bereits dorffremden Berufsausbildung. Die sie kennzeichnende Arbeitsdisziplin scheint noch einen beträchtlichen, dem kulturellen Leben zugute gekommenen Energieüberschuß hervorgebracht zu haben. Hausen erlebte während der 50er Jahre eine Art Jugendbewegungs-Renaissance: In den Vereinen wurde musiziert, geturnt, marschiert, gesungen, gefeiert, Theater gespielt, eingeweiht; ebenso wie die kirchlich-konfessionelle Jugendarbeit florierte. Was die Handwerker-Bauern einst initiiert, kam hier zu einer ungleichzeitigen Spätblüte. Die heutigen dörflichen ,,opinion leaders" sind aus jener Phase großer Opferbereitschaft, intensiven Gemeinschaftserlebens und religiöser oder parareligiöser Ideale hervorgegangen und tragen eine nostalgisch gewordene Rückerinnerung an jene Zeit mit sich. Zu den bezeichnenden ,,heroischen" Erlebnissen zählt z. B. freiwillige Wahlhilfe für die CDU; man erinnert sich gern an nächtliches Plakatkleben in Reutlingen: Der geistig-kulturelle Aufschwung hatte eine organische Verbindung zum Gesellschaftspolitischen, Glaubensüberzeugung und parteipolitischer Standpunkt bildeten eine Einheit.
Alle Faktoren namhaft zu machen oder gar zu gewichten, die zu den beträchtlichen Veränderungen des Adoleszenzablaufs in Hausen geführt haben, vergleicht man die heutige mit der soeben geschilderten Jugendlichen-Generation von damals, ist uns von unserem Forschungsansatz her nicht möglich. Jedenfalls wären sie auf sehr vielfältigen Ebenen zu suchen: Man hätte etwa bei der Überwindung

der elementarsten Nachkriegsnot und der angestammten Wohnenge anzusetzen; es wären die Auswirkungen der ökonomischen Urbanisierung zu berücksichtigen; Phänomene wie die Motorisierung auch der Jugend mit deren gesamtgesellschaftlicher Erschließung als Konsumfaktor durch die Wirtschaftswerbung in Zusammenhang zu bringen; dazu die Ernüchterung auf ideologischem und religiösem Sektor zu beachten – man denke etwa an die nicht nur theologisch, sondern auch teilweise parteipolitisch vorangetriebene Selbstauflösung des traditionellen katholischen Konfessionalismus; es wären auch die durch das Wirtschaftswachstum entbundenen Konsumansprüche aufzuweisen; ebenso wie die Auswirkungen der Massenmedien der Analyse bedürftig sind. Was bedeutet es beispielsweise, wenn 1974 ein Drittel der Hausener Zweitkläßler durch Sendungen wie „XY-Aktenzeichen unbekannt" von den Eltern für Bravheit belohnt wurden?
Andererseits wäre hinter den vordergründig so tiefgreifenden Unterschieden des heutigen und des Adoleszenzverlaufs vor zwei Jahrzehnten nach den heimlichen Gemeinsamkeiten zu fragen, nach den motivationalen Ähnlichkeiten zwischen einer – übrigens vor allem von einer gewissen Elite getragenen – naiven Emphase einerseits und narzißtischer Apathie andererseits. Gewiß ist die erstere im Prinzip ebenso apolitisch wie auch die letztere ein eminentes Politikum darstellt.
In Hausen scheint man solche Zusammenhänge zu ahnen, wenn man sich das heutige Verhalten der Halbwüchsigen so wenig zum Problem werden läßt. Dabei verdient eine bemerkenswerte Tendenz der Jugendlichen Interesse, die man unschwer mit starken unbewußten Geborgenheitswünschen in Verbindung bringen kann, nämlich zu erstaunlich frühzeitiger und erstaunlich dauerhafter Pärchenbildung. So werden immer noch etwa die Hälfte aller Ehen innerdörflich geschlossen. Trotz der scharfen geschlechtsspezifischen Verhaltensdifferenzen, die sich u. a. in den weit schärferen Restriktionen gegenüber den heranwachsenden Frauen auf sexuellem Sektor äußern, scheinen nicht ausschließlich die Mädchen an schneller Partnerbindung interessiert. Bei teilweise recht frühem Heiratsalter sind langjährige verlöbnisähnliche Beziehungen keine Seltenheit. Diese Praxis fördert eine starke Anpassung an die Erwachsenenwelt, die im unverhohlenen Blick auf die Eigenheimaussichten kulminiert, die der Partner oder man selbst mit in die zu schließende Verbindung bringt. So pflegt die eigentlich verliebte, überschwengliche Phase recht kurz zu sein; man wird sachlich, die Honda weicht unauffällig dem VW. Ein Gedanke wird die nächsten Jahre beherrschen: Bauen.

3.8. *Ungleichzeitigkeit*

Das Beispiel der Adoleszenzkrise in Hausen ist in methodischer Hinsicht darum so interessant, weil es die mangelnde Bewußtheit der Problematik bekannter Sach-

verhalte für die Dorfbewohner u. E. besonders eindringlich zu illustrieren vermag. Solches bliebe bei Gesprächen, Interviews oder standardisierten Befragungen als Forschungsstrategien zu beachten. Zudem sind aber auch bewußte Einstellungen dem Forscher nicht ohne weiteres zugänglich. Denn der Dorffremde, zumal wenn er als „Autorität" ausgewiesen ist, wird unter den gesprächsbereiteren Hausenern, vor allem den „opinion leaders", zunächst nur vorsichtige und zurückhaltende Gesprächspartner finden, die ihm bei weitem nicht alles auf die Nase binden, was sie denken; trotzdem – oder deshalb? – kommt es recht häufig vor, daß die dörflichen Interaktionsprofile von außen kommende Beobachter zu euphemistischer Überschätzung verleiten. In Hausen wäre dies kein Zufall, denn es können hier Möglichkeiten unkomplizierter Begegnung erlebt werden, wie sie in anderen Soziotypen unüblich sind; in manchen Situationen kann eine erstaunliche Kooperativität der Dorfbewohner beobachtet werden. Gerade auch die selektive Selbstwahrnehmung der dörflichen Gesprächspartner, mit der sie ihre momentanen Gefühle selber als absolut „echt" empfinden und sich auf die situativen Anforderungen einstellen können, erlaubt ihnen, jeweils relativ spontan und „authentisch" zu sein – man sollte also möglichst viele relevante Situationen kennen, in denen sie jeweils „authentisch" sind.
Die Schwierigkeiten der Einschätzung werden für den Außenstehenden zumeist erst dann deutlicher, wenn sporadische Begegnungen (Interviews usw.) in ein kontinuierliches Miteinanderleben, und zwar ein alltäglich-normales, übergehen sollen. Was zunächst als blanke Begegnungsbereitschaft erscheinen konnte, stellt sich dabei zunehmend als latente Funktionalisierung der dorffremden Gesprächspartner heraus. Bei vielen Dorfbewohnern trafen die Kontakte auf narzißtisch bestimmte Kommunikationsbedürfnisse. Deshalb konnte man sich auf unsere Interessen schlecht einstellen. Manche sprachen uns durchaus die Legitimation ab, Einblick in die tatsächlichen Dorfprobleme zu nehmen – was wiederum großzügige Bewirtung mit Kuchen und selbst mit Wein nicht ausschloß. Andere drängten uns eine Art Schiedsrichterfunktion bei innerdörflichen kontroversen Fragen auf, wobei sie reichlich unverblümt Parteilichkeit erwarteten, neutrale Zurückhaltung als Sympathieverweigerung auffaßten und entsprechend beantworteten.
Vor allem, aber nicht nur, bei der ersterwähnten Gruppe läßt eine Analyse der dörflichen Vorstellung vom „Gebildeten" oder „Wissenschaftler" Rückschlüsse auf Erfahrungen mit Vertretern des Bildungsbürgertums zu, indem sich in sehr autoritär-devote Verhaltenselemente durchaus verächtliche mischen. So konnotiert in Hausen das Wort „Theorie", wie oben angedeutet, stets Praxisferne, Unrealisierbarkeit, Verstiegenheit; und beachtlich viele dörfliche Gesprächspartner geraten in einen deutlich wahrnehmbaren Rollenkonflikt, wenn sich die wissenschaftlichen Herren nicht als die weltfremden Trottel erweisen, die gern auf den vorgeführten Anschein dörflicher Idylle hereinfallen. Jüngere Gesprächspartner neh-

men die Interviewer wiederum erst dann ernst, wenn diese sich als realistisch informiert erweisen.
Andererseits aber wird eine dorfkritische Einstellung schnell mit einer „roten" Gesinnung assoziiert. Die Hausener nehmen dabei an, daß die politischen Kräfte, denen sie sich zur Zeit anvertrauen, an kritischen Studien ihrer Situation kaum interessiert sein können; bestätigen ihnen ihre Kandidaten doch immer wieder, wie richtig und wichtig ihre – der Hausener – politische Einstellung für den Fortbestand unserer Demokratie ist. So sah sich unser Hausener Mitarbeiter mehrfach Gesinnungstests durch dörfliche „opinion leaders" ausgesetzt; etwa: was er denn meine, wann endlich an der Mauer zurückgeschossen werde, Sittlichkeitsverbrecher totgeschlagen werden dürfen, den Studenten das Protestieren ausgetrieben werde usw. – In unserer Projektgruppe schloß man aus solchen und anderen Erfahrungen: Untersuchungen mit vergleichbarer Fragestellung, bei denen teilnehmende Beobachtung nicht zu einem gravierenden Kommunikationsproblem für die Forscher selbst wurde, sind wohl auch als Symptome akademischer Sozialisation von Interesse.
Insgesamt zeigte sich, daß die Hauptprobleme im Vorfeld der resultatsorientierten Erhebungsmethoden liegen: Tiefeninterviews oder gar standardisierte Befragungen erscheinen in Hausen als eine höchst schwierige Angelegenheit, sie sind durch die starke Vermischung von Beziehungs- und Sachebene sowie den dorfspezifischen Umgang mit Sprache um so inadäquater, je mehr die Interaktions- und Kommunikationsstrukturen selber Untersuchungsgegenstand sind. Im Rahmen der Hausen-Studie wurde in den letzten Jahren kein einziges Interview mehr durchgeführt, bereits das Erfragen von Sachverhalten als solches hätte den Einheimischen eine für sie fremde und befremdliche Gesprächssituation aufgenötigt und damit – sozusagen automatisch – uns als Dorffremde bestätigt, manchen Gesprächspartner zum bewußten oder routinisierten Vertuschen von Sachverhalten animiert.
So ist Wesentliches unserer Gegenwartsuntersuchungen beobachtet, miterlebt, nachvollzogen. Allerdings ermöglichte uns erst die von besonderem wechselseitigen Vertrauen getragene Offenheit einiger dörflicher Gesprächspartner die nötigen Einblicke, die unser wissenschaftliches Fragen und Suchen anstießen. Notwendige Bedingung unserer Arbeit waren zwar detaillierte Archivstudien, Analysen von Befragungen und Intensivinterviews aus den Jahren 1973/74 und die längerfristige Teilnahme am dörflichen Leben durch unseren Hausener Mitarbeiter und seine Familie. Die für diesen Beitrag entscheidenden Erkenntnisse erwuchsen aber aus einer einzigen intensiven und freundschaftlichen Beziehung. Fast täglich besprachen unser Hausener Mitarbeiter und seine Frau mit der oben als „Maria Ströbele" benannten Hausenerin die Alltagserfahrungen, die sie als Mutter von fünf kleinen Kindern hatte. Sie schilderte die Probleme, wie sie sich ihr stellten und

wie sie sich im Laufe nicht nur das Heranwachsens ihrer Kinder, sondern auch unter dem Einfluß unserer wechselseitigen Kommunikation veränderten. (Selbstverständlich wurde dieser Beitrag in allen wichtigen Einzelheiten mit ihr durchgesprochen.) Diese konkret und unmittelbar gewonnenen Erfahrungen verglichen wir mit anderen – etwa in der Schule gemachten – Beobachtungen und hielten daran fest, was sich an ihnen als dorftypisch erwies.
Die Erfahrungen im Rahmen dieser Freundschaft stärkten unsere ansonsten eher bescheidenen Hoffnungen auf eine weitere Befreiung des Dorfes zu den Möglichkeiten, die es im Verlauf seiner notvollen Geschichte noch nicht hat ausentwickeln können. Für „Fortschritt" in einem anspruchsvollen Sinn scheinen wirtschaftliche Vorwärtsentwicklungen die notwendige Voraussetzung zu sein; sie sind aber, wie das heutige Hausen lehrt, nicht die hinreichende Bedingung: Durch Sozialisation kann vergangene Not ihre eigene Basis überleben, kann sich „ungleichzeitiges" Bewußtsein mit modernen Formen von Entfremdung kurzschließen.
Nachdem soviel Erfahrung mit Hausen und Hausenern thematisiert wurde, erscheint es uns angebracht, wenigstens kurz und abschließend auf einige Erfahrungen zu sprechen zu kommen, die wir mit Nicht-Hausenern in Diskussionen, Gesprächen über Hausen gemacht haben. Bisweilen getadelt wurde dabei unsere „zu kritische Grundeinstellung". Wir nahmen diesen Vorwurf ernst, denn es geht ja um größtmögliche Nähe zur „Sache selbst", d. h. um kritische Parteinahme für die Betroffenen. Schließlich wissen wir, daß unser wissenschaftliches Handeln an unsere individuellen und kooperativen Möglichkeiten gebunden ist – wie das anderer Forscher auch. Und schließlich schlägt auch und gerade in der Art und Weise, wie jemand Sozialisationsforschung betreibt, sein eigenes Sozialisiertsein durch.
Suspekt aber wurde uns der Vorwurf häufig durch die Begleitargumente, auf die er sich stützte. So hörten wir sinngemäß, wir legten „zu hohe Maßstäbe" an, die „einfachen Menschen" (oder gar: „der einfache Mensch") seien eben . . . nun ja, einfach; und so blieben sie es auch. Abgesehen von der Falschheit der Formel, neigt solches Argumentieren deshalb dazu, sich seiner Moralität besonders sicher zu sein, weil es schnell zu einer optimistischen Sicht des Bestehenden gelangt – mit der es seine fundamentale Distanz zu den gemeinten Menschen verdeckt. Mit Herablassung jedoch hat Sympathie, als Möglichkeitsbedingung verständigen Forschens, nichts zu tun. Die sie behindernde Angst vor dem und den „Fremden" muß vielmehr im Prozeß der wechselseitigen Begegnung sukzessive aufgespürt und abgearbeitet werden. In diesem Sinne sozialisiert die Sozialforschung Forscher und Erforschte. –
Eigenartigerweise wurden unsere Darstellungen auch deshalb getadelt, weil vieles darin gar nicht dorfspezifisch oder exklusiv dörflich sei. Solche Kritiker legen es nahe, Hausen nicht nur als Beispiel eines verstädternden Pendlerdorfs zu betrach-

ten, sondern – eine verblüffende Perspektive! – als Exempel der Gesamtgesellschaft, in die es sich in seiner Ungleichzeitigkeit ganz normal einfügt . . .

Methodologischer Anhang: Darstellung der Untersuchungsstufen

Das Hausen-Projekt war von seinem Anfang (1970) an durchaus nicht als Sozialisationsforschung konzipiert worden, zu der es sich dann ,,von selbst" entwickelte, ohne deshalb bloß das Thema Sozialisation zu bearbeiten. Dieser Prozeß soll im folgenden kurz erläutert werden.
In einer *ersten Forschungsstufe* (1970–72) untersuchten wir *Phänomene der lokalen Kultur und der Kommunalpolitik* in dem als für eine Arbeiterwohngemeinde exemplarisch angenommenen Hausen. Es waren zu diesem Zeitpunkt (und noch bis 1974) vergleichende Studien mit anderen Gemeinden geplant gewesen. Das Ergebnis dieser ersten Forschungen war die (unerwartet) hohe dörfliche Spezifität der untersuchten Zusammenhänge, die eine von außen kommende Begriffsbestimmung bzw. Phänomenabgrenzung als fragwürdig erscheinen ließ.
In einer *zweiten Forschungsstufe* (1972–74) wurde darum die Fragestellung auf das Gesamt der Hausener *dörflichen Lebenswelt* sowohl erweitert als auch spezifiziert, wobei wir nach intensiveren Formen der Beteiligung einheimischer Gewährsleute suchten. Diese Lebenswelt erwies sich als stark systemisch (vgl. Prestigesystem), als von hoher Eigenart, und sie ließ auch die anfangs untersuchten Einzelphänomene in neuen Zusammenhängen erscheinen. Gleichzeitig verwies ihre Eigenartigkeit sowohl auf ihre historische Genese als auch ihre starke Sozialisationsrelevanz für ihre heutigen Teilnehmer.
Die *dritte Forschungsstufe* (1975–76) ist darum von zwei Fragestellungen beherrscht. Im Rahmen der ersten gingen wir in umfangreichen Archivstudien der *früheren Lebensweise* nach, die entscheidend von der agrarischen Produktion bestimmt war; wir setzten die Untersuchungen der Hausener Geschichte bei den Auswirkungen der Josephinischen Reformen kurz vor dem Beginn des 19. Jahrhunderts an. Im Zusammenhang der zweiten Fragestellung versuchten wir in einer Art Sozio-Analyse die bewußtseinsformierenden *Auswirkungen des heutigen dörflichen Kollektivs auf seine Mitglieder* und umgekehrt die entsprechend spezifische Wahrnehmung ihrer dörflichen Realität durch die Einheimischen näher zu ergründen. Hierzu wurde nun keinerlei neues ,,Material erhoben", wir verzichteten vielmehr auf jedwedes dorfunübliche (Be-)Fragen. Statt dessen beteiligte sich unser Hausener Mitarbeiter noch stärker als vorher am dorföffentlichen Alltagsle-

ben (Vereine, Kommunalpolitik), wobei er einige Innovationen vorsichtig anregte. Die von ihm simultan durchgeführten Analysen der erlebten Interaktionsprofile waren nicht nur wissenschaftlich intendiert, sondern – weit elementarer – zur Reflexion der in ihnen immer wieder erlebten Probleme von persönlicher Notwendigkeit, d. h. die Analyse hatte bei den eigenen Gegenübertragungen anzusetzen. Die erfahrenen und analysierten Interaktionen waren vielfältig gestuft und reichten von freundschaftlich-hausgemeinschaftlichem Miteinander bis hin zum Umgang mit ablehnend bzw. leicht feindlich gesonnenen Dorfmitgliedern.
Logisch von der dritten zu trennen, wenn auch eng mit ihr verbunden und faktisch gleichzeitig, verlief die *vierte Forschungsstufe* der *wissenschaftlichen Rekonstruktion* in zweifacher, nämlich soziohistorischer und soziopsychischer Hermeneutik. Gemeint ist damit, daß, ausgehend von den in den beiden ersten Forschungsstufen erhobenen Phänomenen der dörflichen Lebenswelt, sowohl deren objektiver historischer als auch deren lebensgeschichtlich-subjektiver Sinn aufzuschlüsseln unternommen wurde. Wir suchten den eigentlichen Eigen-Sinn der heutigen dörflichen Lebenswelt – die wir zunächst nur als Oberflächenstruktur vorläufig beschreiben konnten – demnach erstens in einer diachronen Analyse aus den objektiv-geschichtlichen Bedingungen der früheren, agrarischen Epochen (weitgehend) zu erklären, sowie zweitens in einer synchronen Analyse aus dem lebensweltlich bestimmten Bewußtsein der heutigen Teilnehmer zu verstehen (=Erhellung einer zweifachen Tiefenstruktur). Als entscheidendes Rekonstruktionsprinzip sowohl der synchron-soziopsychischen als auch der diachron-soziohistorischen Hermeneutik und ihrer beiderseitigen Vermittlung fungierten sozialisationstheoretische Annahmen, wie sie die psychoanalytische Tradition – zumindest grundsätzlich – bereithält. Es galt, den Niederschlag der früheren objektiven Verhältnisse in den Interaktionsprofilen der damaligen Menschen ebenso aufzuweisen wie das Weiterleben dieser Lebensformen über ihre einstige materielle Basis hinaus (woraus sich eine neue Funktionalität zu modernen gesamtgesellschaftlichen Verhältnissen schließen läßt). Die Sozialisationsrelevanz des zeitgenössischen dörflichen Sozialsystems re-präsentiert demnach in hohem Maße die Sozialisationsrelevanz der früheren Produktionsweise.
Von spezifischen Schwierigkeiten ist die *fünfte Forschungsstufe* der *publikationsbezogenen Zweit-Rekonstruktion* (Ende 1976/Anfang 77) gekennzeichnet. Sowohl die Detailfülle des in historisch-archivalischen Untersuchungen Erhobenen (bei denen wir beispielsweise auch zahlreiche Verwandtschaftsentwicklungen und Einzelschicksale über den angegebenen Zeitraum bis heute verfolgten), als auch unserer Erfahrungen und Erlebnisse mit den lebenden Hausenern überstieg das Maß des in einem Buch oder Beitrag Darstellbaren bei weitem und machte eine rigide Auswahl nach dem Kriterium der Typik nötig (und möglich). Bei den jüngeren Ereignissen – übrigens nicht nur bei diesen – wurden zusätzlich zu diesen eher

quantitativen noch einmal die Beziehungsprobleme mit unseren dörflichen Gesprächspartnern virulent, die unser gesamtes Arbeiten bereits begleitet hatten. Unsere Erhebungen waren durchweg unter äußerst restriktiven Schweigeverpflichtungen von seiten unserer Gewährsleute von uns durchgeführt worden; vieles war uns mitgeteilt worden aus persönlichem Vertrauen und weit weniger aus Einsicht oder Einwilligung in die Untersuchungsziele; das von uns Analysierte ging in wesentlichen Punkten über das hinaus, was man glaubte, uns mitgeteilt zu haben (z. B. unbewußte Sachverhalte). Wir trugen diesen – von uns selbst ja aufgewiesenen – Phänomenen durch eine vereinseitigende Darstellung unserer tatsächlichen Methoden Rechnung. Dargestellt – nach dem Auswahlkriterium der Typik – wurden die historisch-soziogenetische Bedingtheit der heutigen dörflichen Lebenswelt sowie deren Sozialisationsrelevanz für ihre Teilnehmer, soweit dies von außen rückerschließbar bzw. beobachtbar ist. Nur andeutungsweise dargestellt wurde demgegenüber die dörfliche Lebenswelt in der Erlebnisweise einzelner Teilnehmer im Rahmen ihrer persönlichen Alltagsprobleme, die teilweise durch unsere Innovationsvorschläge sich neu stellten. Das heißt aber, daß wir einen wesentlichen Bestandteil der synchronen Hermeneutik nicht dokumentieren können. Durch diese Rücksichtnahme fallen nicht nur besonders eindringliche, weil lebengeschichtlich-konkrete, Details aus der Darstellung, sondern es erscheint auch unser Vorgehen als objektivistisch und um die methodologisch ausschlaggebende Dimension verkürzt, nämlich die einer Handlungsforschung. Zugleich können wir viele der oben beschriebenen Interaktionsstrukturen nicht annähernd so intensiv dokumentieren wie sie unser Mit-Leben in Hausen alltäglich bestimmt haben.

Regionale Unterschiede der „sozialen Wohnqualität“

Eine Analyse makro-struktureller Faktoren in den USA

James Garbarino

1. Einleitung

Das Forschungsgebiet zur menschlichen Entwicklung sah sich – wie die Sozialwissenschaften allgemein – in seinem wissenschaftlichen Fortschreiten mit vielen Problemen konfrontiert (*Bronfenbrenner* 1976). Forscher verschiedener Disziplinen (vor allem der Psychologie und der Soziologie) verfolgten dabei oft getrennte Wege. Psychologen neigen dazu, die Soziologen „anzuklagen“, sie würden konkretes Verhalten außer acht lassen, das doch die unmittelbaren „Ursachen“ sozialer Phänomene darstellt. Soziologen andererseits kritisieren oft an der Arbeit der Psychologen, sie würden nur unmittelbare, als kausal konzipierte Beziehungen betrachten und die weiterreichenden Einflüsse sozialer Systeme ignorieren. Neben Versuchen – in der Regel als unbefriedigend bezeichnet –, „interdisziplinäre“ Arbeiten zu initiieren, wird die Erforschung der menschlichen Entwicklung von Psychologen dominiert; diese sehen das Individuum als „Ursache“ an, während Soziologen es als „Folge“ betrachten. Wie an anderer Stelle argumentiert wurde (*Garbarino/Bronfenbrenner* 1976, *Bronfenbrenner* 1976), leidet darunter der Fortschritt hinsichtlich grundlegender methodischer und theoretischer Probleme. Es besteht begründete Hoffnung, daß dieser unerfreuliche Zustand sich zu ändern beginnt. In vielen Kreisen gibt es eine wachsende Aufnahmebereitschaft für die Sichtweise einer neuen vermittelnden Konzeption bzw. eines neuen integrativen Modells. Diese sich abzeichnende Antwort auf die theoretischen und methodischen Fragen, die sich aus dem wissenschaftlichen Studium der menschlichen Entwicklung ergaben, ist die „Humanökologie“ (*Bronfenbrenner* 1976, *Garbarino* 1976, *Garbarino/Bronfenbrenner* 1976, *Willems* 1975).

Das ökologische Modell der menschlichen Entwicklung behauptet, daß wissenschaftliche Validität nur erreicht werden kann, wenn unsere Methoden und Theorien die Wirkungen verschiedener Phänomenebenen gleichzeitig berücksichtigen. Auf jeder dieser Ebenen sind Systeme wirksam, die die Ergebnisse der menschlichen Entwicklung beeinflussen. Einzelne wissenschaftliche Disziplinen befassen

sich mit Phänomenen auf jeder Ebene sozialer Realität. Die Humanökologie will die Prozesse und Ergebnisse menschlicher Entwicklung in Form der Beziehungen zwischen Systemen untersuchen – das ineinandergreifende Zusammenwirken von Systemen in einem räumlich definierten Kontext. Sie stellt deshalb hohe theoretische und methodische Anforderungen an den Forscher. Man muß gleichzeitig relevante Phänomene auf jeder Ebene erfassen können, um die „Ursachen" von Verhalten und Entwicklung zu verstehen. Um solche Analysen vorzunehmen, müssen wir Phänomene dreifach „packen", durch direkte Beobachtung, durch Interviews/Fragebogen sowie über „makro-strukturelle" Daten. Das heißt, wir müssen wissen, was vor sich geht unter objektiven Beobachtungsbedingungen (was wir an den Handelnden wahrnehmen), was in Interviews und über andere subjektive Messungen herauskommt (wie die Personen ihr eigenes Handeln sehen), und was die dominanten strukturellen Faktoren bewirken, die den sozialen Kontext darstellen, in dem sich die Phänomene ereignen. In dieser Studie sind wir mit der Entwicklung makro-struktureller Daten befaßt, die für die ökologische Analyse menschlicher Entwicklung geeignet sind.
Die Notwendigkeit makro-struktureller Daten wurde schon von anderen thematisiert (z. B. *Bronfenbrenner* 1974, *Brim* 1975). In seiner Präsidentschaftsansprache vor der American Orthopsychiatric Association analysierte *Orville Brim* 1975 die Forschungsnotwendigkeiten auf dem Gebiet der kindlichen Entwicklung in den 70er Jahren folgendermaßen:

Wir brauchen ganz andere Daten, um dieser Nation helfen zu können, ihre Strategien in bezug auf die Kinderentwicklung zu gestalten, neue Fakten, die als „soziale Indikatoren der Situation des Kindes" beschrieben werden können. . . Ich meine, daß wir jetzt mehr Gewicht auf die makro-strukturellen Einflüsse der kindlichen Entwicklung legen müssen – wir müssen unseren Blick auf die wirtschaftlichen Gegebenheiten, die kulturellen Werte, die Politik, die Gesetzgebung und die Soziologie in ihrer Beziehung zur kindlichen Sozialisation richten – müssen diese Gebiete verbinden mit der traditionellen Forschung und Einrichtungen der Kinderfürsorge. (*Brim* 1975, 516)

Humanökologie ist mehr als ein methodischer Ansatz. Sie hat ein substantielles Ziel. Dieses Ziel läßt sich umschreiben mit „sozialer Wohnqualität" („habitability") – wie eine Umwelt gestaltet sein muß, um ein menschenwürdiges Dasein zu ermöglichen. Humanökologie ist so ein Versuch, das Konzept der „Qualität" in der menschlichen Entwicklung operational zu fassen. Das Konzept der „sozialen Wohnqualität" ist schwierig und erst in einem vorläufigen Stadium wissenschaftlicher Entwicklung (*Garbarino/Bronfenbrenner* 1976), aber es streicht die Notwendigkeit heraus, Qualitätsgesichtspunkte in die Diskussion um den sozialen Kontext menschlicher Entwicklung einzubeziehen. Eine einfache historische Analyse zeigt uns, daß Fragen der wirtschaftlichen Verhältnisse wesentlich sind, um zu verstehen, wer in einer Umgebung von hoher Qualität (wie auch immer sie definiert sein mag) lebt und wer nicht. So wird der Notwendigkeit makro-struktureller Indizes, die relevant sind für die Untersuchung der Umwelt von Kindern, noch größeres Gewicht verliehen.

Ein wichtiger Aspekt dabei ist die Entwicklung makro-struktureller Indizes, die die wichtigen „regionalen" Unterschiede wiedergeben, die innerhalb von politisch definierten sozialen Systemen bestehen. Die Notwendigkeit „kulturvergleichender" Studien ist seit langem anerkannt (*LeVine* 1970) – wenn auch noch nicht genügend danach gehandelt wird (*Cole/Bruner* 1971). Diese Erforschung von Kulturunterschieden geschah in der Praxis entweder durch die Untersuchung von Unterschieden zwischen total getrennten und unterscheidbaren kulturellen Gruppierungen oder durch internationale Vergleiche. Parallel zu diesem Ansatz verlief die Erforschung von Unterschieden zwischen sozialen Klassen und ethnischen Gruppierungen innerhalb einer Gesellschaft. In diesem Artikel wollen wir regionale Unterschiede in den USA untersuchen, die historische Muster verschiedener Wirtschaftsstrukturen widerspiegeln.

Aus mindestens drei Gründen sind die USA gut geeignet, regionale Unterschiede zu studieren. Erstens sind sie „jung" genug, eine einigermaßen sichere Beschreibung von regionalen Entwicklungen zu erlauben. Zweitens stellen sie ein breites föderalistisches System dar, das örtliche Autonomie (und so Differenzierung) auf vielen wichtigen Gebieten erlaubt. Drittens gibt es einige deutlich unterschiedliche Muster regionaler Entwicklungen. Makro-strukturelle Daten (die einheitlich in der ganzen Nation erhoben wurden) stehen zur Verfügung; was uns zu beobachten erlaubt, welche Rolle regionale Unterschiede (die vermutlich auf historischen Unterschieden der Produktionsverhältnisse beruhen) bei der Bildung des sozialen Kontextes spielen, in dem menschliche Entwicklung sich vollzieht.

2. Untersuchungsaufbau und Ergebnisse

Die klarste regionale Unterscheidung, die in den USA von Interesse ist, ist die „Südlichkeit" (*Gastil* 1971). Der amerikanische Süden, vor allem der Südosten, entwickelte während des 18. Jahrhunderts (der Zeit der ersten Kolonisation großen Ausmaßes) eine Wirtschaftsstruktur, die sich wesentlich von jener der nördlichen und westlichen Regionen unterschied. Er bildete ein System, das dem mittelalterlichen Feudalismus ähnelte wie sonst in keiner anderen Region. Sein Kastensystem und seine Sklavenwirtschaft zur Produktion von Exportwaren setzte ihn in Opposition zu der modernen Wirtschaftsstruktur des Nordens, die sich auf Manufakturen und „private" Landwirtschaft stützte. Diese unterschiedlichen Entwicklungsmuster erreichten ihren Höhepunkt im Bürgerkrieg, der zwischen 1861 und 1865 stattfand und in der physischen, wirtschaftlichen, sozialen und politischen Vernichtung des größten Teils des Südens resultierte.

Die Untersuchung der Beziehung zwischen „Südlichkeit" und der Ökologie der menschlichen Entwicklung bietet eine gute Gelegenheit, Regionalität zu studieren, da sich die amerikanischen Staaten (die politischen Grundeinheiten der föderativen Nation) in bezug auf ihre „Südlichkeit" unterscheiden. Einige Staaten sind ein direkter Teil des „Alten Südens" (des Gebiets, das in den Sezessionsversuch verwickelt war und den Bürgerkrieg provozierte). Andere wurden teilweise von Leuten aus dem Gebiet dieses „Alten Südens" besiedelt. Noch andere Staaten haben praktisch keine Bindungen zu diesem System und seinem Erbe. *Gastil* (1971) entwickelte einen „Südlichkeitsindex", mit einer Bandbreite von 5 („nicht südlich") bis 30 („Alter Süden"), der diese historischen Muster widerspiegeln soll. Um diesen Index zu ergänzen und eine Unterscheidung zu ermöglichen zwischen regionalen Unterschieden, die historisch bedingt sind, und solchen, die einfach die sozioökonomische Entwicklung an sich wiedergeben, wird ein „Modernitätsindex" in die Analyse miteinbezogen. *Herriot/Hodgkins* (1973) entwickelten einen solchen. Er ist ein Versuch, Dimensionen zu definieren, auf denen sozioökonomisch „entwickelte" gegenüber „unterentwickelten" Gesellschaften variieren. Darin liegt er auf einer Linie mit internationalen Untersuchungen (z. B. *Vincent* 1970), die herausfanden, daß der Einzel-Faktor, der den größten Varianzanteil zwischen Nationen aufklärt, dieses „Entwicklungskontinuum" ist. Die Bestandteile von *Herriot's* und *Hodgkins'* Modernitätsindex sind folgende:

a. Pro-Kopf-Einkommen,
b. prozentualer Anteil der Bevölkerung, der in städtischen Gebieten wohnt,
c. Zahl der Ärzte auf 100 000 Einwohner,
d. Zahl der Telefone pro 1000 Einwohner.

Der Index charakterisiert also die sozioökonomischen Ressourcen, die einem Staat verfügbar sind; es wird erwartet, daß er mit der „sozialen Wohnqualität" der Umwelt von Kindern in Beziehung steht. Die Korrelation zwischen dem Südlichkeitsindex und dem Modernitätsscore beträgt für die 48 zusammenhängenden Staaten der USA $r = -.36$.

Zur Operationalisierung der „sozialen Wohnqualität" wurde eine Reihe von Variablen ausgewählt:

Erstens gibt es Indizes der *wirtschaftlichen Verhältnisse*, der sozioökonomischen Ordnung. Es wurde der Versuch gemacht (*Garbarino* 1975), offizielle Regierungsangaben über die zum Unterhalt verschiedener Lebensstandards notwendigen Einkommensverhältnisse zu verwenden. Es wurde deutlich, daß man von drei sozioökonomischen „ökologischen Nischen" der amerikanischen Gesellschaft sprechen kann: „Armutsbereich" (125 % oder weniger der „Armutsgrenze" – 1970: bis $ 4,599 für eine 4köpfige, nicht bäuerliche Familie), „Strampler" („struggling") (1970: $ 4,600–9,999), „angenehm/reich" (1970: $ 10,000 und mehr). In Ergänzung zu diesen Daten wird ein Maß der allgemeinen ökonomischen Ungleichheit verwendet. Der GINI INDEX (*Dye* 1969) spiegelt den Grad wider, in dem ökonomische Ressourcen in Händen einer kleinen Gruppe reicher Leute liegen, gegenüber einer gleichmäßigen Verteilung über die Bevölkerung. Je höher der Score ist (von 0.00 bis 1.00), desto ungleicher ist die Verteilung.

Zweitens gibt es Variablen des „*sozialen Stresses*". Von diesen Variablen wird angenommen, daß sie einige der Faktoren widerspiegeln, die es Familien erschweren, angemessen ihre Sozialisations- und Entwicklungsfunktionen wahrzunehmen (*Garbarino* 1976). Diese Faktoren umfassen folgendes:

- geographische Mobilität (die wahrscheinlich soziale Gefüge zerstört)
- Pendler-Dasein (das für die Arbeiter eine starke Belastung darstellt und die familiäre Interaktion verringert)
- Arbeit außer Haus von Müttern kleiner Kinder (was die Familie belastet aufgrund der allgemeinen Unzulänglichkeit des Betreuungssystems wie alternative Betreuung, Haushaltshilfen etc.)
- Merkmale der physikalischen Umwelt, die es erschweren, hohe hygienische Standards aufrechtzuerhalten (wie unangemessene sanitäre Anlagen).

Drittens gibt es Indizes *sozialer Pathologie*. Diese umfassen Kindersterblichkeit, Tötungen, unvollständige Familien und Schulversagen; alles wichtige Manifestationen und Ursachen der Beeinträchtigung menschlicher Entwicklung in der amerikanischen Gesellschaft.

Unsere Analyse besteht aus einer Reihe einfacher, partieller und multipler Korrelationen, die die Beziehungen zwischen Modernität (Entwicklung des sozioökonomischen Systems) und Südlichkeit (regionale Geschichte) einerseits und den Indizes der „sozialen Wohnqualität" andererseits aufzeigen sollen. Tabelle 1 gibt die Ergebnisse der Analyse wieder.

3. Diskussion

Die Ergebnisse zeigen deutlich die angenommenen regionalen Unterschiede in der „sozialen Wohnqualität". Die Beziehungen sind sehr deutlich für die Indizes der wirtschaftlichen Verhältnisse und der sozialen Pathologie. Eine statistische Kontrolle der Beziehung zwischen Südlichkeit und Modernität schwächt das Beziehungsmuster nicht wesentlich, das sich schon in der einfachen Korrelation zeigt.

„Soziale Wohnqualität"	makro-strukturelle Faktoren					
	„Modernität"		„Südlichkeit"			
	r	rp*	r	rp**	R	R^2
A. Wirtschaftliche Verhältnisse						
1. Prozentsatz der Familien mit einem Einkommen, das einen angenehmen/reichen Lebensstil erlaubt	.89	.88	–.50	–.43	.97	.95
2. Prozentsatz der Familien mit einem Einkommen von 125 % oder weniger der „Armutsgrenze"	–.76	–.71	.69	.70	.99	.99
3. GINI INDEX der Einkommensungleichheit	–.55	–.45	.72	.68	.84	.72
B. Sozialer Stress						
1. Prozentsatz, dessen Arbeitsplatz außerhalb des Wohnbezirks liegt	.38	.42	.04	.21	.47	.22
2. Prozentsatz, der in den vorangegangenen fünf Jahren den Wohnsitz wechselte	.05	.09	.10	.13	.17	.03
3. Prozentsatz, der in einem anderen Staat geboren ist	.28	.31	.02	.14	.35	.12
4. Prozentsatz von Frauen, die außer Haus arbeiten und Kinder unter sechs Jahren haben	–.45	–.34	.49	.39	.52	.27
5. Prozentsatz, der unter der „Armutsgrenze" lebt und keine angemessenen sanitären Anlagen besitzt	–.74	–.71	.64	.59	.92	.85
C. Soziale Pathologie						
1. Kindersterblichkeitsrate (pro 1000 Geburten)	–.50	–.38	.67	.60	.71	.50
2. Zahl der Tötungen	–.28	.04	.85	.83	.83	.69
3. Prozentsatz von Kindern unter 18 Jahren, die nicht mit beiden Eltern zusammenwohnen	.19	–.19	.82	.82	.84	.71
4. Prozentsatz der 7- bis 17jährigen, die nicht regelmäßig die Schule besuchen	–.64	–.61	.76	.74	.96	.92
5. Prozentsatz der 18- bis 19jährigen, die keine Schule besuchen	–.13	.26	.79	.80	.84	.71

Tabelle 1 (nebenstehend): Zusammenhänge zwischen makro-strukturellen Faktoren („Modernität", „Südlichkeit") und Indikatoren „sozialer Wohnqualität"

*) Südlichkeit kontrolliert, **) Modernität kontrolliert

Diese Ergebnisse scheinen weitergehendes Interesse an solchen regionalen Faktoren der Ökologie menschlicher Entwicklung zu rechtfertigen. Die multiplen Korrelationen bekräftigen diese Behauptung. Wenn wir gleichzeitig Modernität und Südlichkeit betrachten, erklärt die resultierende Regression auf den meisten untersuchten Variablen einen beeindruckend großen Anteil der Varianz zwischen den 48 Staaten. – Die Verwendung solch vielschichtiger Verfahren kann eine gute makro-strukturelle „Skizze" des sozialen Kontextes liefern, in dem sich Entwicklungsverläufe ereignen.

Die nächsten Schritte in diesem Forsehungsprogramm sind folgende: Zunächst muß die Analyse auf kleinere geographische Einheiten angewandt werden (auf Teileinheiten innerhalb der Staaten). Dies wird größere Spezifität erlauben und die Gefahr des „ökologischen Fehlschlusses" verringern – d. h. anzunehmen, daß eine auf der Makro-Ebene gegebene statistische Beziehung zwischen Phänomenen auch auf der Mikro-Ebene existiert. Wir müssen die Prozesse spezifizieren, die die makro-strukturellen Variablen mit den interessierenden Entwicklungsereignissen verbinden (*Tulkin* 1972).

Zweitens muß die Analyse das Konzept und die Operationalisierung der „sozialen Wohnqualität" ausdehnen und systematisieren. Z. B. muß die Rolle von „ideologischen" Faktoren in die Analyse einbezogen werden. Eine Möglichkeit ist es hier, die gewählten politischen Vertreter verschiedener Regionen als „Inkarnationen" der Ideologie zu nehmen. Die Verfügbarkeit ideologischer Analysen des Abstimmungsverhaltens solcher gewählter Vertreter ermöglicht dies. In den USA gibt es nämlich „konservative" und „liberale" Gruppen, die systematisch das Abstimmungsverhalten der Parlamentarier hinsichtlich nationaler Themen analysieren. Wird das Modell umfassender, sollte es möglich sein, so gewonnene makro-strukturelle Befunde zu einer ökologisch valideren Analyse eines breiten Bereichs wichtiger Themen aus der Ökologie menschlicher Entwicklung zu verwenden; z. B. den Einfluß von Interventionsprogrammen auf die Entwicklung; die Fähigkeit sozialer Netzwerke, Hilfen für Familien zur Verfügung zu stellen; etc. Die vorliegende Analyse ist nur ein Anfang auf diesem Weg.

Literatur

Brim, O. G.,jr.
1975. Macro-structural Influences on Child Development and the Need for Childhood Social Indicators. American Journal of Orthopsychiatry, 45, 516–524.

Bronfenbrenner, U.
1974. Developmental Research, Public Policy and the Ecology of Childhood. Child Development, 45, 1–5.
1975. The Origins of Alienation. In U. Bronfenbrennner/M. Mahoney (Eds.), Influences on Human Development (2nd ed.). Hinsdale/Ill.: The Dryden Press, 485–501.
1976. The Experimental Ecology of Human Development. Unpublished manuscript, Cornell University, Ithaca, New York.

Cole, M./Bruner, J. S.
1971. Cultural Differences and Inferences about Psychological Processes. American Psychologist, 26, 867–876.

Dye, T.
1969. Income Inequality and American State Politics. American Political Science Review, 63, 157–162.

Garbarino, J.
1975. The Meaning of School Success. The Educational Forum, 40, 157–168.
1976. A Preliminary Study of Some Ecological Correlates of Child Abuse: the Impact of Socioeconomic Stress on Mothers. Child Development, 47, 178–185.

Garbarino, J./Bronfenbrenner, U.
1976. Research on Parent-Child Relations and its Relation to Social Policy: Who Needs Whom? In K. Schneewind/T. Herrmann (Eds.), Parent-Child Relations: Theoretical, Methodological, and Practical Implications. Im Druck.

Gastil, R.
1971. Homicide and a Regional Culture of Violence. American Sociological Review, 36, 412–427.

Herriot, R./Hodgkins, B.
1973. The Environment of Schooling. Englewood Cliffs, N. J.: Prentice-Hall.

LeVine, R. A.
1970. Cross-Cultural Study in Child Psychology. In P. H. Mussen (Ed.), Carmichael's Manual of Child Psychology, Vol. II. New York: Wiley, 559–614.

Tulkin, S. R.
1972. An Analysis of the Concept of Cultural Deprivation. Developmental Psychology, 6, 326–339.

Vincent, J.
1971. Scaling the Universe of States on Certain Useful Multivariate Dimensions. The Journal of Social Psychology, 85, 261–283.

Willems, E.
1975. Relations of Models to Methods in Behavioral Ecology. Paper Presented at Biennial Conference of the International Society for the Study of Behavioral Development, Guildford, U. K., July 1975.

Örtliche soziale Milieus als Kontext für Sozialisations- und Entwicklungsprozesse

Zur Strukturierung Frankfurts mit Hilfe sozialer Indikatoren

Heiner Meulemann und Horst Weishaupt

In den letzten Jahren findet in Forschungen im Bereich Sozialisation und Entwicklung eine neue Richtung zunehmend Beachtung, die in der Umwelt des Kindes die entscheidende Determinante von Sozialisationsprozessen sieht (*Bronfenbrenner* 1974, *Böhnisch/Schefold* 1976, *Walter* 1975). Unter Umwelt wird dabei die Gesamtheit der physischen, interpersonalen und institutionellen Bedingungen verstanden, unter denen ein Kind heranwächst: Umwelt wird als ein Sammelbegriff gebraucht, der analytisch ausdifferenziert werden muß, um für die Forschung brauchbar zu werden. Entsprechend hat man versucht, die verschiedenen Einflüsse auf Sozialisations- und Entwicklungsprozesse in Umwelt-Taxonomien zu ordnen, die zusammen mit einer ebenso fein differenzierten Taxonomie von Sozialisationseffekten und Entwicklungsleistungen das Gebiet Sozialisation und Entwicklung umschreiben und die Forschung orientieren sollen (*Walter* 1973, 1975).

Unabhängig von diesen inhaltlichen Faktoren unterscheiden wir zwischen zwei Bedeutungsebenen von Umwelt: der Umwelt, die für einzelne Personen und nur für sie spezifisch ist, und dem Aggregat, das durch eine Vielzahl von dauerhaft an einem Ort lebenden Personen gebildet wird. In der ersten Bedeutung sind Einzelne Träger jeweils ihrer eigenen Umwelt: ein Kind lebt im Haushalt einer Familie, deren materielle und kulturelle Ausstattung ein bestimmtes Anregungsniveau bietet; es lebt mit seiner Mutter zusammen, die einen bestimmten Leistungsdruck ausübt; es hat seine Stellung in der Geschwisterreihe, die es zu bestimmten innerfamiliaren Identifikationen prädisponiert usf. (subjektivistische Umweltbedingungen). Auch in der zweiten Bedeutung ist zwar der Einzelne Träger seiner Umwelt, der Unterschied zur ersten Bedeutung aber liegt darin, daß er seine Umwelt mit anderen teilt; er kann in sie hineinziehen und sie wieder verlassen, ohne daß sie sich verändert; ihr Wandel ist eigenen Gesetzen unterworfen. Kurz: Umwelt im ersten Sinne ist an Individuen, Umwelt im zweiten Sinne an Orte und die in ihnen lebenden sozialen Gruppen gebunden (objektivistische Umgebungsbedingungen, vgl. *Dann et al.* 1975). Umwelt in diesem zweiten Sinne besteht aus Kristallisationen der allgemeinen Sozialstruktur in sozialräumlichen Teileinheiten, die wir als örtliche soziale Milieus bezeichnen.

Der Unterscheidung zwischen diesen beiden Bedeutungen von Umwelt entsprechen zwei Forschungsansätze, die sich wissenschaftlichen Disziplinen grob zuordnen lassen. Die Beziehungen zwischen Einzelnen und ihrer Umwelt sind vor allem in der Psychologie untersucht worden; so konnte der Einfluß von Anregungen im Elternhaus auf die gemessene Intelligenz und Leistungsmotivation gut belegt werden (*Deutsch* 1967, *Marjoribanks* 1972, *Trudewind* 1975). Örtliche soziale Milieus, die nicht an einzelne Personen gebunden sind, wurden vorwiegend in der Soziologie untersucht. Dort haben sich zwei Forschungsrichtungen herausgebildet, die methodisch unterschiedliche Wege eines Zugangs zu örtlichen sozialen Milieus suchen. Die eine Forschungsrichtung charakterisiert örtliche soziale Milieus durch Befragung und Beobachtung der ansässigen Personen; entsprechende Untersuchungen finden sich in der phänomenologisch orientierten amerikanischen (*Gans* 1962) und deutschen (*Mackensen et al.* 1959, *Hess/Mechler* 1973, *Bahrdt* 1974a, 1974b) Soziologie. Die andere Forschungsrichtung geht aus von den für verschiedene Aggregate (Wohnblöcke, Stadtbezirke, Gemeinden, Landkreise, Bundesländer) vorliegenden Daten der amtlichen Statistik und bildet aus ihnen Indikatoren zur Beschreibung der Bevölkerungsstruktur, der baulichen Umgebung, infrastrukturellen Ausstattung und des kulturellen Milieus; entsprechende Untersuchungen finden sich in der amerikanischen (*Shevky/Bell* 1974, *Bell* 1955, *Schwirian* 1974) und deutschen (*Braun* 1968, *Niemeier* 1969, *Mischke* 1976) Sozialökologie. Zu dieser zweiten Forschungsrichtung zählt der folgende Beitrag. Wir werden zunächst versuchen, den Untersuchungsgegenstand begrifflich zu bestimmen (Abschnitt 1), um dann darzustellen, wie mit den von uns erhobenen Daten die Stadtbezirke einer Großstadt klassifiziert werden können (Abschnitt 2). Auf diesem Hintergrund werden wir abschließend Anwendungsmöglichkeiten des Untersuchungsansatzes im Bereich der Sozialisation und Entwicklung diskutieren (Abschnitt 3).

1. Örtliche soziale Milieus als Kristallisationen der globalen Sozialstruktur

Die Sozialstruktur einer Gesellschaft ist durch die Verteilung sozialer Positionen definiert, die als „ursächliche Komponenten von Lebenschancen" beschrieben werden können (*Weber* 1964, 679)[1]. Sie ist nicht durch den Bezug auf Orte defi-

1 Diese Begriffsbestimmung geht weder auf die Vieldimensionalität, d. h. die unterschiedlichen inhaltlichen Bestimmungen von „Lebenschancen", noch auf die Bestimmungen der Grenzen zwischen den Einheiten der Struktur ein. Sie ist jedoch hinreichend, um die Beziehungen zwischen örtlichen Einheiten und Sozialstruktur zu verdeutlichen.

niert; in den örtlichen Einheiten, die das Territorium der Gesellschaft bilden, verbinden sich aber Ausschnitte der Sozialstruktur einer Gesellschaft mit örtlichen Besonderheiten des Bevölkerungsaufbaus, der Siedlungsweise und der Kultur. Die Kristallisationen der globalen Sozialstruktur in sozialräumlichen Teileinheiten bezeichnen wir als örtliche soziale Milieus. Sie lassen sich in zwei Dimensionen beschreiben: durch langfristig gegebene Bedingungen in der Form der Bebauung und im Bevölkerungsaufbau, die wir als sozialökologische Lebensverhältnisse, und durch ortstypische Verhaltensstile, Sozialbeziehungen und Wertvorstellungen, die wir als sozialkulturelle Lebenswelt bezeichnen (vgl. Abb. 1). Sozialökologische Lebensverhältnisse und sozialkulturelle Lebenswelten können anhand ihres konstitutiven Bezugspunktes und anhand ihrer sozialen Zugänglichkeit analytisch unterschieden werden. Sozialökologische Lebensverhältnisse sind an außersoziale Kategorien (Ort, Alter, Geschlecht) gebunden. Sie sind für jedermann, unabhängig von den Verhältnissen, in denen er lebt, „selbstverständlich". Aus diesem Grund lassen sich auf einer bestimmten sozialökologischen Dimension alle Mitglieder der Gesellschaft fixieren; aus diesem Grund ist ferner eine bestimmte sozialökologische Dimension alltäglich wie wissenschaftlich leicht zugänglich. Sozialkulturelle Lebenswelten sind allein sozial konstituiert, ohne die Notwendigkeit eines Bezugs auf außersoziale Merkmale. Sie sind nicht für jedermann, sondern nur für Mitglieder „selbstverständlich". Aus diesem Grund können bestimmte Aspekte sozialkultureller Lebenswelten auf bestimmte soziale Gruppen beschränkt bleiben. Eine bestimmte sozialkulturelle Lebenswelt ist alltäglich wie wissenschaftlich nur mit Hilfe methodischer Verfremdung zugänglich.

Sozialökologische Lebensverhältnisse lassen sich in zwei Gruppen von Merkmalen unterteilen, die wir ökologische und sozialbiografische nennen. Ökologische Merkmale bezeichnen an Orte und nicht an Personen gebundene soziale Einrichtungen; dazu gehören Größe und Standard von Wohnungen und alle infrastrukturellen Ausstattungen des Wohngebiets. Sozialbiografische Merkmale resultieren aus Entscheidungen, die Personen in den Phasen des Lebenszyklus treffen müssen; Beispiele sind Familienstand, Familienform, Kinderzahl, Erwerbsstatus.

Örtliche soziale Milieus werden durch sozialstrukturelle Bedingungen beeinflußt. Auf der einen Seite beeinflußt die sozialstrukturelle Position der ansässigen Individuen sozialökologische Lebensverhältnisse und sozialkulturelle Lebenswelten: Das mit einer sozialen Position verbundene Einkommen legt Grenzen fest für die Chancen der materiellen Lebensgestaltung, die Wahl einer Wohnung, die Wahl eines Ehegatten, die Entscheidung über die Kinderzahl, den familiären Lebensstandard; die Art, in der am Arbeitsplatz Entscheidungsspielräume, Zwänge und Konflikte erfahren werden, legt, bewußt oder unbewußt, Interpretationen des Selbst und der Gesellschaft, Lernziele und Erziehungsziele für die Kinder fest (*Kohn* 1969, *Kern/Schumann* 1970). Auf der anderen Seite beeinflußt die Sozial-

Abbildung 1: Örtliche soziale Milieus als Kristallisationen der globalen Sozialstruktur

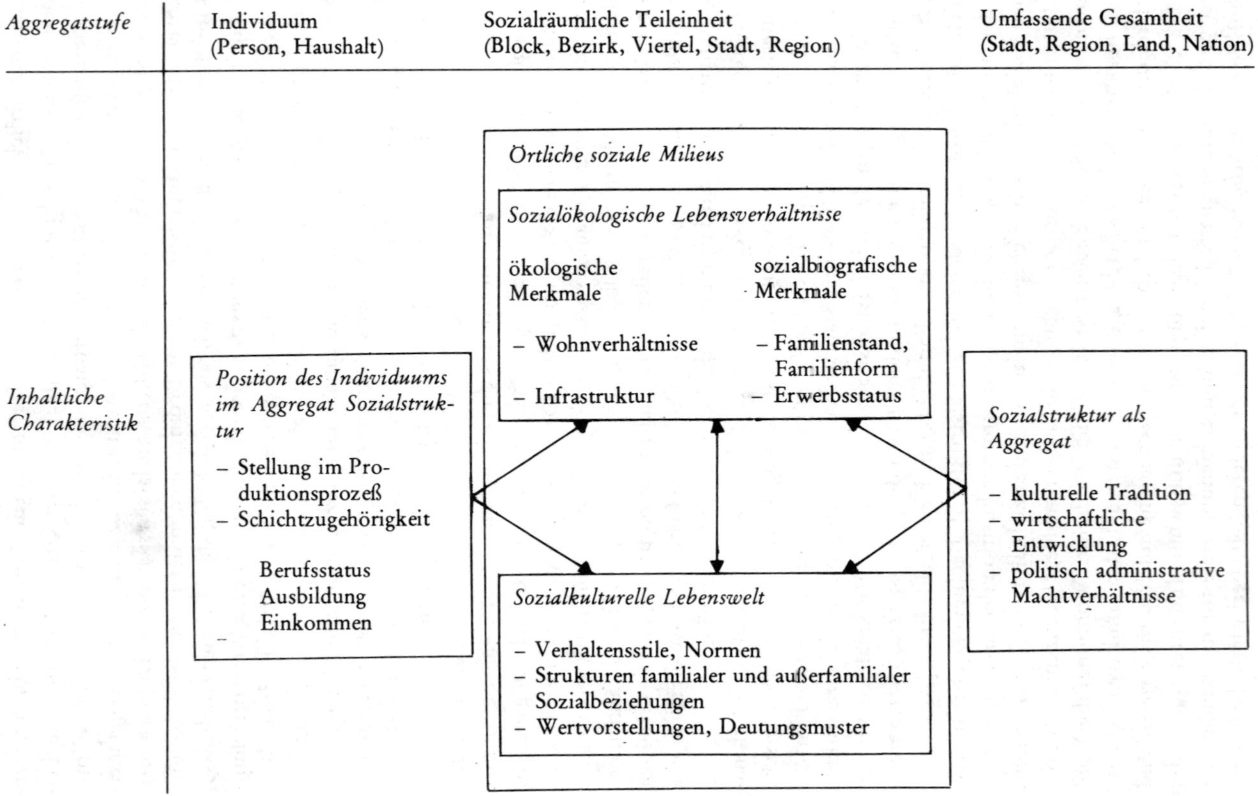

struktur der umfassenden Einheit typische sozialbiografische Entscheidungen. Der Arbeitsmarkt einer Stadt kann z.B. die Chancen der Frauenerwerbstätigkeit erhöhen, wenn kaufmännische, von Frauen häufiger gewählte Berufe örtlich häufiger vertreten sind (*INFAS* 1967). Die Verteilung der Arbeitsstätten in einer Stadt bestimmt die täglichen Pendelbewegungen der Bewohner. Die wirtschaftliche Entwicklung einer Stadt bestimmt, gesteuert von der politischen Verwaltung, das Wachstum und die Fluktuation der Bevölkerung sowie die Vorherrschaft von Wirtschafts- oder Wohnfunktionen in einem Viertel.
Die wechselseitigen Einflüsse zwischen sozialökologischen Lebensverhältnissen und sozialkulturellen Lebenswelten kennzeichnen die innere Dynamik örtlicher sozialer Milieus. Mit einiger Wahrscheinlichkeit finden sich ähnliche Segmente der Bevölkerung in ähnlichen Wohnquartieren, so daß die analytisch leicht trennbaren ökologischen und sozialbiografischen Merkmale empirisch in festen Kombinationen auftauchen: in typischen sozialökologischen Lebensverhältnissen. Diese wiederum werden mit typischen Formen der Nachbarschaft, Beziehungen zu Verwandten und Bekannten, Familienformen, Partei-Präferenzen etc. verbunden sein: mit einer typischen sozialkulturellen Lebenswelt. Es ist schwierig, eine Kausalstruktur zwischen beiden Ebenen zu postulieren, da sie sich wechselseitig beeinflussen. Die sozialökologischen Lebensverhältnisse können zwar insofern als eine kausale Determinante angesehen werden, als sie die Ausgangsbedingungen und Ausgangsprobleme umfassen, in denen sich die sozialkulturelle Lebenswelt entwickelt. Die sozialkulturelle Lebenswelt ist jedoch keineswegs durch die lokalen sozialökologischen Lebensverhältnisse voll determiniert. Unterschiedliche soziale Kulturen können sich in ähnlichen Wohngebieten finden, die Sozialkultur eines Gebiets kann sich trotz gleichbleibender Wohnverhältnisse ändern.
Sozialökologische Lebensverhältnisse sind ortstypisch und nicht verpflanzbar; sozialkulturelle Lebenswelten sind jedoch nur im Extremfall einer geschlossenen örtlichen Gesellschaft die Sozialformen, Normen und Vorstellungen ausschließlich eines bestimmten Ortes. Ein ortstypisches Substrat langfristig gültiger Rahmenbedingungen steht einem Überbau sozialkultureller Merkmale gegenüber, in dem ortstypische und ortsübergreifende Sachverhalte vermischt sind. Die innere Dynamik örtlicher sozialer Milieus muß daher vor dem Hintergrund nicht örtlich gebundener Sozialstrukturen gesehen werden. Die aggregierten sozialen Positionen der örtlichen Bevölkerung und die sozialen und wirtschaftlichen Merkmale der umfassenden Einheit müssen daher ebenso wie die sozialökologischen Lebensverhältnisse und die sozialkulturelle Lebenswelt zur Charakterisierung örtlicher sozialer Milieus herangezogen werden (s. Abb. 1).
Ein hypothetischer Vergleich zweier städtischer Viertel kann diese Überlegung veranschaulichen. Nehmen wir auf der einen Seite ein Viertel aus fünfstöckigen hochräumigen Wohnblocks aus der Zeit vor dem ersten Weltkrieg mit geringem

sanitärem Komfort, in dem vorwiegend Arbeiter, relativ viele ältere Leute, vor allem Frauen wohnen; auf der anderen Seite ein Viertel mit nach dem zweiten Weltkrieg, teilweise von Bewohnern selbst gebauten Doppel-Einfamilienhäusern mit Kleintierhaltung und Nutzgarten, in dem ebenfalls vorwiegend Arbeiter, aber relativ viel Kinderreiche und relativ viel Drei-Generationen-Familien wohnen. Die sozialökologischen Lebensverhältnisse beider Viertel unterscheiden sich sehr stark. Aber auch Merkmale der sozialkulturellen Lebenswelt beider Viertel werden sich beträchtlich unterscheiden, von den Familienformen über die Nachbarschafts- und Verwandtschaftsbeziehungen bis hin zu den vorherrschenden schulischen und beruflichen Orientierungen für die Kinder. Jedoch wird die sozialkulturelle Lebenswelt beider Viertel in vieler Hinsicht auch gleich sein: Selbst wenn wir nicht annehmen, daß die Väter im gleichen Betrieb beschäftigt sind, werden sie als Arbeiter bestimmte Erfahrungen am Arbeitsplatz teilen; selbst wenn wir große Unterschiede der individuellen und familialen Geschichte annehmen, so wird es ähnliche Traditionen des Selbstverständnisses als abhängig und körperlich Arbeitende, ähnliche Erfahrungen im Umgang mit öffentlichen Einrichtungen, vor allem Schulen, ähnliche Einschätzungen der privaten und kollektiven Zukunft u. a. m. geben. Allgemeiner gesagt: die sozialkulturelle Lebenswelt wird in vieler Hinsicht örtlich typisch sein und sich aus den örtlichen Wohn- und Sozialverhältnissen ergeben; in anderer Hinsicht aber wird sie die typischen Normen und Deutungen gesamtgesellschaftlicher Klassen und Gruppen jedoch örtlich kristallisieren.

2. Die Beschreibung örtlicher sozialer Milieus durch Profile sozialer Indikatoren [2]

Wir beschreiben örtliche soziale Milieus innerhalb der Großstadt Frankfurt anhand von Befragungen und Zählungen der amtlichen Statistik, die für Stadtbezirke aggregiert wurden. Zu diesem Zweck müssen wir aus den vorliegenden Daten Indikatoren konstruieren und in einer Systematik ordnen.[3] Für die Konstruktion und Systematisierung von Indikatoren haben wir die sozialökologische Theorie *Shev-*

2 In diesem Abschnitt verwenden wir Analysen, die unter einem anderen Gesichtspunkt an anderer Stelle ausgewertet wurden *(Meulemann/Weishaupt* 1977). Dort finden sich auch ausführliche Erläuterungen zu dem statistischen Verfahren.

3 Als Quellen dienten uns Ergebnisse der
- Volks- und Berufszählung von 1961 und 1970
- Wohnungs- und Gebäudezählung 1968
- Arbeitsstättenzählung 1961 und 1970

sowie Einzelveröffentlichungen des Statistischen Amtes. Die Ergebnisse sind für 111 *kys* und *Bells* (1955, 1974) zugrunde gelegt und sie unseren einleitend dargestellten Überlegungen entsprechend modifiziert.

Shevky/Bell (1974) gehen aus von einer Theorie des sozialen Wandels, die die gesamtgesellschaftliche Entwicklung zunehmender Industrialisierung an der städtischen Entwicklung ablesen will. Als Folge wachsender Dichte von Sozialbeziehungen in der Gesellschaft wird eine zunehmende *soziale* Rangdifferenzierung, als Folge funktionaler Differenzierung eine zunehmende *Urbanisierung* und als Folge wachsender Komplexität der sozialen Organisation eine zunehmende *Segregation* von Bevölkerungsgruppen postuliert. In einer Untersuchung der Stadtbezirke von Los Angeles und San Francisco verwandte *Bell* (1955) als Indikatoren für *sozialen Rang* den Arbeiteranteil, den Anteil von Personen mit geringer Schulbildung und die Durchschnittsmiete, als Indikatoren für *Urbanisierung* die Anzahl der Kinder unter 5 Jahren auf Frauen im gebärfähigen Alter, den Prozentsatz der erwerbstätigen Frauen und den Anteil von Einfamilienhäusern, sowie als Indikator für *Segregation* den Prozentsatz von Schwarzen an der Bevölkerung. Dieselben Indikatoren wurden von *van Arsdol et al.* (1958) für die Stadtbezirke zehn typischer amerikanischer Städte erhoben. In beiden Untersuchungen konnte eine Faktorenanalyse der Interkorrelationen der genannten Indikatoren die postulierten Faktoren Rang, Urbanisierung und Segregation bestätigen.

Da wir nicht wie *Shevky* und *Bell* an Dimensionen des gesamtgesellschaftlichen Wandels, sondern an einer Beschreibung innerstädtischer Milieus interessiert sind, haben wir deren Klassifikationsschema verändert und teilweise erweitert. Der ,,soziale Rang" beschreibt bei *Shevky* und *Bell* die aggregierte soziale Position der Individuen eines örtlichen sozialen Milieus. Die ,,Urbanisierung" umfaßt bei ihnen sozialbiografische Merkmale. Beide Dimensionen haben wir in unseren Ausgangsüberlegungen berücksichtigt und in unsere Systematik als ,,Sozioökonomischer Status" und ,,Lebenszyklus" übernommen. Die dritte Dimension *Shevkys* und *Bells* – ,,soziale Segregation" – könnte zwar auch für die BRD durch den Anteil der Ausländer indiziert werden, die Trennung zwischen deutscher und ausländischer Bevölkerung ist jedoch eine vergleichsweise neue Entwicklung. Sie schien uns deshalb nicht angemessen für eine Beschreibung innerstädtischer Milieus in der BRD. Stattdessen haben wir für drei weitere Dimensionen Indikatoren gebildet.

Unter ,,Lebensstandard" haben wir ökologische Merkmale und sozialbiografische Merkmale, sofern sie nicht den Normalfall, sondern belastende oder benach-

Stadtbezirke Frankfurts ausgewiesen. Wegen zu geringer Größe haben wir einige Bezirke zusammengelegt. Wir arbeiten mit 104 Stadtbezirken, deren Größe zwischen 1215 und 14 082 Einwohnern mit einem Durchschnitt von 6439 Einwohnern liegt.

teiligende Extremfälle bezeichnen, zusammengefaßt. Unter ,,Kulturellem Milieu" sind Merkmale subsumiert, die typische Orientierungen der Lebensführung und Lebensplanung, also sozialkulturelle Lebenswelten indizieren können. ,,Folgewirkungen der wirtschaftlichen Entwicklung" bezeichnen Indikatoren, die den Einfluß der gesamtstädtischen Entwicklung auf örtliche soziale Milieus erfassen können. Diesen 5 Dimensionen haben wir 52 Indikatoren zugeordnet. Die Dimensionen mit Untergruppen sind im folgenden wiedergegeben (Die in Klammern hinzugefügten Ziffern bezeichnen die zugeordneten Variablen, die in Tab. 1 identifiziert werden können.):

1. Sozioökonomischer Status
1.1. Ausbildung (V111)
1.2. Berufsstatus (V121–V122)
1.3. Einkommen (V131)

2. Lebenszyklus (Urbanisierung)
2.1. Familiale vs. außerfamiliale Lebensformen (V211–V215)
2.2. Erwerb vs. Unterhaltsbezug (V221–V223)

3. Lebensstandard
3.1. Qualität der Wohnumwelt (V311–V318)
3.2. Belastung sozialer Primärbeziehungen (V321–V325)
3.3. Benachteiligung lebenszyklischer Marginalgruppen (V331–V334)

4. Kulturelles Milieu
4.1. Traditionalismus vs. Modernismus der Lebensführung (V411–V414)
4.2. Autonomie vs. Abhängigkeit der Lebensplanung (V421–V423)
4.3. Politische Beteiligung (V431–V432)
4.4. Berufliche Milieus (V441–V442)

5. Folgewirkungen der wirtschaftlichen Entwicklung
5.1. Dominanz von Wirtschafts- über Wohnfunktionen (V511–V514)
5.2. Stabilität und Homogenität der Bevölkerung (V521–V524)
5.3. Stärke des allgemeinen und wirtschaftlichen Wachstums (V531–V533)

Aus der Korrelationsmatrix dieser 52 Indikatoren wurden durch eine Faktorenanalyse nach der Hauptachsenmethode vier Faktoren extrahiert, die 61,8 Prozent der gesamten Varianz erklären und einer orthogonalen Rotation unterzogen wur-

den (Tab. 1)[4] Der erste Faktor, der 40 Prozent der Gesamtkommunalität erfaßt, trennt zwischen einem hohen Anteil von Erwerbstätigen, erwerbstätigen verheirateten Frauen und Ausländern auf der einen, und einem hohen Anteil von Ernährten an der Bevölkerung auf der anderen Seite; wir haben ihn „Erwerbstätigkeit" genannt. Der zweite Faktor, der 31 Prozent der Gesamtkommunalität erfaßt, trennt zwischen einem hohen Arbeiter- und Volksschulabsolventenanteil auf der einen, und einem hohen Anteil gut ausgestatteter Haushalte und einem hohen Anteil von Selbständigen auf der anderen Seite; er repräsentiert den „sozioökonomischen Status". Der dritte Faktor, der 17 Prozent der Gesamtkommunalität erfaßt, trennt zwischen einem hohen Anteil von Rentnern und Alten auf der einen, einem hohen Anteil von Familien mit Kindern und kinderreichen Familien auf der anderen Seite, anders gesagt: zwischen den aktiven und passiven Phasen des Lebenszyklus, Kinderaufzucht und Ruhestand; wir haben ihn „Familismus" genannt. Der vierte Faktor, der die restlichen 12 Prozent der Gesamtkommunalität erfaßt, trennt zwischen Mietwohnungen und dichter Besiedlung auf der einen, einem hohen Anteil großer Wohnungen auf der anderen Seite; wir haben ihn „Selbständigkeit des Wohnens" genannt. Durch die Faktorenanalyse wurden also die ursprünglich konzipierten Dimensionen des „Sozioökonomischen Status" und des „Lebenszyklus" reproduziert, die Dimension „Lebenszyklus" jedoch aufgeteilt auf den Aspekt der „Erwerbstätigkeit" und des „Familismus". Die ursprünglichen Dimensionen des „Lebensstandards" und des „Kulturellen Milieus" erwiesen sich nur als Facetten des „Sozioökonomischen Status", die ursprüngliche Dimension „Folgewirkungen der wirtschaftlichen Entwicklung" als Teil des Faktors „Erwerbstätigkeit". Jedoch ergab die Faktorenanalyse einen theoretisch nicht konzipierten Faktor, der typische Wohnbedingungen und damit die ökologischen Gegebenheiten eines Bezirks repräsentiert. – Voneinander unabhängige Informationen enthalten unsere Daten also nur über den sozioökonomischen Status und über ökologische und sozialbiografische Merkmale, d. h. sozialökologische Lebensverhältnisse, nicht aber über sozialkulturelle Lebenswelten und über Einflüsse der gesamtstädtischen Entwicklung auf örtliche soziale Milieus.
Anhand der Merkmale, die auf jeweils einem der vier Faktoren der Faktorenanalyse die höchste Ladung aufwiesen, ließ sich ein sozialstatistisches Profil für jeden Stadtbezirk bilden:

4 Es wurde das Programm PAFA (Faktorenanalyse nach der Hauptachsenmethode) der Autoren Schnell und Gebhardt vom DRZ verwendet. Herr Kolbe hat das Programm auf der UNIVAC 1108 des UNI-Rechenzentrums Frankfurt installiert, wo die Analyse gerechnet wurde. Allen Analysen lagen Daten aus einer von der Statistischen Abteilung des Deutschen Instituts für Internationale Pädagogische Forschung in Frankfurt am Main aufgebauten Datei zugrunde. Insbesondere Herrn Rieder muß für seine umfangreichen Programmierarbeiten gedankt werden.

Tabelle 1: Varimax-rotierte Faktorenmatrix mit den Faktorenladungen über .30 einer Faktorenanalyse nach der Hauptachsenmethode mit 52 sozialstatistischen Variablen für 104 Frankfurter Stadtbezirke

Variablenbeschreibung		Faktor I	II	III	IV	h^2
Anteil der MPHH von Ausländern und Staatenlosen an den MPHH 1970	V524	.923				.868
Erwerbsquote insgesamt 1970	V221	.922				.898
Anteil der Ausländer an der WB 1970	V522	.897				.853
Anteil der weiblichen und verheirateten ET an den verheirateten Frauen 1970	V322	.873				.803
Anteil der EPHH von Ausländern und Staatenlosen an den EPHH 1970	V523	.851				.743
Anteil der von Erwerbstätigen Ernährten an der WB mit überwiegendem Lebensunterhalt durch Erwerbstätigkeit 1970	V224	–.829		.440		.924
Wahlbeteiligung bei der Landtagswahl 1970	V431	–.827				.767
Erwerbsquote der erwerbsfähigen weiblichen WB 1970	V222	.799		–.362		.826
Anteil der bewohnten Wohnungen an den Wohnungen 1968	V521	–.782	–.377			.776
Anteil der Personen in EPHH an den Personen in PHH 1970	V211	.781	.304	–.474		.930
Anteil der weiblichen EPHH an den EPHH 1970	V331	–.765				.628
Arbeitsplatzdichte, Beschäftigte je ha 1970	V512	.745				.619
Miete je qm 1968	V131	.673	.604			.833
Verhältnis der Tag- zur Nachtbevölkerung 1970	V514	.624				.439
Wohnungen pro Wohngebäude 1968	V311	.609			–.599	.766
Anteil der Verheirateten an der WB über 18 Jahre 1970	V212	–.592	–.413	.523		.811
Anteil der öffentlich geförderten Wohnungen an den nach 1949 errichteten Wohnungen 1968	V423	–.567	–.485	.329		.703
Anteil der weiblichen WB an der WB über 65 Jahre 1970	V332	.565	–.383			.516
Erwerbsquote der erwerbsfähigen männlichen WB 1970	V222	.387				.245
Anteil der Personen in Mehrpersonen-Untermieterwohnparteien an den Personen in Wohnparteien 1968	V314	.361			.311	.323
Veränderung des Verhältnisses Tag-/Nachtbevölkerung 1961–70	V533	.323				.160
Anteil der Volksschulabsolventen an der WB mit Schulabschluß 1970	V111		–.969			.939
Anteil der Arbeiter an den ET 1970	V121		–.911			.926
Anteil der Personen in PHH mit Telefon an den Personen in PHH 1970	V318	–.345	.869			.885
Anteil der weiblichen EPHH mit Telefon an den weiblichen EPHH 1970	V413		.855			.832
Anteil der Wohnungen mit Heizung 1968	V317		.825			.817
Wohnfläche je Person 1968	V312		.791			.856
Anteil der Selbständigen an den ET 1970	V122	.333	.709		.396	.828

Anteil der Selbständigen im Tertiären Sektor (Handel und Verkehr, Sonstige Wirtschaftsbereiche) an den Selbständigen	V442		.674			.531
Anteil der römisch-katholischen WB an der WB 1970	V411		–.627			.483
Anteil der Arbeiter im produzierenden Gewerbe an den Arbeitern 1970	V414		–.586			.527
Anteil der Eigentumswohnungen an den Wohnungen 1968	V421		.578			.383
Anteil der Briefwähler bei der Landtagswahl 1970	V432	.348	.528			.495
Fruchtbarkeitsziffer; Kinder unter 6 J. bezogen auf Frauen von 15 bis unter 45 J. 1970	V213	–.428	–.471	.341	.353	.645
Anteil der Beschäftigten im produzierenden Gewerbe an den Beschäftigten 1970	V513		–.467			.290
Anteil der Personen in Mehrfamilienhaushalten an den Personen in Ein- und Mehrfamilienhaushalten 1970	V412	.322	.347			.316
Anteil der Beamten in sonstigen Wirtschaftsbereichen an den Beamten 1970	V441		.236			.075
Anteil der Rentner usw. an der WB 1970	V333	–.322		–.879		.894
Anteil der WB über 65 J. an der WB 1970	V334	–.345		–.844		.893
Anteil der MPHH mit ledigen Personen unter 18 J. an den MPHH 1970	V214		–.342	.746		.746
Anteil der Wohnungen errichtet 1949 und später 1968	V315			.654	–.411	.652
Anteil der Familien mit drei und mehr Kindern an den MPHH mit ledigen Personen unter 18 J. 1970	V324	–.321		.611		.564
Anteil der von Rentnern Ernährten an der WB mit überwiegendem Lebensunterhalt durch Rente usw. 1970	V325	–.360		.535		.451
Beschäftigte 1970 bezogen auf die Beschäftigten 1961	V532			.535		.312
Anteil der Personen in MP-Einfamilien-HH der Typen 5, 6 u. 8 (unvollständige Familien mit Kindern) an den Personen in MP-Einfamilien-HH 1970	V323			–.486	–.426	.495
Anteil der in Mieterwohnparteien wohnenden Personen an den Personen in Wohnungen und Wohngelegenheiten 1968	V422				–.772	.659
Anteil der Wohnungen mit 5 und mehr Zimmern an den Wohnungen 1968	V313		.559		.588	.741
Anteil der Wohnungen ohne Bad, WC, Heizung 1968	V316		–.425		.482	.455
Anzahl der Kinder unter 6 J. je MPHH mit ledigen Personen unter 18 J. 1970	V213	.429			.432	.394
Anteil der weiblichen Ernährer, die sich und andere ernähren, an der weiblichen WB über 18 J. 1970	V321				–.425	.194
Wohnbevölkerung 1972 bezogen auf die Wohnbevölkerung 1970	V531				.374	.208
Beschäftigte je Arbeitsstätte 1970	V511				–.279	.174
Spaltenquadratsummen		12,80	9,91	5,58	3,82	32,11
Anteil der Faktoren an der Gesamtvarianz		24,61	19,06	10,73	7,36	61,76
Anteil der Faktoren an der Gesamtkommunalität		39,85	30,86	17,37	11,91	100,00

EPHH = Einpersonenhaushalte ET = Erwerbstätige HH = Haushalt MP = Mehrpersonen
MPHH = Mehrpersonenhaushalte PHH = Privathaushalte WB = Wohnbevölkerung

V221 Allgemeine Erwerbsquote 1970 für den Faktor 1 „Erwerbstätigkeit"
V111 Anteil der Volksschulabsolventen an der Wohnbevölkerung mit Schulabschluß 1970 für den Faktor 2 „Sozioökonomischer Status"
V333 Anteil der Rentner usf. an der Wohnbevölkerung 1970 für den Faktor 3 „Familismus"
V422 Anteil der in Mieterwohnparteien wohnenden Personen an den Personen in Wohnungen und Wohngelegenheiten 1968 für den Faktor 4 „Selbständigkeit des Wohnens".

Wie durch die orthogonale Rotation in der Faktorenanalyse angestrebt, sind die Interkorrelationen dieser vier Variablen unerheblich. Die sozialstatistischen Profile der 104 Stadtbezirke wurden durch das Verfahren der hierarchischen Clusteranalyse zu Gruppen zusammengefaßt. Dieses Verfahren sucht aus der Matrix der Distanzen zwischen allen Einheiten die kleinste Distanz heraus und legt die Einheiten zusammen, die diese Distanz bilden; aus der nun um eine Zeile und Spalte verkleinerten Matrix wird wiederum die kleinste Distanz herausgesucht, und wiederum werden die Einheiten zusammengelegt, die diese Distanz bilden. Diese Fusionierung wird so lang wiederholt, bis alle Einheiten eine Gruppe bilden. Hierarchisch heißt dieses Verfahren, weil einmal gebildete Gruppen nicht mehr aufgelöst, sondern nur noch zu größeren Gruppen fusioniert werden können[5]. Die Entscheidung über die Gruppenanzahl muß vom Forscher getroffen werden. Wir haben uns für die Bildung von 14 Gruppen aus den 104 Stadtbezirken entschieden.

Welche sozialstatistischen Profile charakterisieren nun die 14 Stadtbezirksgruppen? Wir haben im ersten Abschnitt örtliche soziale Milieus als Kristallisationen der umfassenden Sozialstruktur beschrieben, als eine Verbindung ortstypischer sozialökologischer Lebensverhältnisse und teils für räumliche Einheiten, teils für soziale Klassen und Gruppen spezifischer sozialkultureller Lebenswelten. Von den vier Merkmalen, die das sozialstatistische Profil der Stadtbezirke bilden, bezeichnet V111 (Anteil der Volksschulabsolventen) das ortsunabhängige Merkmal des sozioökonomischen Status, während sich die drei weiteren Merkmale auf ortstypische ökologische und sozialbiografische Verhältnisse beziehen. Aus diesem Grunde haben wir die Stadtbezirks-Gruppen zunächst auf V 111 in eine Rangfolge

5 Die für die Gruppenbildung verwandten Merkmale wurden vor der Gruppenbildung standardisiert, um Unterschiede der Mittelwerte und der Varianzen zwischen den Merkmalen aus der Berechnung der Distanzen zwischen den Einheiten auszuschließen. Die einzelnen Verfahren der Clusteranalyse unterscheiden sich vor allem dadurch, wie sie in den späteren Stadien des Fusionierungsprozesses Abstandsmaße zwischen den Gruppen bestimmen: Wir haben das Verfahren von Ward gewählt, das die Varianz in den Gruppen möglichst gering und zwischen den Gruppen möglichst groß hält und das die Tendenz hat, Gruppen annähernd gleicher Größe zu bilden (*Forst* 1974). Wir haben das Programm YGRPG von H. T. Forst und W. Vogel verwandt. Es wurde auf der CYBER 76 des Universitätsrechenzentrums in Köln gerechnet.

Abbildung 2: Profile von 14 Stadtbezirks-Gruppen – aufgeteilt nach drei Stufen des sozioökonomischen Status – auf den drei weiteren Dimensionen (104 Stadtbezirke; standardisierte Werte)

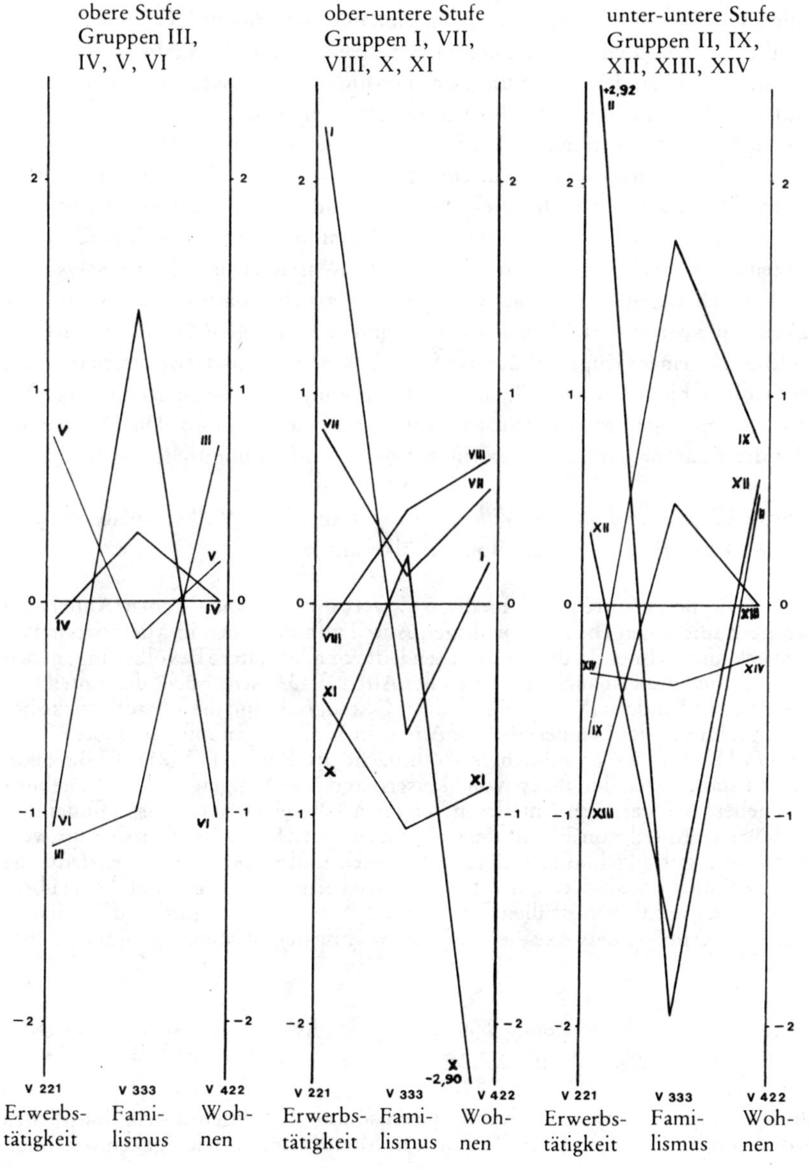

gebracht, um dann innerhalb dieser auf dem sozioökonomischen Status homogenen Gruppen Unterschiede der sozialökologischen Lebensverhältnisse zu interpretieren. Es lassen sich deutlich drei Stufen unterscheiden: eine obere mit insgesamt 4 Gruppen und 26 Stadtbezirken, eine ober-untere mit 5 Gruppen und 40 Stadtbezirken und eine unter-untere mit 5 Gruppen und 38 Stadtbezirken. Der Abstand zwischen der oberen und der ober-unteren Stufe ist entschieden größer als der Abstand zwischen den beiden unteren Gruppen.
Wie unterscheiden sich nun die sozialökologischen Lebensverhältnisse innerhalb dieser drei auf dem sozioökonomischen Status homogenen Gruppen von Stadtbezirken? Die Profile der Stadtbezirks-Gruppen sind in Abb. 2 dargestellt, ihre Lokalisierung in der Abb. 3. Die folgende Beschreibung der Stadtbezirks-Gruppen stützen wir nicht allein auf die sozialstatistischen Variablen der Clusteranalyse und der vorgeschalteten Faktorenanalyse, sondern versuchen darüber hinaus, die Gültigkeit der sozialstatistischen Profile anhand der örtlichen Nachbarschaft der Stadtbezirke einer Gruppe und anhand von Besonderheiten der Stadtstruktur und der Stadtgeschichte zu überprüfen. Den Erläuterungen zu den einzelnen Stadtbezirks-Gruppen schließen wir zusammenfassende Vergleiche an. Die Darstellung folgt der Rangfolge der Stadtbezirke auf dem sozioökonomischen Status.

Gruppe VI „Innenstadtnahe Villenbezirke“ (Anteil der Volksschulabsolventen 44,3 %, 3 Bezirke, 2,6 % der Wohnbevölkerung)

Diese Gruppe ist durch eine niedrige Erwerbsquote, einen hohen Anteil von Rentnern und einen ebenfalls niedrigen Anteil von Personen in Mieterwohnparteien gekennzeichnet. In diesen Bezirken lebt vor allem ältere Bevölkerung: neben dem Rentneranteil ist auch der Anteil der Alten (V334) sehr hoch, der Anteil von Familien mit Kindern (V214) sehr niedrig. Ökologisch sind diese Stadtbezirke begünstigt: hier findet sich der höchste Anteil an Wohnungen mit 5 und mehr Zimmern (V313) und die zweithöchste Wohnfläche pro Person (V312). Die Bevölkerung ist stark durch den Besitz von Häusern und Wohnungen an den Ort gebunden: neben dem geringen Anteil von Personen in Mieterwohnparteien findet sich der höchste Anteil von Eigentumswohnungen (V421). Es handelt sich um verkehrsmäßig gut angebundene Bezirke nördlich und südlich der Innenstadt, die reine Wohngebiete sind, sich nicht an alte Ortskerne anschließen und keine übergeordneten Funktionen erfüllen. Die Siedlungsform ist durch Ein- und Zweifamilienhäuser geprägt, teilweise – entlang der wichtigsten Straßenzüge – auch durch Wohnblocks.

Gruppe V „Gründerzeitwohngebiete um den Stadtkern“ (Anteil der Volksschulabsolventen 46,3 %, 7 Bezirke, 7,2 % der Wohnbevölkerung)

Diese Gruppe ist durch eine hohe Erwerbsquote und einen durchschnittlichen Anteil von Rentnern und von Personen in Mieterwohnparteien gekennzeichnet.

Abbildung 3:
Verteilung der 14 Stadtbezirks-Gruppen auf das Stadtgebiet Frankfurts

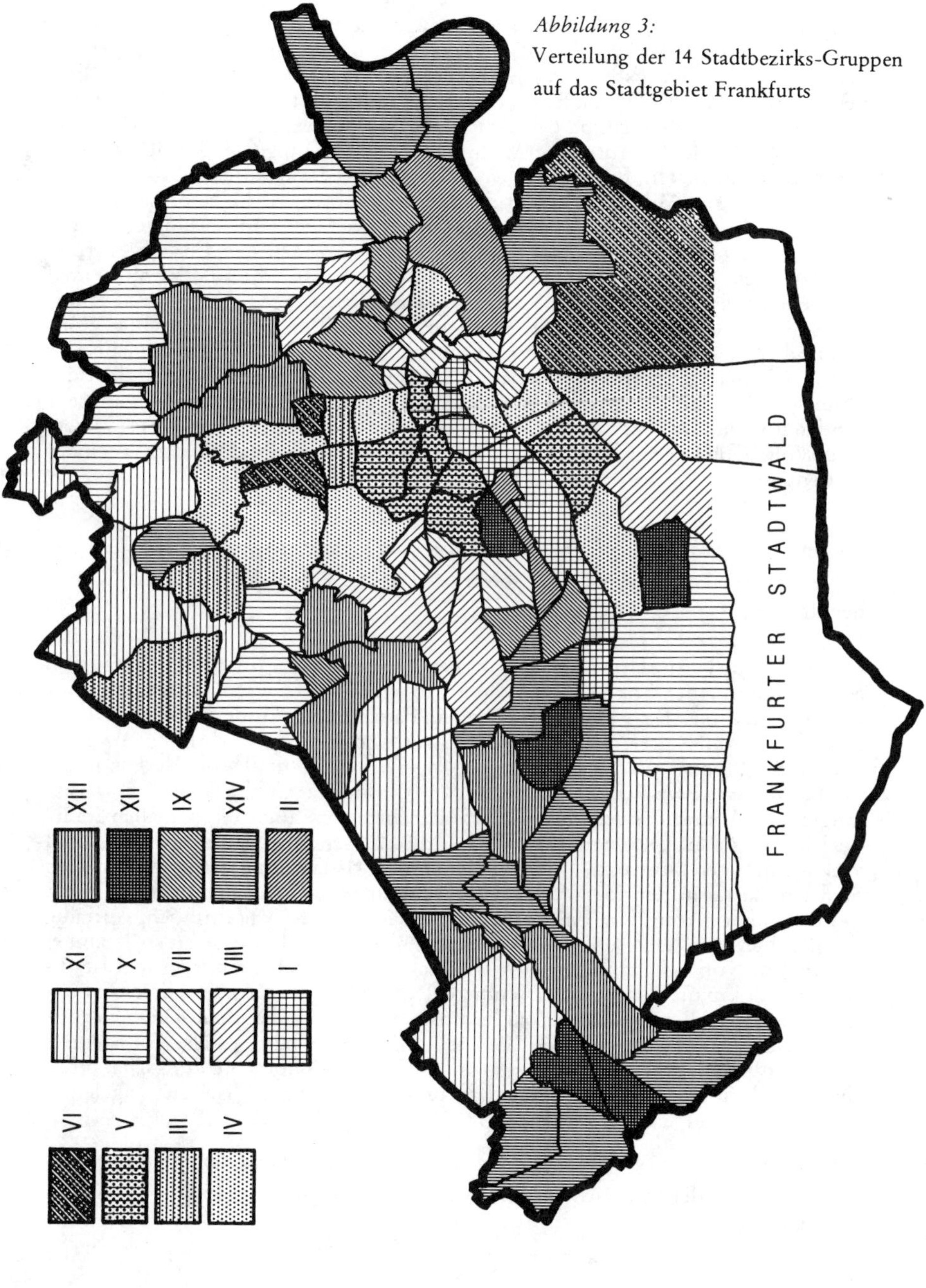

In diesen Bezirken lebt vor allem erwerbstätige und familiär nicht gebundene Bevölkerung: der Anteil der Verheirateten (V212) und die Fruchtbarkeitsziffer (V213) sind am niedrigsten von allen Stadtbezirks-Gruppen, der Anteil der Einpersonenhaushalte (V211) ist hoch, der von Familien mit Kindern (V214) gering. Ökologisch ist diese Gruppe der Gruppe VI sehr verwandt: die Wohnfläche je Person (V312) und der Anteil von Wohnungen mit Heizung (V318) sind von allen Gruppen am höchsten. Es handelt sich um das Gebiet der westlichen Stadterweiterung, in dem seit Mitte des 19. Jahrhunderts großbürgerliche Repräsentationsbauten errichtet wurden. Heute ist dieses Gebiet einerseits von der Universität geprägt, andererseits hat es von der Innenstadt Funktionen der Cityerweiterung übernommen: es weist eine sehr hohe Arbeitsplatzdichte auf und der hohe Anteil von Selbständigen des tertiären Sektors an den Selbständigen (V442) läßt vermuten, daß vor allem Rechtsanwälte, Ärzte und Architekten in diesem Gebiet Wohnen und Arbeiten verbinden, wie überhaupt diese Bezirke häufig eine gemischte Wohn-/Gewerbenutzung der Gebäude aufweisen. Der Stadtbezirk südlich des Mains um die Universitätskliniken ist mit den westlich an die Innenstadt angrenzenden und unmittelbar benachbarten 5 Bezirken gut vergleichbar: diese Gebiete sind Wohngebiete der Akademiker, der Intellektuellen und nicht zuletzt auch der Studenten.

Gruppe III „Städtisch geplante, auf bauliche und soziale Mischung angelegte Siedlungen“ (Anteil der Volksschulabsolventen 49,6 %, 4 Bezirke, 3,6 % der Wohnbevölkerung)

Diese Gruppe ist durch eine niedrige Erwerbsquote, einen niedrigen Anteil von Rentnern und einen hohen Anteil von Personen in Mieterwohnparteien gekennzeichnet. In diesen Bezirken leben vor allem Familien mit Kindern: der Anteil von Einpersonenhaushalten (V211) und die Erwerbsquote der erwerbsfähigen weiblichen Bevölkerung (V222) sind am niedrigsten, der Anteil von Verheirateten (V212) und von Familien mit Kindern (V214) sowie die Anteile der von Erwerbstätigen (V224) und von Rentnern (V325) Ernährten am höchsten von allen Stadtbezirks-Gruppen. Ökologisch ist diese Gruppe ebenfalls begünstigt: der Anteil von Wohnungen ohne Bad, WC und Heizung (V316) ist am niedrigsten von allen Stadtbezirks-Gruppen, der Anteil von Wohnungen mit 5 und mehr Zimmern (V313) und der Anteil von Haushalten mit Telefon (V318) ist sehr hoch. Auffällig ist, daß hier von allen Stadtbezirks-Gruppen der Anteil von höheren Beamten (V441) und von Selbständigen des tertiären Sektors (V442) am höchsten ist. Es scheint sich um die bevorzugten Wohngebiete der jüngeren Angestellten und Beamten des öffentlichen Dienstes (außer Post und Bahn) zu handeln. Diese Gruppe bilden Bezirke, die, – teils in den 20er, teils in den 60er Jahren – als Wohngebiete des öffentlichen Wohnungsbaus entstanden sind. Sie haben Siedlungscharakter, sind jedoch durch unterschiedliche Bauformen auf soziale Mischung angelegt.

Gruppe IV „An alte Ortskerne angelagerte reine Wohngebiete ohne Siedlungscharakter“ (Anteil der Volksschulabsolventen 54,2 %, 12 Bezirke, 15,0 % der Wohnbevölkerung)

Diese Gruppe hat auf allen drei sozialökologischen Dimensionen durchschnittliche Werte; wie die Standardabweichungen zeigen, ist diese Tatsache nicht durch die Heterogenität der Bezirke, die die Gruppe bilden, bedingt. Die Bezirke dieser Gruppe sind entlang einer Nord-Süd-Achse im Kernrandbereich der Stadt gelegen. Sie verdanken ihren heutigen Ausbau unterschiedlichen Phasen der Stadtentwicklung. Mit Ausnahme der Altstadt und des Bezirks Dornbusch ist ihnen jedoch gemeinsam, daß sie sich an alte, heute funktionslose Ortskerne anlagern und ihre Entwicklung überwiegend auf privater Initiative beruht.

Die vier Stadtbezirks-Gruppen des oberen sozioökonomischen Status unterscheiden sich kaum durch Ausstattung und Qualität der Wohnungen, aber deutlich in der sozialbiografischen Struktur der Bevölkerung. Jüngere und familiär noch nicht gebundene und beruflich aktive Bevölkerung (Gruppe V) lebt vornehmlich in dichter besiedelten und durch Erwerbstätigkeit mitgeprägten Gebieten unmittelbar in der Nähe der Innenstadt. Die ältere, beruflich weniger aktive und familiär nicht mehr beanspruchte Bevölkerung (Gruppe VI) findet sich in einem Gebiet innenstadtnaher Villenbezirke, vorwiegend in eigenen Wohnungen und Häusern. Familien mit Kindern (Gruppe III) wohnen bevorzugt in städtisch geplanten, häufig am Stadtrand gelegenen Siedlungen und ganz überwiegend in gemieteten Wohnungen und Häusern. Alle vier Stadtbezirks-Gruppen liegen örtlich in unmittelbarer Nachbarschaft: sie fügen sich zu einem Gebiet zusammen, das von den vom Zentrum nord- und südwärts führenden Verkehrsadern durchzogen wird.

Gruppe XI „Alte Stadtranddörfer mit zentralen Funktionen und neueren Siedlungserweiterungen“ (Anteil der Volksschulabsolventen 67,2 %, 8 Bezirke, 9,0 % der Wohnbevölkerung)

Diese Gruppe ist durch niedrige Anteile auf allen drei sozialökologischen Dimensionen gekennzeichnet. In den Bezirken dieser Gruppe leben überwiegend Familien mit Kindern: neben dem niedrigen Rentneranteil weisen sie den höchsten Anteil von Familien mit Kindern (V214), eine hohe Fruchtbarkeitsziffer (V213) und einen hohen Anteil kinderreicher Familien (V324) auf. Ökologisch sind die Bezirke – neben dem sehr niedrigen Anteil von Personen in Mieterwohnparteien – durch eine niedrige Siedlungsdichte (V311) geprägt. Diese Gruppe von Stadtbezirken bilden zwar teilweise benachbarte, aber nirgends durch die Besiedlung miteinander verbundene Bezirke am westlichen Stadtrand. Es handelt sich um Dörfer, die Anfang dieses Jahrhunderts nach Frankfurt eingemeindet wurden. Sie sind unmittelbar im Einzugsbereich gewerblicher Industrie gelegen. Die Industrialisierung führte zwar zu einem relativ kontinuierlichen Einwohnerzuwachs, doch werden die Gebiete weiterhin durch den dörflichen Ortskern geprägt.

Gruppe X „Eigentums-Einzelhaussiedlungen am Stadtrand mit Tendenz zur landwirtschaftlichen Eigenversorgung (aus der Zeit zwischen den Weltkriegen)“

(Anteil der Volksschulabsolventen 67,7%, 6 Bezirke, 4,7% der Wohnbevölkerung)

Diese Gruppe ist durch eine niedrige Erwerbsquote, einen durchschnittlichen Anteil von Rentnern und einen extrem niedrigen Anteil von Personen in Mieterwohnparteien gekennzeichnet. In den Bezirken dieser Gruppe lebt eine überwiegend familiär gebundene Bevölkerung ohne Besonderheiten im Altersaufbau. Neben einer niedrigen Erwerbsquote weisen die Bezirke einen hohen Anteil der von Erwerbstätigen Ernährten (V224) und einen niedrigen Anteil unvollständiger Familien (V323) auf. Ökologisch sind dies die Bezirke nicht nur mit dem niedrigsten Anteil von Personen in Mieterwohnparteien, sondern auch der niedrigsten Siedlungsdichte (V311) und dem niedrigsten Anteil von Neubauwohnungen (V315). Es handelt sich um zwar teilweise benachbarte, aber durch die Besiedlung nicht verbundene Bezirke am Frankfurter Stadtrand, die teils als Dörfer Anfang dieses Jahrhunderts nach Frankfurt eingemeindet, teils als Siedlungen von Einfamilienhäusern mit für die Eigenversorgung nutzbaren Gartenflächen (*Nosbisch* 1931) in den 20er- und 30er-Jahren gebaut wurden.

Gruppe VII „Gründerzeitwohnblöcke mit Sanierungsbedürftigkeit“ (Anteil der Volksschulabsolventen 68,1 %, 9 Bezirke, 8,9 % der Wohnbevölkerung)

Diese Gruppe von Stadtbezirken ist durch eine hohe Erwerbsquote, einen durchschnittlichen Anteil von Rentnern und einen hohen Anteil von Personen in Mieterwohnparteien gekennzeichnet. Häufig finden sich Abweichungen von der Normalform der Familie, wie die folgenden Maße zeigen: Die hohe allgemeine Erwerbsquote resultiert aus einer weit überdurchschnittlichen Ausschöpfung des weiblichen Arbeitskräftepotentials (V222); der Anteil von weiblichen Familienernährern (V321) und von unvollständigen Familien (V323) ist hier am höchsten von allen Stadtbezirks-Gruppen, der Anteil kinderreicher Familien (V324) am niedrigsten. Ökologisch findet sich hier die höchste Siedlungsdichte (V311) aller Stadtbezirks-Gruppen. Es handelt sich um Stadtbezirke im Kern- und Kernrandbereich der Stadt. Sie liegen innerhalb größerer zusammenhängend bebauter Gebiete und sind teilweise benachbart gelegen. Entstanden sind sie im Zuge der Industrialisierung Ende des 19. Jahrhunderts und weisen eine sehr dichte Bebauung auf. Die Gebäude befinden sich teilweise in einem schlechten baulichen Zustand; einige Bezirke bilden Sanierungsgebiete.

Gruppe VIII „Gründerzeitwohnblöcke mit überalterter Bevölkerung“ (Anteil der Volksschulabsolventen 70,1%, 11 Bezirke, 8,9% der Wohnbevölkerung)

Diese Bezirke sind durch eine durchschnittliche Erwerbsquote und einen hohen Anteil von Rentnern und von Personen in Mieterwohnparteien gekennzeichnet. In ihnen lebt eine überalterte Bevölkerung. Ökologisch umfassen sie Mietwohngebiete mit niedrigem Wohnkomfort: neben dem Anteil der Personen in Mieterwohnparteien ist der Anteil der Wohnungen mit Ofenheizung (V317) weit überdurchschnittlich, der Anteil großer Wohnungen (V313) dagegen sehr niedrig. Die Bezirke dieser Gruppe sind im Kernrandbereich der Stadt gelegen. Sie wurden überwiegend in der Gründerzeit bebaut; zwei Bezirke umfassen jedoch Wohngebiete, die als Siedlungen vor bzw. nach dem zweiten Weltkrieg entstanden sind. Mehrere der Bezirke sind keine reinen Wohngebiete, sondern umfassen auch größere Gewerbeflächen.

Gruppe I ,,Durch Arbeitsplatzkonzentration geprägte Innenstadtgebiete" (Anteil der Volksschulabsolventen 70,4 %, 6 Bezirke, 3,7 % der Wohnbevölkerung)

Diese Gruppe ist durch eine hohe Erwerbsquote, einen niedrigen Anteil von Rentnern und einen durchschnittlichen Anteil von Personen in Mieterwohnparteien gekennzeichnet. In diesen Stadtbezirken lebt überwiegend eine erwerbstätige Bevölkerung: Im Vergleich zu den übrigen Gruppen ist der Ausländeranteil (V523) und der Anteil von Einpersonenhaushalten (V211) sehr hoch, der Anteil von Verheirateten (V212) und die Fruchtbarkeitsziffer (V213) sehr niedrig. Ökologisch sind es Gebiete mit einer sehr hohen Siedlungsdichte (V311). Sie weisen die höchste Arbeitsplatzdichte (V512) auf, die zu einer zunehmenden Verdrängung der Wohnbevölkerung (V533) führt. Die Wohnungen haben die höchste Quadratmetermiete (V131) und der Anteil unbewohnter Wohnungen (V521) ist ebenfalls am höchsten. Die sehr geringe Wahlbeteiligung (V413) und die starke Bevorzugung der Briefwahl bei den Wählern (V432) machen deutlich, daß es sich um Wohngebiete einer nicht nur erwerbsorientierten, sondern auch mobilen und nicht ortsverbundenen Bevölkerung handelt. Dies ist nicht verwunderlich, wenn man weiß, daß diese Bezirke das Frankfurter Stadtzentrum bilden. Nur die Altstadt, als ein durch Kriegszerstörung und kommunale Bauprogramme den typischen innerstädtischen Entwicklungen entzogenes Gebiet, fehlt als Bezirk des Stadtzentrums in dieser Gruppe; ein peripher gelegener Bezirk ist in die Gruppe zusätzlich einbezogen. Die Wohngebiete dieser Bezirke wurden überwiegend in der zweiten Hälfte des vorigen Jahrhunderts gebaut. Die Geschäftsgebiete entstanden demgegenüber überwiegend erst nach 1945 in der heutigen Form. Gewerbliche Industrie hat nur eine untergeordnete Bedeutung: hier befinden sich die Arbeitsplätze der Banken, Versicherungen und des Einzelhandels.

Die fünf Stadtbezirks-Gruppen des mittleren sozioökonomischen Status unterscheiden sich untereinander zunächst hinsichtlich ihrer Lage im Stadtgebiet. Zwei Gruppen von am Stadtrand gelegenen Stadtbezirken (Gruppen X und XI) stehen zwei Gruppen im Kernrandbereich der Stadt gelegener Bezirke (Gruppen VII und VIII) gegenüber. Hinzu kommt eine Gruppe von Bezirken, die das Zentrum der Stadt bilden (Gruppe I). Im Gegensatz zu den zentral gelegenen Stadtbezirksgruppen weisen die am Stadtrand gelegenen eine sehr niedrige Siedlungsdichte und einen sehr niedrigen Anteil von Personen in Mieterwohnparteien auf. Neben den Unterschieden der ökologischen Merkmale zwischen den Stadtbezirksgruppen sind erhebliche Unterschiede der sozialbiografischen Merkmale erkennbar. Während in der Gruppe XI überwiegend Familien mit Kindern wohnen, lebt in den

Stadtbezirks-Gruppen I und VII eine überwiegend erwerbstätige Bevölkerung; diese Gruppen stehen sich in ähnlicher Weise gegenüber wie die Gruppen III und V bei den Stadtbezirken des oberen sozioökonomischen Status.

Gruppe XIII – (Anteil der Volksschulabsolventen 74,0%, 7 Bezirke, 7,4% der Wohnbevölkerung)

Diese Gruppe ist durch eine niedrige Erwerbsquote, einen hohen Anteil von Rentnern und einen durchschnittlichen Anteil von Personen in Mieterwohnparteien gekennzeichnet. Die niedrige Erwerbsquote dieser Bezirke ist sowohl auf eine geringe Ausschöpfung des männlichen und weiblichen Arbeitskräftepotentials (V222, V223) als auch auf eine starke Belastung der Erwerbstätigen durch den Unterhalt von Familienangehörigen (V224) zurückzuführen. Ökologisch sind die Bezirke durch einen hohen Anteil durch Ofenheizung beheizter Wohnungen (V317) und eine sehr niedrige Quadratmetermiete (V131) charakterisiert. Diese Gruppe bilden im Außenbereich der Stadt gelegene Bezirke, die sich in ihrer Baustruktur und städtebaulichen Entwicklung stark unterscheiden: einer umfaßt die Höchster Altstadt, die übrigen sind jeweils in mehreren Phasen der Stadtentwicklung entstanden; teilweise entwickelten sie sich aus alten Dorfkernen.

Gruppe XII „Neubauwohnblocksiedlungen ohne alten Ortskern“ (Anteil der Volksschulabsolventen 75,0%, 5 Bezirke, 5,1% der Wohnbevölkerung)

Diese Gruppe ist durch eine durchschnittliche Erwerbsquote, einen niedrigen Anteil von Rentnern und einen hohen Anteil von Personen in Mieterwohnparteien gekennzeichnet. In dieser Gruppe von Stadtbezirken wohnen – den Gruppen III und XI, Stadtbezirken mit höherem sozioökonomischen Status, sehr ähnlich – überwiegend Familien mit Kindern: die Gruppe weist den höchsten Anteil von Verheirateten (V212), ein hohe Fruchtbarkeitsziffer (V213), einen hohen Anteil von Familien mit Kindern (V214) und von kinderreichen Familien (V324) auf. Auffallende ökologische Bedingungen sind die niedrigste Wohnfläche je Person (V312) und ein niedriges Mietpreisniveau (V131). Es sind die Stadtbezirke mit dem höchstenAnteil von nach 1949 errichteten Wohnungen (V315) und dem höchsten Anteil öffentlich geförderter Wohnungen an den Neubauwohnungen (V423). An sozialkulturellen Eigenheiten weist diese Gruppe den niedrigsten Anteil von Selbständigen an den Erwerbstätigen (V122), den höchsten Anteil von Arbeitern im produzierenden Gewerbe an den Arbeitern (V414) und einen niedrigen Anteil von Briefwählern (V432) auf. Diese Gruppe von Stadtbezirken bilden in unterschiedlichen Teilen des Stadtgebietes gelegene Neubaugebiete des sozialen Wohnungsbaus der Nachkriegszeit.

Gruppe IX „Wohnblocksiedlungen des Öffentlichen Wohnungsbaus aus der Zeit vor dem 2. Weltkrieg“ (Anteil der Volksschulabsolventen 75,0%, 10 Bezirke, 8,9% der Wohnbevölkerung)

Diese Gruppe ist durch eine niedrige Erwerbsquote und einen hohen Anteil von Rentnern und von Personen in Mieterwohnparteien gekennzeichnet. In diesen Bezirken wohnt eine stark überalterte Bevölkerung: sie weisen nicht nur den höchsten Anteil von Rentnern, sondern auch von Alten (V334) und einen niedrigen Anteil von Familien mit Kindern (V214) auf. In diesen Bezirken wohnt außerdem ein überdurchschnittlicher Anteil alleinstehender Frauen (V331). Ökologisch sind es – neben dem sehr hohen Anteil von Personen in Mieterwohnparteien – die Bezirke mit dem höchsten Anteil von Wohnungen mit Ofenheizung (V317), einem niedrigen Anteil großer Wohnungen (V313) und der niedrigsten Quadratmetermiete (V131). Die Mehrzahl der dieser Gruppe zugehörigen Bezirke befindet sich im Nordosten der Stadt. Sie besteht überwiegend aus jeweils eigenständigen Wohngebieten, die zwischen den beiden Weltkriegen im Rahmen des öffentlichen Wohnungsbaus oder als Werkswohnungen entstanden. Der einheitliche Bebauungszeitpunkt hat vermutlich zu der heute feststellbaren starken Überalterung dieser Gebiete beigetragen.

Gruppe XIV „Wohngebiete in der Nähe von Großbetrieben des produzierenden Gewerbes“ (Anteil der Volksschulabsolventen 78,3%, 13 Bezirke, 13,4% der Wohnbevölkerung)
Diese Gruppe ist – wie die Gruppe IV – auf allen sozialökologischen Dimensionen durch durchschnittliche Werte gekennzeichnet. Dennoch weist sie einige ökologische und sozialkulturelle Besonderheiten auf, die sich aus dem niedrigen sozioökonomischen Status ergeben. Ökologisch haben die Bezirke dieser Gruppe eine sehr niedrige Wohnfläche je Person (V312), und sie weisen den höchsten Anteil von Wohnungen ohne Bad, WC und Heizung (V316) auf. Bei diesen Bezirken handelt es sich um die Wohngebiete der traditionellen Industriearbeiterschaft: es überwiegt stark der Anteil von Arbeitern im produzierenden Gewerbe an den Arbeitern (V414), und der Anteil von Haushalten mit Telefon (V318) und von Briefwählern (V432) ist sehr niedrig. Ein interessantes Detail ist, daß diese Bezirke einen weit überdurchschnittlichen Anteil katholischer Bevölkerung (V411) aufweisen. Die Bezirke dieser Gruppe sind entlang des Mains auf einer West-Ost-Achse über das ganze Stadtgebiet verteilt. Ihre Bauentwicklung ist sehr unterschiedlich; häufig sind es jedoch um alte Ortskerne entstandene Wohngebiete. Charakteristisch für sie ist allerdings, daß sie überwiegend in unmittelbarer Nachbarschaft größerer gewerblicher Industrie gelegen sind.

Gruppe II „Innenstadtnahe Gebiete mit sehr hohem Ausländeranteil und hoher gewerblicher Nutzung“ (Anteil der Volksschulabsolventen 80,0%, 3 Bezirke, 1,5% der Wohnbevölkerung)
Diese Gruppe ist durch eine hohe Erwerbsquote, einen niedrigen Anteil von Rentnern und einen hohen Anteil von Personen in Mieterwohnparteien gekennzeichnet. Sie weist einen sehr hohen Ausländeranteil auf (V522), der sich nicht nur in der extrem hohen Erwerbsquote und dem niedrigen Rentneranteil, sondern auch in einer Reihe weiterer sozialbiografischer Merkmale auswirkt: von allen Stadtbezirks-Gruppen finden wir hier das niedrigste Bildungsniveau (V111), den höchsten Arbeiteranteil (V121), den höchsten Katholikenanteil (V411) und die höchste Erwerbsquote der erwerbsfähigen weiblichen Wohnbevölkerung (V222). Ökologisch sind es Bezirke sehr hoher Siedlungsdichte (V311) und eines sehr niedrigen Anteils großer Wohnungen (V313). Die Bezirke weisen eine sehr hohe Arbeitsplatzdichte (V512) auf und die dort ansässigen Betriebe haben durchschnitt-

lich die meisten Beschäftigten (V511). Die Beschäftigtenzahl der Betriebe dieser Bezirke ist jedoch rückläufig und die Bedeutung der Bezirke als Wohnbezirke ist zwischen 1961 und 1970 gestiegen: das Verhältnis zwischen Tag- und Nachtbevölkerung (V533) hat sich zugunsten der Nachtbevölkerung verändert. Es handelt sich um innenstadtnahe Bezirke mit Arbeitsplätzen überwiegend außerhalb des Dienstleistungsbereichs (Gewerbliche Industrie, Handel und Verkehr). Diese durch Wirtschaftstätigkeit am stärksten belastete und statusniedrigste Stadtbezirks-Gruppe zeigt zugleich die höchste Ausländerkonzentration: soziale Benachteiligung und ethnische Isolierung treffen hier zusammen.

Die fünf Stadtbezirks-Gruppen des unteren sozioökonomischen Status unterscheiden sich kaum in der insgesamt schlechten Ausstattung, Qualität und unzureichenden Größe der Wohnungen. Die Bewohner sind auf Mietwohnungen und auf billige Mieten angewiesen. Deutliche Unterschiede zeigt allerdings die sozialbiografische Struktur der Bevölkerung. Eine junge Bevölkerung weist die Gruppe II mit hohem Ausländeranteil und hoher Erwerbstätigkeit ebenso auf, wie die Gruppe XII mit überwiegend jungen Familien. Die Gruppe XII steht der Gruppe IX gegenüber, deren überalterte Bevölkerung wohl eine Spätfolge der Siedlungspolitik der 20er-Jahre ist.
Vergleicht man abschließend die drei auf dem sozioökonomischen Status homogenen Gruppen untereinander, so kann man vier Sachverhalte festhalten. *Erstens* gibt es auf jedem der drei Statusniveaus Wohngebiete mit einem starken Überwiegen von Familien mit Kindern: die Gruppen III, XI und XII. Die Lage der Bezirke dieser Gruppen im Stadtgebiet bestätigt, daß Familien mit Kindern tendenziell Stadtrandlagen bevorzugen. *Zweitens* gibt es auf jedem der drei Statusniveaus eine Stadtbezirks-Gruppe mit hoher Erwerbstätigkeit und starker Beeinflussung des Wohnens durch Wirtschaftstätigkeit. Zwei der drei Gruppen sind im Zentrum der Stadt gelegen und stellen das Einkaufs- und Bankenviertel (Gruppe I) bzw. die Gebiete der City-Erweiterung (Gruppe V) dar. Die dritte Gruppe bilden innenstadtnahe Industriegebiete (Gruppe II). *Drittens* gibt es auf jedem der drei Statusniveaus wenigstens eine Gruppe von Bezirken, in der der öffentlich geförderte und Werks-Wohnungsbau (teilweise bereits aus den 20er- und 30er-Jahren) dominiert. Auf dem oberen Statusniveau ist es die Gruppe III, mit einer in den einzelnen Bezirken vielfältigen Bebauung (vom Einfamilienhaus bis zum Hochhaus) und auf dem mittleren Statusniveau die Gruppe X mit überwiegender Einfamilienhaus-Bebauung. Auf dem unteren Statusniveau sind es sogar zwei – nach Baualter unterscheidbare – Gruppen (IX und XII), in denen Blockbebauung vorherrscht. *Viertens* unterscheiden sich die beiden größten Stadtbezirks-Gruppen (Gruppe IV und XIV) im wesentlichen nur durch den sozioökonomischen Status; zugleich aber findet dieser Unterschied in der starken räumlichen Trennung beider Stadtbezirks-Gruppen seinen Ausdruck. Generell finden sich – ausgehend vom Stadtzentrum als Mittelpunkt – die statusniederen Stadtbezirks-Gruppen um die Ost-

West-Achse, die statushöheren Stadtbezirks-Gruppen um die Nord-Süd-Achse gruppiert.
Bargel/Heinke (1973) postulieren eine Klassifikation von Soziotopen, die mit den von uns induktiv ermittelten Stadtbezirks-Gruppen verglichen werden kann. Die Soziotope beziehen sich auf städtische und ländliche Gebietseinheiten, während wir allein innerstädtische Einheiten betrachtet haben. Die Soziotope sind weiterhin auf einer Stufe höherer Allgemeinheit definiert als die von uns beschriebenen Stadtbezirks-Gruppen. Dennoch lassen sich einige Parallelen feststellen. Das Soziotop 1: ,,Städtisches traditionelles Industriearbeiterviertel" findet sich in der Stadtbezirks-Gruppe XIV. Dem Soziotop 6: ,,Die provinzielle Kleinstadt" könnte – als innergroßstädtische Variante – die Stadtbezirks-Gruppe IX zugerechnet werden. Dem Soziotop 7: ,,Die kleinbürgerliche Mietwohnsiedlung (Trabantensiedlung)" entsprechen die Gruppen IX und XII. Das Soziotop 8: ,,Das städtische Eigenheimviertel" findet seine Entsprechung in der Gruppe X. Und die beiden Ausprägungen des Soziotops 9: ,,Das städtische Viertel von Besitz und Bildung" lassen sich mit den Gruppen VI (Soziotop ,,Viertel mit Villencharakter") und III (Soziotop ,,gehobene Trabantensiedlung") in Verbindung bringen.

3. Anwendungsmöglichkeiten im Bereich Sozialisation und Entwicklung

Örtliche soziale Milieus haben als soziale Aggregate Realität unabhängig von der Wahrnehmung der Individuen, die in ihnen leben; wie die Zugehörigkeit zu anderen sozialen Aggregaten, etwa sozialen Schichten oder Konfessionen, sind sie der Hintergrund, der Handlungen, Entscheidungen und Planungen von Individuen orientiert, ohne ihnen zu Bewußtsein zu kommen. Diese Annahmen stehen – ausdrücklich oder nicht – hinter jeder Untersuchung, die den Einfluß örtlicher sozialer Milieus auf die Sozialisation und Entwicklung von Heranwachsenden überprüfen will. Wir gehen in diesem abschließenden Abschnitt darauf ein, (1) wie der Einfluß örtlicher sozialer Milieus auf Prozesse der Sozialisation und Entwicklung aufgefaßt werden kann und (2) inwieweit die hier vorgeführten Methoden für die Erhebung örtlicher sozialer Milieus und ihres Einflusses auf Prozesse der Sozialisation und Entwicklung nützlich sein können.
(Zu 1) Örtliche soziale Milieus bilden einen Erfahrungshintergrund für das alltägliche Leben ihrer Bewohner. In dieser Hinsicht sind sie – obwohl von Orten und nicht von Personen abhängige soziale Aggregate – mit anderen, für ein Individuum spezifischen Umwelteinflüssen vergleichbar, etwa Bedingungen am Arbeitsplatz (Anweisungsbefugnis, Enge der Überwachung, selbständige Planung der Arbeits-

vollzüge) oder Bedingungen des Familienlebens (Ausstattung des Haushalts, Stellung in der Geschwisterreihe, Persönlichkeitsmerkmale der Eltern). Örtliche soziale Milieus haben wir auf zwei Ebenen analysiert: als sozialökologische Lebensverhältnisse und als sozialkulturelle Lebenswelt. Die örtlichen sozialökologischen Lebensverhältnisse bilden den Hintergrund für die Herausbildung einer bestimmten örtlichen sozialkulturellen Lebenswelt; diese kann wiederum die Orientierungen der ansässigen Menschen vorstrukturieren. Im Bereich der Sozialisation und Entwicklung werden derartige Einflüsse sich in den Zielsetzungen und Entscheidungen der Lebensplanung auswirken, die von Eltern für ihre Kinder oder selbständig von Heranwachsenden getroffen werden. Beispielsweise ist an die nachbarschaftlichen Kontakte, an die aus der sozialen Zusammensetzung der Schüler einer Grundschule sich ergebenden Einstellungen und Verhaltensweisen der Lehrer gegenüber den Eltern, oder auch die Freundschaftsgruppen der Heranwachsenden zu denken, die dazu führen können, daß die örtliche sozialkulturelle Lebenswelt sich etwa auf die Bereitschaft zum Besuch von Vorschuleinrichtungen (*Bauer* 1977), den weiterführenden Schulbesuch (*Kob* 1963) und auf die Berufswahl (*Geipel* 1968) auswirkt.
(Zu 2) Wir haben örtliche soziale Milieus anhand von Profilen sozialstatistischer Indikatoren erfaßt; zudem haben wir uns auf die amtlichen Gebietsgrenzen verlassen. Auf diese Weise konnten wir zwar die sozialökologischen Lebensverhältnisse, nicht aber die sozialkulturelle Lebenswelt örtlicher sozialer Milieus erfassen. Für typische Orientierungen der Lebensführung und Lebensplanung ließen sich nur schwer Indikatoren finden; konstruierte Indikatoren waren empirisch häufig hoch mit anderen Maßen korreliert. Die sozialkulturelle Lebenswelt örtlicher sozialer Milieus muß durch weiterreichende Methoden, vor allem der Befragung und teilnehmenden Beobachtung erfaßt werden. Solange wir jedoch die sozialkulturelle Lebenswelt örtlicher sozialer Milieus nicht genauer erfaßt haben, fehlt uns ein wichtiges Bindeglied in der theoretisch konzipierten Einflußkette von örtlichen sozialen Milieus zu Prozessen der Sozialisation und Entwicklung.
Auch wenn sie im wesentlichen nur sozialökologische Lebensverhältnisse beschreiben, sind die sozialstatistischen Profile örtlicher sozialer Milieus für die Sozialisationsforschung und Entwicklungspsychologie hilfreich. Erstens bilden die sozialstatistischen Profile den Hintergrund für die Interpretation von Befragungen und Beobachtungen, die örtliche soziale Milieus genauer erfassen sollen; die sozialökologischen Lebensverhältnisse sind die örtlich gegebenen Randbedingungen einer typischen sozialkulturellen Lebenswelt. Zweitens können sozialstatistische Profile als ein methodisches Hilfsmittel bei Erhebungen dienen. Mit ihnen lassen sich Unterschiede sozialökologischer Lebensverhältnisse und sozialkultureller Lebenswelten zwischen Erhebungseinheiten kontrollieren, auch ohne daß man die Zusammenhänge zwischen beiden Ebenen spezifiziert, sofern man nur die

globale Bedeutung der sozialökologischen Lebensverhältnisse für die sozialkulturelle Lebenswelt unterstellt. Wirkungen des Kontextes, der mit einem örtlichen sozialen Milieu gegeben ist, lassen sich auf diese Weise für untersuchte Individuen konstant halten. So etwa wäre bei einer Befragung über das Erziehungsverhalten von Eltern unter Umständen eine schwerpunktmäßige Auswahl nach Gebieten verschiedener sozialstatistischer Profile und infrastruktureller Ausstattung einer rein zufälligen Auswahl vorzuziehen. Ganz ähnlich ließen sich bei der Evaluation pädagogischer Neuerungen und ihrem Vergleich mit traditionellen Einrichtungen die sozialökologischen Bedingungen kontrollieren; was für die Evaluation gilt, gilt erst recht für die Planung.

Literatur

v. Arsdol, M./Camilleri, S. F./Schmid, C.F

1958. An Application of the Shevky Social Area Indexes to a Model of Urban Society. Social Forces, 37, 26–32.

Bahrdt, H. P.

1974a. Die moderne Großstadt. Soziologische Überlegungen zum Stadtbau. 3. Aufl. München: Nymphenburger (ursprünglich Hamburg 1961).

1974b. Umwelterfahrung. Soziologische Betrachtungen über den Beitrag des Subjekts zur Konstitution von Umwelt. München: Nymphenburger.

Bargel, T./Heinke, U.

1973. Modale Soziotope und Standortbestimmung. In Arbeitsgruppe „Umwelt-Taxonomie", Bildungschancen und Umwelt I. Braunschweig: Westermann.

Bauer, A.

1977. Eltern und Kinder in der Eingangsstufe. Weinheim: Beltz.

Bell, W.

1955. Economic, Family, and Ethnic Status. An Empirical Test. American Sociological Review, 20, 45–52.

Böhnisch, L./Schefold, W.

1976. Sozialisationsforschung und Jugendpolitik. In K. Hurrelmann (Hrg.), Sozialisation und Lebenslauf. Reinbek: Rowohlt, 260–277.

Braun, P.

1968. Die sozialräumliche Gliederung Hamburgs. Göttingen: Vandenhoek.

Bronfenbrenner, U.

1974. Developmental Research, Public Policy and the Ecology of Childhood. Child Development, 45, 1–5.

Dann, H.-D./Helmreich, R./Müller-Fohrbrodt, G./Pfeifer, H./Cloetta, B.

1975. Ist Umwelt meßbar? – Ein Versuch zur Erfassung von Ausbildungsbedingungen für den innovativen Lehrer. In H. Walter (Hrg.), 1–36.

Deutsch, M.

1967. The Disadvantaged Child. New York: Basic Books.

Forst, H. T.

1974. Zur Klassifizierung von Städten nach wirtschaftlichen und sozialstatistischen Strukturmerkmalen. Würzburg: Physika.

Gans, H.
1962. The Urban Villagers. Glencoe: Free Press.
Geipel, R.
1968. Bildungsplanung und Raumordnung. Frankfurt a. M.: Diesterweg.
Hess, A./Mechler, A.
1973. Ghetto ohne Mauern. Frankfurt a. M.: Suhrkamp.
INFAS
1967. Stadtentwicklung Duisburg: Frauenerwerbstätigkeit. Bad Godesberg: Infas.
Kern, H./Schumann, M.
1970. Industriearbeit und Arbeiterbewußtsein. Frankfurt a. M.: Europäische Verlagsanstalt.
Kob, J.
1963. Erziehung in Elternhaus und Schule. Eine soziologische Studie. Stuttgart: Enke.
Kohn, M.
1969. Class and Conformity. Homewood, Ill.: Dorsey.
Mackensen, R./Papalekas, J. C./Pfeil, E./Schütte, W./Burckhardt, L.
1959. Daseinsformen der Großstadt. Tübingen: Mohr.
Marjoribanks, K.
1972. Umwelt, soziale Schicht und Intelligenz. In C. F. Graumann/H. Heckhausen (Hrg.), Pädagogische Psychologie, Bd. 1: Entwicklung und Sozialisation. Frankfurt a. M.: Fischer, 190–200.
Meulemann, H./Weishaupt, H.
1977. Sozialstatistische Profile von Stadtbezirken mit unterschiedlicher Bildungsnachfrage. In H. J. Hoffmann-Nowotny (Hrg.), Politisches Klima und Planung. Frankfurt a. M.: Campus, 155–194.
Mischke, M.
1976. Faktorenökologische Untersuchungen zu räumlichen Ausprägungen der Sozialstruktur in Pforzheim. Karlsruhe: Geographisches Institut der Universität.
Niemeier, G.
1969. Braunschweig: Soziale Schichtung und sozialräumliche Gliederung einer Großstadt. Zeitschrift für Raumforschung und Raumordnung, 27, 193–209.
Nosbisch, W.
1931. Das neue Bauen. In Lehrerverein zu Frankfurt am Main (Hrg.), Frankfurt am Main einst und jetzt. Frankfurt a. M.: Diesterweg, 222–233.
Schwirian, K. P. (Ed.)
1974. Comparative urban structure. Studies in the ecology of cities. Lexington, Mass., Heath.
Shevky, E./Bell, W.
1974. Sozialraumanalyse. In P. Atteslander/B. Hamm (Hrg.), Materialien zur Siedlungssoziologie. Köln: Kiepenheuer, 125–139.
Trudewind, C.
1975. Leistungsmotivgenese und Umwelt. In H. Walter (Hrg.), 55–71.
Walter, H. (Hrg.)
1973. Sozialisationsforschung I: Erwartungen, Probleme, Schwerpunkte. Stuttgart: Frommann-Holzboog.
1975. Sozialisationsforschung III: Sozialökologie. Stuttgart: Frommann-Holzboog.
Weber, M.
1964. Wirtschaft und Gesellschaft. Studienausgabe. 2 Bde. Köln: Kiepenheuer.

Sozialräumliche Bedingungen familialer Sozialisation

Eine vergleichende Untersuchung von Wohnquartieren in Bielefeld, Gelsenkirchen und Münster

Klaus Peter Strohmeier und Alois Herlth

Der folgende Beitrag entstand im Rahmen einer größeren empirischen Untersuchung über die „Wirkungen öffentlicher Sozialleistungen auf den Sozialisationsprozeß", die von 1974 bis 1978 unter der Leitung von *F. X. Kaufmann* im Auftrag des Bundesministeriums für Jugend, Familie und Gesundheit an der Universität Bielefeld durchgeführt worden ist (*Herlth et al.* 1976, *Kaufmann et al.* 1978). Die folgenden theoretischen Überlegungen wurden im Rahmen dieser Untersuchung entwickelt; die Daten wurden in Bielefeld, Münster und Gelsenkirchen erhoben (s. Abschn. 4). Im folgenden wird ein Teilaspekt dieser Studie, der sich mit der Umweltabhängigkeit familialer Erziehung befaßt, aufgegriffen und unter Rückgriff auf eigens für diesen Beitrag aufbereitete Daten analysiert.

1. Die Familie im Sozialisationsprozeß

In den letzten Jahren war eine recht augenfällige Reaktion auf manche Mißerfolge mit der institutionellen Förderung von Kindern im Vorschulalter (im Rahmen „kompensatorischer Erziehung") die häufige Rückbesinnung auf die Leistungen der Familie im Sozialisationsprozeß. Die sorgfältige Analyse einzelner Erfahrungen mit kompensatorischen Erziehungsprogrammen ließ es geboten erscheinen, die familialen Voraussetzungen kindlicher Entwicklung mehr in die pädagogischen Intentionen einzubeziehen (*Bronfenbrenner* 1974, 1976).
Schaefer (1972) weist darauf hin, daß man die Rolle der Eltern als Erzieher stärker als bisher bei der Analyse von Erziehungsprozessen berücksichtigen müsse. So heißt es bei ihm unter Hinweis auf die jüngste Forschung zum Thema Elternverhalten und kindliche Entwicklung, daß es nun erforderlich sei, eine lebenszeit- und lebensraumbezogene Perspektive der Erziehung zu entwickeln, die die zentrale Rolle der Eltern als Erzieher berücksichtigt (1972, 432). Die Forderung nach einer stärkeren Familienzentrierung vorschulischer Fördermaßnahmen ist in den letzten Jahren besonders stark auch von *Bronfenbrenner* vertreten worden.

Bei *Bronfenbrenner* stützt sich diese Forderung auf die Tatsache, daß Vorschulprogramme, die mit der Einbeziehung der Eltern gearbeitet haben, in ihren Ergebnissen erfolgreicher waren als andere (*Bronfenbrenner* 1974, 92ff.). Weder die direkte Beeinflussung des Kindes durch kompensatorische Erziehung noch die direkte Beeinflussung der Eltern (z. B. im Rahmen von Elternbildungsprogrammen) für sich vermögen die Entwicklung des Kindes dauerhaft zu beeinflussen. Möglich sei dies nur durch eine Einwirkung auf das ,,Eltern-Kind-System": ,,Die Ergebnisse weisen darauf hin, daß die Familie das wirksamste und wirtschaftlichste System ist, um die Entwicklung des Kindes zu fördern und zu schützen" (*Bronfenbrenner* 1974, 145).

Die Rückbesinnung in der Sozial- und Bildungspolitik auf die Erziehungsleistungen der Familie[1] macht es erforderlich, dem Problem ,,familialer Erziehungsfähigkeit" in der Forschung vermehrte Aufmerksamkeit zuzuwenden[2]. Es ist nach den Bedingungen und Voraussetzungen familialer Erziehungsfähigkeit zu fragen. Wie *Bronfenbrenner* (1974, 133) betont, scheint es Hindernisse zu geben, ,,die aus der Umweltsituation entstehen und ein wirksames Handeln der Familie bei der Erziehung der Kinder unmöglich machen". An anderer Stelle spricht *Bronfenbrenner* von ,,Bedingungen ihres Lebens" (129), die Familien daran hindern, ihre Erziehungsaufgabe zu erfüllen. *Bronfenbrenners* sozialpolitische Konsequenz der Notwendigkeit des ,,ökologischen Eingreifens" baut darauf auf, daß *es in der Umwelt von Familien Faktoren gibt, die die Erziehungsfähigkeit der Familie fördern oder beeinträchtigen*.

Solche sozialpolitischen Intentionen führen jedoch in ein weites Feld wissenschaftlich noch ungeklärter Fragen: Was weiß man bislang über die Umweltbedingungen familialer Sozialisation? Trotz eines beachtlichen Fundus an empirischen Forschungsergebnissen über den Familieneinfluß auf die kindliche Entwicklung fällt die Beantwortung dieser Frage nicht leicht, da wir in diesem Forschungsbereich vor einem erheblichen Theoriedefizit stehen (*Neidhardt* 1975). Die theoretischen Defizite beziehen sich vor allem auf die Frage, wie wirksame Einflüsse der

1 Für die Bundesrepublik zeigt sich dieser Trend vor allem im *Zweiten Familienbericht* (1975).

2 Die Erziehungsfähigkeit der Familie stand lange Zeit außer Frage – auch wenn man in der Einführung der allgemeinen Schulpflicht im Laufe des 18. und 19. Jahrhunderts einen ersten Angriff auf diesen naturrechtlich und staatsrechtlich begründeten Grundsatz sehen kann. Doch erst die sozialstrukturell orientierte Sozialisationsforschung brachte die Erziehungsfähigkeit vor allem der Unterschichtfamilien in Mißkredit. Der Familie wurde im wesentlichen die Schuld an der ,,Vererbung" sozialer Ungleichheit gegeben. Je mehr jedoch die Grenzen einer außerfamilialen Förderung der Kinder in institutionell arrangierten Sonderumwelten (Kindergarten, Vorschule usw.) erkannt wurden, desto mehr begann man nach Möglichkeiten zu suchen, die Erziehungsfähigkeit der Familie zu stabilisieren und zu fördern.

Familie auf die Entwicklung der Kinder zustandekommen. Wie *Neidhardt* betont, gibt es keine theoretischen Ansätze, die von einer „Theorie der Familie" her versuchen, die für eine Erklärung familialer Sozialisationsprozesse relevanten Variablen zu integrieren.

Uns scheint, daß das von *Neidhardt* hervorgehobene Theoriedefizit in einem engen Zusammenhang mit dem derzeitigen Stand in der familiensoziologischen Forschung überhaupt steht. Diesen Stand hat *König* (1969) auf die sehr einprägsame Formel von den „zwei Grundbetrachtungsweisen der Familie" gebracht. Er unterscheidet die makrosoziologische und mikrosoziologische Perspektive. Zum einen geht es um die Beziehung der Familie zur Gesellschaft insgesamt und zu den einzelnen Teilsystemen der Gesellschaft im besonderen („Makrosoziologie der Familie"), zum anderen um die innerfamilialen Strukturen und Prozesse, zu denen auch die familialen Sozialisationsprozesse zu zählen sind („Mikrosoziologie der Familie"). Was *Neidhardt* der familienbezogenen Sozialisationsforschung als Theoriedefizit angekreidet hat, läßt sich in der Analyse von *König* als fehlende Verknüpfung von familiensoziologischer Mikro- und Makroperspektive beschreiben. Ein wenig konkreter spricht *Hill* (1971a) von einem Mangel an Überbrückungskonzepten, die Bindeglieder zwischen Familie und Person sowie Familie und Gesellschaft darstellen. Darüber hinaus ist – wie auch *Rosenbaum* (1976) und *Tyrell* (1976) betont haben – die makrosoziologische Sichtweise bislang insgesamt außerordentlich vernachlässigt worden.

Soweit makrosoziologische Gesichtspunkte in der Sozialisationsforschung bislang Berücksichtigung fanden, bestehen sie in der Erklärung unterschiedlicher familialer Erziehungsleistungen und Erziehungsergebnisse durch die „Schichtzugehörigkeit" der Familie.

In der letzten Zeit ist dem Probelm der schichtspezifischen Erklärung von Sozialisationsprozessen wieder vermehrte kritische Aufmerksamkeit zugewandt worden. Dabei wurde deutlich, daß sowohl die empirische Basis als auch der theoretische Gehalt des Schichtansatzes bislang als unbefriedigend betrachtet werden müssen (vgl. *Bertram* 1976, *Oevermann et al.* 1976b)[3]. Diese Feststellung sollte jedoch nicht zu einer Vernachlässigung sozialstruktureller Faktoren bei der Ana-

3 *Kirchberger* (1975, 9ff.) zeigt, daß „Schicht" die dominierende Variable in der soziologischen Forschungsliteratur der letzten 70 Jahre gewesen ist, vor allem in Gestalt einer Unzahl sogenannter „Problemstudien" („Schicht und . . ."). Erstaunlicherweise kann dennoch „Schicht" bis heute nicht als eine in Relation zum angestellten Forschungsaufwand befriedigend erforschte Bedingungsvariable für gemessenes Verhalten angesehen werden. So hat beispielsweise die schichtorientierte Sozialisationsforschung, die einen Großteil der o. g. Problemstudien ausmacht, bislang eine Vielzahl widersprüchlicher und darüber hinaus – wie *Bertram* (1976) gezeigt hat – nur scheinbar bedeutungsvoller Befunde geliefert.

lyse von Sozialisationsprozessen führen, sondern Anlaß bieten, die theoretischen Implikationen und methodischen Operationalisierungsverfahren einer eingehenden analytischen Reflexion zu unterziehen.

Das, was sich in einer Vielzahl von Untersuchungen als Zusammenhang zwischen Erziehungsleistungen und Erziehungsergebnissen auf der einen und Schichtzugehörigkeit auf der anderen Seite zeigt, ist zunächst nicht mehr als eine statistische Korrelation. Eine theoretisch angeleitete Analyse dieses Zusammenhangs muß darauf zielen, die theoretischen Implikationen solcher Korrelationen herauszuarbeiten. *Oevermann et al.* heben zu Recht hervor, daß soziale Schicht nicht wie eine „einfache Bedingungsvariable" behandelt werden kann, sondern als ein Komplex von Faktoren betrachtet werden muß, der den „objektiven Strukturkontext für mikrosoziale Prozesse" bildet (*Oevermann et al.* 1976b, 169). Diesen objektiven Strukturkontext weiter theoretisch aufzuhellen und einer empirischen Analyse zuzuführen, sollte in Zukunft im Vordergrund sozialstrukturell orientierter Forschungsarbeiten stehen. Eine Analyse von Umweltbedingungen familialer Sozialisation tut daher gut daran, sich nicht mit der Erklärung unterschiedlicher Erziehungsleistungen und Erziehungsergebnisse durch die soziale Schichtzugehörigkeit der Familie zufrieden zu geben, sondern nach den spezifischen Ausprägungen und Gegebenheiten dieses Strukturkontextes zu fragen, der die familiale Lebenswelt kennzeichnet und die in ihm ablaufenden mikrosozialen Prozesse prägt.

Schichtzugehörigkeit wird zwar in der Regel über Variablen gemessen, die „an sich" nur individuell zuschreibbar sind (häufig der Berufsstatus des Haushaltsvorstandes, sein Bildungsstand und sein Einkommen), jedoch werden mit diesen Variablen zugleich weitere strukturelle Eigenschaften der familialen Lebenswelt und der in ihr ablaufenden Erziehungsprozesse erfaßt:

1. Schichtzugehörigkeit indiziert Persönlichkeitsmerkmale, die Handlungsorientierungen und Handlungskompetenz ausdrücken;
2. Schichtzugehörigkeit indiziert ein alltägliches Handlungsmilieu – Aktivitäten in einem sozialkulturellen Milieu, das typische Alltagsroutinen und soziale Bekräftigungsstrukturen ausgeprägt hat.

Für die Tatsache, daß mit sozialer Schicht auch ein sozialkulturell stabilisiertes alltägliches Handlungsmilieu indiziert ist, in das die Mitglieder der Familie über soziale Rollen integriert sind, gibt es seit längerem bereits erste Belege. Anzuführen sind einmal Untersuchungen, die sich mit der Integration der Familie in soziale Netzwerke wie z. B. Verwandtschaft, Nachbarschaft und weitere „Verkehrskreise" befassen (*Willmott/Young* 1960, *Young/Willmott* 1957, *Sussman* 1953, 1959, *Sussmann/Burchinal* 1962, *Bott* 1957, *Pfeil* 1965). Die vorliegenden Befunde zeigen auf, daß sich die Sozialkontakte von Unterschichtfamilien mehr als die der Mittelschichtfamilien auf Verwandtschaft und räumliche Nähe konzentrieren.

Wir können von einer schichtspezifischen Zusammensetzung sozialer Verkehrskreise sprechen. Ein weiterer bedeutsamer Aspekt dieser alltäglichen Handlungsmilieus sind die jeweils spezifischen Bedingungen der Erwerbstätigkeit, denen die einzelnen Familienmitglieder unterworfen sind. Hier geht es vor allem um die Folgen der Arbeitsplatzerfahrungen der Eltern im Hinblick auf ihre Erziehungsleistungen (*McKinley* 1964, *Kohn* 1969)[4]. Wir können in diesen angeführten Befunden nur erste Hinweise auf das komplexe Bedingungsgefüge sehen, durch das das alltägliche Handlungsmilieu von Familien geprägt wird. Zugleich dürfte deutlich werden, daß in diesem Handlungsmilieu Umweltbedingungen präsent sind und in den innerfamilialen Prozessen zur Wirkung gelangen, die mit den üblichen Schichtindikatoren wie Berufsposition, Bildungsstand und Einkommen nicht mehr hinreichend gemessen und theoretisch befriedigend erklärt werden. Dies näher aufzuzeigen, ist das Ziel unseres Beitrages. Dazu werden wir im folgenden kurz unseren theoretischen Zugang zur Analyse von Umweltbedingungen familialer Sozialisationsprozesse skizzieren[5] und uns im Anschluß daran mit den sozialräumlichen Aspekten familialer Sozialisation eingehender befassen.

2. Umweltbedingungen familialer Sozialisation

Im Rahmen unseres theoretischen Forschungsansatzes betrachten wir die Familie analytisch als soziales System[6]. Diese Betrachtungsweise ermöglicht Problematisierungen nach zwei Richtungen hin: Zum einen geht es um die systeminternen Prozesse, die uns im Hinblick auf ihre Sozialisationsrelevanz interessieren, und zum anderen um die Beziehungen des Familiensystems zu seinen externen Umwelten, wobei wir uns vor allem mit den Beziehungen zwischen dem Familiensystem und anderen Sozialsystemen befassen.

4 Eine kritische Analyse dieses Forschungsbereichs findet sich bei *Abrahams/Sommerkorn* 1976.

5 Wir haben diesen Ansatz im Rahmen des Projekts „Wirkungen öffentlicher Sozialleistungen auf den Sozialisationsprozeß" entwickelt und im Abschlußbericht zu diesem Projekt umfassend dargestellt (*Kaufmann et al.* 1978). Eine gekürzte Druckfassung dieses Berichtes erscheint demnächst.

6 Allgemein können wir von sozialen Systemen sprechen, „wenn Handlungen mehrerer Personen sinnhaft aufeinander bezogen werden und dadurch in ihrem Zusammenhang abgrenzbar sind von einer nicht dazugehörigen Umwelt" (*Luhmann* 1975, 9). Wie allgemein in den Sozialwissenschaften, hat sich in den letzten Jahren auch in der Familiensoziologie verstärkt die systemtheoretische Betrachtungsweise etabliert (vgl. *Stolte-Heiskanen* 1967, 1974, 1975, *Hill* 1971b, *Neidhardt* 1975; zur Bedeutung des systemtheoretischen Ansatzes in der jüngeren Familienforschung siehe ferner *Broderick* 1971).

Familiale Sozialisation kann verstanden werden als „Steuerung“ des kindlichen Lernens durch das Familiensystem. Die das Lernen verursachenden Umweltstimuli werden dem Kind durch das Familiensystem in selektiver Weise vermittelt, und zwar hauptsächlich über das Verhalten der Eltern. Analytisch betrachtet geschieht dies in zweifacher Hinsicht: einerseits über die unmittelbare Eltern-Kind-Kommunikation, andererseits indem die Eltern den Alltag ihrer Kinder „organisieren“[7]. Beide Verhaltensaspekte bedeuten für das Kind eine Selektion möglicher Umwelteinflüsse, die in konkreten Lernsituationen zur Wirkung gelangen.

In welcher Weise Eltern Umwelteinflüsse selektiv vermitteln, hängt einerseits ab von zahlreichen strukturellen Faktoren, die mit einem bestimmten Familiensystem gegeben sind (Merkmale der Familienstruktur, der Persönlichkeit der Eltern, der Wohnsituation u. a. m.), es hängt andererseits auch davon ab – und dies ist die zentrale Hypothese unseres Forschungsprojektes –, wie die Familie selbst als soziales System mit ihrer weiteren Umwelt in Beziehung steht. Hier sind vor allem die zahlreichen sozialen Systeme zu nennen, in denen die Mitglieder der Familie alltäglich partiell und temporär integriert sind und die wir in Anlehnung an *Bronfenbrenner* (1976, 230f.) in informelle soziale Netzwerke (Verwandtschaft, Freundeskreise, Nachbarschaft usw.) und formale Organisationen (Dienstleistungsbetriebe, Produktionsstätten, öffentliche Verwaltung usw.) unterscheiden können.

Damit sind Umweltbedingungen familialer Sozialisation angesprochen, die wir als *Gegebenheiten eines sozialökologischen Umfeldes* identifizieren können, in dem sich Familienalltag ereignet. Als ein objektiver Bedingungskontext gelangen diese Gegebenheiten jedoch nur in dem Maße zur Wirkung, wie das Familiensystem über seine Mitglieder in selektiver Weise mit ihnen umgeht. Es sind also spezifische Weisen familialer Selektivität in Rechnung zu stellen, die Art und Weise des Umgangs mit der sozialen Umwelt beeinflussen (*Kaufmann et al.* 1978, 140ff.). Die Abhängigkeit innerfamilialer Prozesse von der gesellschaftlichen Umwelt wird in den theoretischen Ansätzen zur Familienforschung fast ausschließlich

7 Wir haben dies an anderer Stelle (*Herlth et al.* 1976, *Kaufmann et al.* 1978) als kommunikative und organisatorische Dimension des Elternverhaltens angesprochen. In kommunikativer Hinsicht sind vor allem die durch die psychologische Forschung hinlänglich bekannten Verhaltensformen der Belohnung, Bestrafung, Belehrung und Modellpräsentation zu nennen (*Kagan* 1971, 156ff.) in organisatorischer Hinsicht ist vor allem auf die vielfältigen Formen hinzuweisen, in denen Eltern Lernsituationen ihrer Kinder arrangieren, z. B. durch Herrichtung einer bestimmten räumlich-dinghaften „Sachumwelt“ (*Heckhausen* 1972) oder Organisation kindlicher Alltagsroutinen und Regelung des Zugangs, den das Kind zu Menschen, Plätzen und Dingen hat (*White/Watts* 1973, 158ff.).

funktional zu erklären versucht[8]. Die funktionale Betrachtungsweise tendiert jedoch bislang hauptsächlich dazu, nach den Leistungen der Familie für Fortbestand und Entwicklung der Gesellschaft zu fragen – die Familie wird als eine „Fabrik" betrachtet, deren Produkt die menschliche Persönlichkeit als gesellschaftlich verfügbares Individuum ist (so *Parsons/Bales* 1955, 16). Dabei sollte aber nicht übersehen werden, daß – um im Bilde zu bleiben – diese Fabrik für die Herstellung ihres gesellschaftlich notwendigen Outputs einen bestimmten Input erhalten muß: Leistungen, die in Sozialisationsprozesse eingehen, aber vom Familiensystem selbst nicht erzeugt werden können, sondern durch externe Sozialsysteme bereitgestellt werden müssen. Damit sind zum einen die Prozesse der kulturellen Institutionalisierung familialer Systeme gemeint, zum anderen die uns hier vor allem interessierenden ökonomischen und ökologischen Voraussetzungen familialer Sozialisation (konkret: Geld, Güter, Dienstleistungen usw.).

Wie *Claessens/Menne* (1973) betonen, zeigen sich in der Familie gegenüber der sozialen Umwelt zwar recht deutliche „Insulationsphänomene" – gemeint ist damit vor allem der Aufbau einer eigenen und gegenüber Umwelteinflüssen relativ invarianten Sinnwelt –, die Mitglieder der Familie stehen aber gleichzeitig in einer Vielzahl von Außenkontakten, die für die internen Prozesse nicht folgenlos bleiben. Ein zentraler Aspekt dieser Verknüpfung von Außenkontakten mit internen Familienprozessen ist darin zu sehen, daß in Austauschbeziehungen mit der sozialen Umwelt *Ressourcen* für die internen Familienprozesse gewonnen werden[9]. In Familien besteht ein bestimmter Bedarf an extern bereitgestellten Ressourcen. Zum einen führen Versorgung und Pflege der Familienmitglieder (vor allem der Kinder) zu einem spezifischen Bedarf an Gütern und Dienstleistungen (Ernährung, Bekleidung usw., auch außerhäusliche Betreuung, ärztliche Versorgung u. v. a. m.). Es wird darüber hinaus spezifisches „Wissen" erforderlich[10], und es

8 Allen voran die Strukturfunktionalisten (so *Parsons/Bales* 1955, *McIntyre* 1966, *Johnson* 1970; vgl. auch *Pitts* 1964). Dies gilt aber auch für erklärtermaßen anders orientierte theoretische Ansätze, wie z. B. den institutionalen Ansatz (*Sirjamaki* 1964) oder den Entwicklungsansatz (*Hill/Rodgers* 1964).

9 In die Familiensoziologie wurde der Begriff der Ressourcen von *Blood/Wolfe* (1960) als theoretischer Begriff eingeführt. Eine „Theorie der Ressourcen" wurde von ihnen entwickelt zur Erklärung von Machtbeziehungen zwischen Ehepartnern. Macht in der Ehe resultiert demnach aus der Verfügung über bestimmte Ressourcen. Als solche wurden z. B. Berufsposition der Partner, ihr Bildungsstand, das Einkommen, aber auch Zugehörigkeit zu außerfamilialen Gruppen u. ä. angesehen. Wir greifen auf diesen spezifischen Ansatz nicht zurück, sondern verstehen Ressourcen aus den Austauschbeziehungen zwischen sozialen Systemen. Dies muß nicht notwendig im Widerspruch zu dem hier erwähnten Ressourcenkonzept stehen – eine Frage, die wir jedoch nicht weiter verfolgen wollen.

10 Zum „Sozialisationswissen" s. Näheres bei *Lüscher/Fisch* 1977.

werden Leistungen benötigt, die die Elternrolle stabilisieren, sie mit Motivation und normativen Orientierungen ,,versorgen".

Während bei *Parsons* der Ressourcenbegriff *alle* durch die internen und externen Umwelten für das soziale System bereitgestellten Leistungen umfaßt[11], dient er bei uns lediglich zur Kennzeichnung der von externen Sozialsystemen bereitgestellten Leistungen: Familiale Ressourcen sind alle Outputs sozialer Systeme, die als Input im familialen System verwendet werden und über Austauschbeziehungen mit diesen sozialen Systemen gewonnen werden.

Wir gehen davon aus, daß die Verfügungsmöglichkeiten über Ressourcen Konsequenzen für die Art und Weise haben, wie Eltern den Alltag ihrer Kinder organisieren und wie sie mit ihren Kindern kommunizieren. Umweltabhängigkeit familialer Sozialisation meint in diesem Sinne, daß Art und Ausmaß der Verfügbarkeit von Ressourcen für die Familien in zweifacher Weise determiniert sind:

- einerseits durch die Beschaffenheit des sozialökologischen Umfeldes (z. B. Dienstleistungsangebote, soziale Netzwerke, Stellen auf dem Arbeitsmarkt usw.),
- andererseits durch eine spezifische *familiale Lebenslage*, mit der wesentliche Voraussetzungen des selektiven Umgangs der Familie mit ihrer sozialen Umwelt gegeben sind.

Familiale Lebenslage meint jene objektivierbaren situativen Bedingungen, unter denen Familien in Austauschprozessen mit ihrer sozialen Umwelt aktiv werden können[12]. Wir thematisieren mit diesem Begriff unterschiedliche Aspekte der ,,Erreichbarkeit" von Ressourcen, die mit einem jeweiligen Familiensystem situativ gegeben sind[13]:

11 *Parsons* (1976, 221ff.) verwendet diesen Begriff für die Austauschprozesse zwischen den Teilsystemen des allgemeinen Handlungssystems (Organismussystem, Persönlichkeitssystem, soziales System, kulturelles System).

12 Einen theoretischen Stellenwert hat dieser Begriff in der Sozialpolitiklehre von *Gerhard Weisser* als ,,Spielraum, den die äußeren Umstände den Menschen für die Erfüllung der Grundanliegen bieten" (*Weisser* 1959, 635) oder als ,,Verteilung aller Umstände der Bedarfsdeckung" (*Weisser* 1971, 110f.). Einen ähnlichen Stellenwert haben die Begriffe Marktlage und Klassenlage bei *Max Weber* (1972, 42f.). In beiden Konzepten geht es um eine Kennzeichnung situativer Merkmale von Handlungschancen vor allem im ökonomischen Bereich – eine Intention, die unserer Verwendung des Begriffs recht nahe kommt.

13 Dieser Gedanke findet sich bereits, wenngleich nicht explizit und nicht weiter ausgeführt bei *Zapf* (1969), die in ihrer Sekundäranalyse der Dortmunder Nordost-Stadt-Untersuchung von *E. Pfeil* die ,,soziale Bandbreite" des Wohngebietes als Faktor nennt, der den Zugang zu lokalen sozialen Netzwerken steuert. Ausgeschlossen von der Integration in lokale Netzwerke und bestimmten, sich daraus ergebenden Formen der Hilfeleistung sind danach Personen, die z. B. nach Status, regionaler Herkunft oder Einkommen von dominierenden Ausprägungen solcher Merkmale in einer örtlichen Sozialstruktur abweichen. Diese Fragestellung wird in einem gegenwärtig laufenden Projekt der Autoren

- In ihrer *kulturellen Dimension* umfaßt Lebenslage soziokulturelle Merkmale der Handlungsfähigkeit von Familien, wie unterschiedliche Werthaltungen, Handlungsorientierungen und Motive. Solche Merkmale sind durch den sozialen Status der Familie in hohem Maße indiziert. Der soziale Status ergibt zugleich ein Maß für die ,,Freiheitsgrade", die Familien in der Interaktion mit außerfamilialen Sozialsystemen (etwa im Arbeitssektor oder im Bildungsbereich) ausnutzen können.
- In ihrer *ökonomischen Dimension* enthält sie die aufgrund der wirtschaftlichen Lage der Familie gegebene Handlungsfähigkeit am Markt, d. h. ihre Möglichkeiten, sich monetär aufrechenbare Güter und Dienstleistungen zu verschaffen. Auch diese Dimension ist stark durch den sozialen Status der Familie indiziert (zumal, wenn in seine Bestimmung die Einkommenssituation eingegangen ist).
- Schließlich in der *ökologischen Dimension*, die die räumliche Erreichbarkeit (und damit stets auch das faktische Vorhandensein) sozialer Ressourcen für die Familie angibt. Nach unseren bisherigen Überlegungen müssen wir es als offene Frage betrachten, wie weit auch diese Dimension familialer Lebenslagen, die in hohem Maße als eine Resultante der Wohnlage oder des Wohnorts der Familie gelten kann, durch ihren sozialen Status allein bestimmbar ist.

3. Sozialer Raum und sozialökologisches Umfeld

Die Hypothese, daß der familiale Sozialisationsprozeß beeinflußt wird durch Ressourcenpotentiale, die unterschiedliche sozialökologische Umfelder anbieten und die entsprechend der familialen Lebenslage unterschiedlich ,,erreichbar" sind, thematisiert konkret das allgemeinere Problem ungleicher kleinräumiger Verteilung von Bevölkerung und objektiven ,,Lebenschancen". Mit diesem Problem haben sich in der empirischen Forschung insbesondere die Segregationsforschung (*Göschel et al.* 1977, *Vaskovics* 1976) und die Sozialraumanalyse auseinandergesetzt (s. dazu die umfassende und systematische Darstellung bei *Friedrichs* 1977). *Bargel et al.* (1977, 5ff.) sprechen dieses Problem als Frage nach dem regionalen Bezug sozialer Disparitäten an:

- ,,Die öffentlichen und privaten Infrastrukturleistungen, die für die Lebensqualität von Bedeutung sind (wie Bildungswesen, Wohnungsangebot, Gesundheitsversorgung, Verkehr etc.) sind im Raum sehr unterschiedlich verteilt;

(mit F. X. Kaufmann und H.-J. Schulze) über ,,Umweltbeziehungen und Leistungen der Familie" eingehender untersucht.

– die Bevölkerung selbst ist aufgrund von Differenzierungen und Segregationsprozessen nach sozialen Merkmalen (wie berufliche Stellung, Einkommen, Schulabschluß, Familienstand, Kinderzahl etc.) ebenfalls recht unterschiedlich im Raum angesiedelt."

Bei *Dogan/Rokkan* (1969) finden sich Zusammenhänge zwischen räumlichen und infrastrukturellen Merkmalen von Gebieten, der sozialen Struktur ihrer Bevölkerung und bestimmten Formen des sozialen Verhaltens (vgl. auch *Göschel et al.* 1977, *Herlyn* 1974). Die soziale Struktur einer Bevölkerung meint vor allem die räumliche Verteilung von Merkmalen familialer Lebenslagen und der familialen Struktur. Die Verteilung von Merkmalen der Lebenslage und der Struktur von Familien bzw. von Haushalten innerhalb eines Gebietes konstituiert den ,,*sozialen Raum*" (vgl. *Shevky/Bell* 1974).

Shevky/Bell formulieren die Hypothese, daß ,,. . . *Personen, die in einem bestimmten Typus des sozialen Raumes leben, (sich) in bezug auf charakteristische Gewohnheiten und Verhaltensweisen grundsätzlich von den Personen unterscheiden, die in einem anderen Typus des sozialen Raumes wohnen*" (1974, 135)[14]. Der Gedanke der sozialräumlichen Differenzierung und Typizität von ,,Gewohnheiten und Verhaltensweisen", der bei *Shevky/Bell* nicht weiter verfolgt wird, besagt zunächst nichts weiter, als daß eine Korrelation besteht zwischen der sozialen und demographischen Struktur von Gebieten und bestimmten Verhaltensformen ihrer Bevölkerung. Auf dem Hintergrund unserer Theorie der Umweltabhängigkeit des familialen Sozialisationsprozesses bzw. des Elternverhaltens als seiner strategisch wirksamen Schlüsselvariable lassen sich solche korrelativen Zusammenhänge jedoch auch theoretisch erklären: Soziale Räume sind sozial strukturierte Räume. Die soziale Struktur von Gebieten ist das Ergebnis der Aggregation von Merkmalen der Lebenslage und Struktur der dort lebenden Familien bzw. Haushalte. Innerhalb eines bestimmten Typus des sozialen Raums finden wir damit jeweils typische Konstellationen familialer Lebenslagen und Strukturen, die sowohl unterschiedliche typische Muster binnenfamilialer Interaktion als auch unterschiedliche Weisen der Partizipation der Familie an ihrem sozialökologischen Umfeld erwarten lassen. Welche Ressourcen Familien in ihrem sozialökologischen Umfeld aktualisieren können, hängt nun, wie unsere Überlegungen über die regionalen Disparitäten von Bevölkerung und Lebenschancen ergeben haben, gleichfalls zusammen mit der sozialräumlichen Typik von Regionen. Es erscheint damit aussichtsreich, *unterschiedlich strukturierte sozialökologische Umfelder über unterschiedliche Typen des sozialen Raums zu indizieren.*

14 Bestätigungen dafür finden sich u. a. bei *Greer* (1960), *Bell* (1959), *Polk* (1957), *Robson* (1969).

Oevermann et al. (1976b) kritisieren die ausschließlich mit dem Schichtfaktor operierenden Sozialisationskonzepte als Versuche einer „umweltunabhängigen" Erklärung eines in hohem Maße umweltabhängigen (bzw. „milieuabhängigen") Prozesses. Wir meinen, daß solche „Umweltunabhängigkeit" im schlichten Konstanthalten von Umwelt und im Absehen von der Bedeutsamkeit der alltäglich erfahrbaren Umwelt für Verhalten liegt. Aus diesem Grunde erscheint uns jede raum-zeitliche Verallgemeinerung schichtspezifischer Hypothesen zunächst problematisch.

Inzwischen beinahe „klassische" Befunde wie z. B. der von *Bernstein/Henderson* (1969), daß Kindern in der Mittelschicht im Sozialisationsprozeß ein hohes Maß an Handlungsautonomie vermittelt wird, während in der Unterschicht eher situationsspezifische Verhaltensrezepte gelernt werden, können nicht ohne weiteres generalisiert werden. Es bleibt ungeklärt, ob sie über die konkrete Untersuchungspopulation hinaus, d. h. für *alle* Personen, die an einem anderen Ort oder auch zu einer anderen Zeit *nach demselben oder gar einem anderen Schichtkriterium zur Unter- oder Mittelschicht gezählt würden, Gültigkeit haben*.

In der Tradition der sozialstrukturell orientierten Sozialisationsforschung ist die Schichtabhängigkeit familialer Sozialisation häufig über schichtspezifische Formen des Spracherwerbs bzw. der Sprachentwicklung von Kindern thematisiert worden (so u. a. bei *Bernstein* 1959, 1960, 1961, 1964, 1967a, 1967b, *Lawton* 1963, 1968, *Oevermann* 1966, 1968, 1972). Die sprachliche Förderung von Kindern können wir als eine Dimension des Elternverhaltens ansehen, die in hohem Maße durch die alltägliche Interaktion der Eltern mit außerfamilialen sozialen Systemen geprägt wird und damit in hohem Maße umwelt- oder milieuabhängig ist. Wir werden mit unseren Daten prüfen, in welchem Maße diese Milieuabhängigkeit familialer Bedingungen für die Sprachentwicklung von Kindern über die Schichtzuordnung von Familien bestimmt werden kann und wo offenbar Variablen der sozialen Umwelt der Familie wirksam werden, die den messenden Zugriff auf der Ebene der Umweltbedingungen familialer Sozialisation erforderlich machen.

4. Ebenen und Instrumente der Datenerhebung, Variablen und Hypothesen

Zielpopulation des o. g. Forschungsprojektes über die „Wirkungen öffentlicher Sozialleistungen auf den Sozialisationsprozeß" waren 1795 deutsche Familien mit Kindern im Vorschulalter (d. h. im Alter von 3 bis 6 Jahren). Unser theoretischer

Ansatz (s. hier Abschn. 2., ausführlich in *Kaufmann et al.* 1978, Kap. 2 und 3) rekonstruiert die Wirkungsweise einer „Sozialpolitik für das Kind“[15] im Rahmen einer umfassenden Theorie der Umweltabhängigkeit familialer Sozialisation. Damit sind zwei Ebenen gegeben, auf denen unsere (hier in Abschn. 2 eingeführten) theoretischen Variablen zu operationalisieren sind:

- *Sozialökologisches Umfeld der Familie*
  Um die Umweltabhängigkeit des familialen Sozialisationsprozesses auch empirisch untersuchbar zu machen, ist es erforderlich, eine möglichst große Vielfalt sozialökologischer Umfelder präsent zu haben. Ausgehend von der Erwartung, daß die Qualität sozialökologischer Umfelder durch ihre sozialräumliche Typik indiziert ist, haben wir in einem zweistufigen Auswahlverfahren zunächst unsere drei hinsichtlich der Sozialstruktur ihrer Bevölkerung extrem unterschiedlichen Städte (s. Abschn. 5) und innerhalb dieser Städte nach der in Abschn. 6 dargestellten Methode sozialräumlich unterschiedliche Wohnquartiere bestimmt.
- *Familiales System*
  Indikatoren zum Elternverhalten, zu erziehungsrelevanten Einstellungen, zu Strukturmerkmalen der Familie und ihres sozialökologischen Umfeldes sowie ihren Austauschbeziehungen mit außerfamilialen Sozialsystemen (informale soziale Netzwerke, öffentliche Einrichtungen) wurden durch eine kindzentrierte (d. h. auf ein konkretes Kind bezogene) Befragung von 1795 Müttern (ca. 100 pro Wohnquartier), die Kinder im Vorschulalter hatten, gewonnen.

Unsere empirische Untersuchung ist somit eine Mehrebenen- und Mehrmethodenuntersuchung (vgl. *Schrader* 1971).

Wir wollen im folgenden exemplarisch die Anwendung des Mehrebenen- und Mehrmethodenansatzes demonstrieren. Dazu greifen wir auf den in der Sozialisationsforschung inzwischen wohl Gemeingut gewordenen Sachverhalt der Schichtabhängigkeit der sprachlichen Förderung von Kindern zurück. Unsere theoretischen Ausführungen über die Umweltabhängigkeit familialer Sozialisation ergeben die Hypothese, daß sprachliche Förderung von Kindern stets das Ergebnis des Zusammenwirkens von Umweltbedingungen (sozialökologisches Umfeld) und den in Gestalt der familialen Lebenslage gegebenen familialen Voraussetzungen sowohl für binnenfamiliale Kommunikation, vor allem aber für Ressourcengewinn aus der sozialen Umwelt ist. Zu problematisieren ist hierbei auch, in welchem Maße der soziale Status von Familien schon als Indikator der ökologischen Dimension ihrer Lebenslage gelten kann.

15 Dieser Begriff wurde von *Lüscher* (1977) als Analogon zum angelsächsischen Begriff der „child welfare policy“ eingeführt.

Wir untersuchen dazu den Zusammenhang von Schichtzugehörigkeit der Familie und sprachlicher Förderung differenziert für sozialräumlich unterschiedliche Regionen und verbinden so in der Auswertung Umweltmerkmale und familiale Merkmale.

„*Sprachliche Förderung*" operationalisieren wir dabei zum einen durch die *Anzahl der Kinderbücher*, die für das Vorschulkind, auf das unsere Untersuchung sich bezieht, in der Familie verfügbar sind, zum anderen durch die *Häufigkeit, mit der dem Kind wöchentlich vorgelesen wird*. Der hier gebotenen Kürze halber beschränken wir uns auf diese beiden Variablen. Im Rahmen unseres o. g. Forschungsprojekts haben wir jedoch qualitativ unterschiedliche Dimensionen des Elternverhaltens als Merkmale der *familialen Lernumwelt* von Vorschulkindern durch eine Vielzahl von Indikatoren gemessen (die unterschiedlichen Dimensionen sind hinten in Tabelle 4, Zeile 8, genannt). Unsere Auswertungen haben ergeben, daß die anschließend dargestellten Abhängigkeiten der Anzahl der Kinderbücher und der Vorlesehäufigkeit von der Schichtzugehörigkeit der Familien und von sozialräumlichen Merkmalen ihrer Wohnorte sich in derselben Richtung auch für andere Variablen der sprachlichen Förderung bzw. allgemein der kognitiven Förderung von Kindern durch ihre Eltern ergeben.

Die Schichtabhängigkeit der sprachlichen Förderung von Kindern prüfen wir über die folgenden Arbeitshypothesen:

1. Je höher der soziale Status der Familie, desto größer ist die Anzahl der Kinderbücher, die Kindern im Vorschulalter zu Hause zur Verfügung stehen[16].
2. Je höher der soziale Status der Familie, desto häufiger wird Kindern im vorschulischen Alter zu Hause vorgelesen[17].

Die Schichtzugehörigkeit (den sozialen Status) der Familien haben wir für die hier anzustellenden Analysen mit einem dreidimensionalen Schichtindex (über Berufsposition, Bildungsstand und Einkommen) gemessen.
Unsere Erhebung der Berufsposition und des Bildungsstandes orientierte sich an *Oevermann* (1972, 454, *Oevermann et al.* 1976b, 195). Die so erhobenen Berufspositionen (ausgeübter bzw. zuletzt ausgeübter Beruf) und Bildungsabschlüsse (höchster formaler Schulabschluß) haben wir in eine Rangreihe von fünf Statusgruppen gebracht:
Berufsstatus:

- Statusgruppe 1 besteht aus all jenen Berufspositionen, die sich durch manuelle Arbeit und geringe berufliche Qualifikation kennzeichnen lassen (ungelernte und angelernte Arbeiter, Land- und Forstarbeiter).

16 Das Ausmaß, in dem Bücher für Kinder dieser Altersgruppe aus öffentlichen Bibliotheken entliehen werden, kann nach den uns vorliegenden Daten vernachlässigt werden.

17 Diese beiden abhängigen Variablen bezeichnen lediglich einen Ausschnitt der Variablen, mit denen wir für das o. g. Projekt (*Kaufmann et al.* 1978, Kap. 4.1.) die familiale Lernumwelt von Kindern in einer räumlich-dinghaften, einer zeitlichen, einer sozialen und einer Aktivitätsdimension operationalisiert haben.

- Statusgruppe 2 umfaßt Facharbeiter, nicht selbständige Handwerker sowie einfache Angestellte und Beamte, d. h. jene, die wesentlich dem manuellen Tätigkeitsbereich angehören, aber höher qualifiziert sind.
- Statusgruppe 3 wurde gebildet aus mittleren Angestellten und Beamten, kleineren Selbständigen (mit bis zu 10 Beschäftigten) und selbständigen Landwirten.
- Statusgruppe 4 umfaßt gehobene Angestellte und Beamte, mittlere Selbständige in Handel und Gewerbe (mit 11 bis zu 100 Beschäftigten) sowie die nicht akademischen freien Berufe (Makler, Steuerhelfer, Hebammen).
- Statusgruppe 5 ergibt sich aus den leitenden Positionen im Angestellten- und Beamtenbereich, den freien akademischen Berufen und den Unternehmern mit mehr als 100 Beschäftigten.

Bildungsstand:

- Statusgruppe 1 wurde jenen Eltern zugeschrieben, die maximal die „Volksschule" abgeschlossen haben.
- Statusgruppe 2 ist definiert durch den Abschluß der Volksschule *und* einer Lehre, bzw. durch den Besuch einer Handelsschule, Mittelschule oder höheren Schule ohne Abschluß.
- Statusgruppe 3 umfaßt jene, die eine Mittelschule oder Handelsschule abgeschlossen haben oder auf einem anderen Wege die „mittlere Reife" erlangt haben, sowie die Abgänger einer höheren Fachschule ohne Abschluß.
- Statusgruppe 4 schließt jene ein, die in irgendeiner Form die Hochschulreife erlangt haben (Abitur, Abschluß der höheren Fachschule und ähnl.), ferner die Hochschulabgänger ohne Abschluß.
- Statusgruppe 5 erlangen jene, die ein Hochschulstudium abgeschlossen haben.

Die uns angegebenen *Nettohaushaltseinkünfte* wurden in der folgenden Weise klassifiziert:

Klasse 1	bis DM 1499,–
Klasse 2	DM 1500,– bis DM 1899,–
Klasse 3	DM 1900,– bis DM 2299,–
Klasse 4	DM 2300,– bis DM 2699,–
Klasse 5	DM 2700,– und mehr.

Den einzelnen Statusgruppen bzw. Einkommensklassen wurden jeweils entsprechende Punktwerte (1 bis 5) zugeordnet. Die Punktwerte wurden addiert (Minimum 3, Maximum 15 Punkte) und durch 3 dividiert[18]. Danach ergab sich folgende soziale Schichtung unserer Untersuchungspopulation:

Statusgruppe 1 – „untere Unterschicht"	24 %
Statusgruppe 2 – „obere Unterschicht"	38 %
Statusgruppe 3 – „untere Mittelschicht"	18 %
Statusgruppe 4 – „obere Mittelschicht"	13 %
Statusgruppe 5 – „untere Oberschicht"	7 %
	100 % (N = 1503)

18 Dieser Schichtindex hatte den Vorteil, relativ einfach zu sein und mit 1503 Familien (= 88 %) gegenüber anderen (etwa *Oevermann et al.* 1976a) ein Maximum an Familien zu erfassen. Seine Anwendung für die anschließenden Auswertungen führte zu annähernd denselben Verteilungen wie ein an *Oevermann et al.* (1976a) orientierter Index, der allerdings nur ca. 1300 Familien klassifiziert.

Für vollständige Familien wurden hierbei Bildung und Beruf des Vaters, in unvollständigen Familien die entsprechenden Werte für die Mutter zugrunde gelegt. Um bei unseren regionalisierten Analysen für Vergleichszwecke genügend Fälle in den einzelnen Schichtpopulationen präsent zu haben, unterscheiden wir im folgenden nurmehr in *Unterschicht* (Statusgruppen 1, 2) und *Mittelschicht* (Statusgruppen 3 bis 5).

Es soll uns nun nicht allein darum gehen, den mit Recht trivial zu nennenden Nachweis zu führen, daß die sprachliche Förderung kleiner Kinder schichtabhängig variiert. Wir wollen vielmehr untersuchen, *wie die vorgefundenen Zusammenhänge zwischen der Schichtzugehörigkeit der Familie und den abhängigen Variablen sich verändern, wenn wir sie räumlich differenziert, zunächst nach Städten, dann nach Quartieren prüfen*. Wir untersuchen also die Gültigkeit unserer Arbeitshypothesen innerhalb unterschiedlicher regionaler Kontexte. Dieser Analyseschritt soll unsere vorn formulierte Kritik an einer ausschließlich mit dem Schichtfaktor operierenden Erklärung familialer Sozialisation substantiieren.
Nach diesem Schritt der Überprüfung unserer beiden Arbeitshypothesen werden wir uns abschließend fragen, entlang welcher regionalen Variablen die Schichtabhängigkeit familialer Sozialisation variiert und in welchem Maße solche Variablen geeignet sind, unterschiedliche sozialökologische Umfelder von Familien zu identifizieren.

5. Differenzierungen des Zusammenhangs von sozialer Schicht und sprachlicher Förderung von Vorschulkindern für die Städte Bielefeld, Münster und Gelsenkirchen

Wir können die Logik des anschließenden Untersuchungsschritts in folgendem Bild ausdrücken: In Bielefeld, Münster und Gelsenkirchen sind zur gleichen Zeit mit demselben Erhebungsinstrument Untersuchungen über die Schichtabhängigkeit der familialen Sozialisation von Kindern im Alter zwischen drei und sechs Jahren durchgeführt worden. Wenn über die Schichtzugehörigkeit von Familien nun tatsächlich jene differentiellen Bedingungen sozialökologischer Umfelder bereits mitgemessen sind, von denen wir vorn (vgl. Abschn. 2) gesagt haben, daß sie quasi als Inputs der Umwelt in das familiale System in unterschiedlichem Maße Ressourcen des Elternverhaltens darstellen, so müßte sich der Zusammenhang von sozialem Status der Familie und Merkmalen familialer Lernumwelten von Kindern in allen drei „Untersuchungen" annähernd in der gleichen Weise darstellen.
Tabelle 1 (S. 110) stellt die Ergebnisse der Prüfung unserer Arbeitshypothesen über die Schichtabhängigkeit der sprachlichen Förderung für die Gesamtheit aller untersuchten Familien und die drei städtischen Teilgesamtheiten dar.

Wir haben die Hypothesen anhand des Vergleichs untergruppenspezifischer Mittelwerte der abhängigen Variablen geprüft (vgl. *Kriz* 1973, 133ff.). Diese Methode hat den Vorteil, zu denselben Ergebnissen zu führen, wie etwa korrelationsstatistische Analysen, sie ist allerdings erheblich anschaulicher. Zum anderen trägt sie der Tatsache Rechnung, daß u. E. mit „Schichtzugehörigkeit" Konstellationen von Bedingungsfaktoren für alltägliche Prozesse eher qualitativ als ordinal oder gar quantitativ indiziert sind. Wir wollen der Lesbarkeit des Textes halber nicht jeweils auf die Höhe des Signifikanzniveaus der Mittelwertunterschiede eingehen. Alle Differenzen, die mindestens auf dem Niveau von 1% signifikant sind, werden als solche interpretiert.

Um die unterschiedlichen Merkmalswerte der Skalen für die abhängigen Variablen zu vereinheitlichen, haben wir die einzelnen Untergruppenmittelwerte für jede abhängige Variable in v. H. des Mittelwertes über die Gesamtpopulation ausgedrückt, d. h. wir haben jeweils den Durchschnitt der abhängigen Variablen über alle Familien gleich 100 gesetzt. Der entsprechende Betrag ist in der Tabelle angegeben.

Wenn wir unsere Untersuchungspopulation in die drei städtischen Teilsamples zerlegen und für jedes die Gültigkeit unserer Arbeitshypothese prüfen, so kontrollieren wir zunächst implizit die Auswirkungen, die spezifische Merkmale städtischer Umwelten auf den für die Gesamtpopulation festgestellten Zusammenhang von sozialer Schicht und sprachlicher Förderung kleiner Kinder haben. Sollte es tatsächlich der Fall sein, daß die individuelle Klassifikation von Familien nach ihrer Schichtzugehörigkeit bereits ein gültiges Maß aller für das Elternverhalten relevanten Umwelteinflüsse darstellt, so dürfte sich durch die „Regionalisierung" (vgl. *Herlth et al.* 1976) unserer Fragestellung nichts an den für die Grundgesamtheit gefundenen statistischen Beziehungen ändern.

Tabelle 1: Durchschnittliche Anzahl von Kinderbüchern und durchschnittliche Vorlesehäufigkeit in Familien mit Kindern im Vorschulalter, nach sozialen Schichten in Bielefeld, Münster und Gelsenkirchen (US = Unterschicht, MS = Mittelschicht)

	ds. Anzahl *Kinderbücher*			ds. Häufigkeit *Vorlesen*		
	US	MS	insges.	US	MS	insges.
Bielefeld	96	145	177	107	134	118
Münster	75	143	112	84	124	105
Gelsenkirchen	66	103	73	74	96	78
insgesamt	78	137	100x	86	122	100xx

x) 100 = 14,5 Kinderbücher
xx) 100 = 6,3 mal Vorlesen pro Woche

Betrachten wir zunächst die Summenzeile, so können wir unsere beiden Arbeitshypothesen über alle untersuchten Familien als bestätigt ansehen. Vergleichen wir jedoch die Stadtpopulationen, so sehen wir, daß zwar in allen drei Städten Unterschicht und Mittelschicht sich signifikant hinsichtlich der Mittelwerte der abhängigen Variablen unterscheiden. Es fällt jedoch auf, daß in der Gelsenkirchener Gesamtpopulation die durchschnittlichen Ausprägungen der abhängigen Variablen immer unter dem Durchschnitt für alle Familien liegen und die für die Bielefelder Unterschicht ermittelten Werte stets unterschreiten. Die Differenzen zwischen Unter- und Mittelschicht sind in Gelsenkirchen am geringsten, in Münster am größten.

In welchem Maße hier offenbar spezifische Umweltvariablen wirksam werden, die durch die Schichtzuordnung der Familie noch nicht automatisch mitgemessen sind, sehen wir deutlicher am Vergleich schichthomogener Stadtpopulationen: Vergleichen wir die Mittelwertunterschiede in den Spalten, so zeigt sich, daß Bielefelder Unterschicht und Gelsenkirchener Unterschicht sowie Bielefelder Mittelschicht und Gelsenkirchener Mittelschicht sich in den Mittelwerten der abhängigen Variablen signifikant unterscheiden, d. h. die Unterschichten beider Städte gehören wie die Mittelschichten statistisch nicht jeweils zur selben Grundgesamtheit! Untersuchen wir weiter in der Diagonalen die Differenzen zwischen der Unterschichtpopulation in Bielefeld und der Mittelschicht in Gelsenkirchen, so stellen wir fest, daß die durchschnittliche Anzahl Kinderbücher sich nicht signifikant unterscheidet, Bielefelder Unterschichtmütter lesen sogar häufiger vor als Gelsenkirchener Mittelschichtmütter!
Jemand, der vertrauend auf die Qualität von „Schicht" als Milieuindikator unsere Untersuchung mit einer Bielefelder Unterschicht- und einer Gelsenkirchener Mittelschichtpopulation angestellt hätte, hätte unsere Arbeitshypothese über die Schichtabhängigkeit der sprachlichen Förderung von Kindern für die Anzahl der Kinderbücher verwerfen, für die Häufigkeit, mit der Kindern unterschiedlicher Schichten vorgelesen wird, gar umkehren müssen. Woran aber liegt es nun, daß das durchschnittliche Niveau der sprachlichen Förderung in Bielefeld für beide Schichten am höchsten, die Differenzen zwischen den Schichten in Münster am größten, d. h. vor allem die Mittelwerte für die Unterschicht dort niedriger sind? Und woraus erklären sich das insgesamt geringe Niveau und die geringen Differenzen der Mittelwerte von Unter- und Mittelschicht in Gelsenkirchen?
Wir haben unsere Analysen mit dem Argument begonnen, daß schichtabhängige Befunde unterschiedlich ausfallen, je nachdem an welchem Ort, zu welcher Zeit und mit welcher Population sie ermittelt worden sind. Dieses Argument impliziert, daß es bestimmte räumliche und sozialkulturelle Faktoren gibt, die neben dem sozialen Status von Individuen deren Verhalten beeinflussen und die prinzipiell nicht *individuelle Merkmale sind, sondern als Merkmale des sozialökologischen Umfeldes eine Menge von Individuen in gleicher Weise betreffen*.

Unsere Ergebnisse legen nun nahe, daß von der Existenz gewisser, durch den Schichtfaktor nicht zureichend erklärter, räumlich unterscheidbarer Bedingungsfaktoren des Elternverhaltens ausgegangen werden muß. Diese betreffen sowohl die Differenzen des Verhaltens von Eltern unterschiedlicher Schichten innerhalb ein und derselben Stadt als auch Differenzen zwischen Familien gleicher Schichtzugehörigkeit in unterschiedlichen kommunalen Kontexten.
Wie Tabelle 2 zeigt, erscheinen solche Umweltfaktoren in hohem Maße durch die soziale Struktur der Untersuchungspopulationen in den drei Städten indizierbar.

Tabelle 2: Soziale Schichtung der Untersuchungspopulationen in Bielefeld, Münster und Gelsenkirchen (Schichtanteile in %)

Stadt	Unterschicht	Mittelschicht	gesamt
Bielefeld	58,4	41,6	100
Münster	46,3	53,7	100
Gelsenkirchen	80,9	19,1	100
insgesamt	62,2	37,8	100

Die Differenzen und die Niveaus der Mittelwerte der abhängigen Variablen, so wie wir sie in Tabelle 1 dargestellt haben, schwanken offenbar analog der Schichtzusammensetzung der Untersuchungssamples in den drei Städten: In *Bielefeld*, wo angesichts der durchschnittlichen Relation von 60% Unterschicht und 40% Mittelschicht das Verhältnis beider Schichten als ausgewogen gelten kann, sind bei hohem Niveau der Mittelschichtmittelwerte auch die für die Unterschicht ermittelten Werte der abhängigen Variablen relativ hoch, die Differenzen zwischen beiden gering. In *Münster* sind bei gegenüber Bielefeld annähernd gleichen Werten der abhängigen Variablen für die Mittelschicht die Mittelwerte für die Unterschicht geringer, die Differenzen zwischen beiden Schichten mithin größer. In *Gelsenkirchen* schließlich, wo mehr als 80% der Untersuchungspopulation Unterschichtfamilien sind und die Mittelschicht als marginal gelten kann, entspricht einerseits das Niveau der Unterschichtmittelwerte für die abhängigen Variablen annähernd dem für die Münsteraner Unterschicht ermittelten, die Werte für die Mittelschicht sind jedoch deutlich niedriger als in den anderen beiden Städten. Eine Angleichung der familialen Lernumwelten der Mittelschicht an die der Unterschicht ist hier offensichtlich.
Diese erste Regionalisierung der für die Gesamtpopulation positiv ausfallenden Befunde über die Schichtabhängigkeit sprachlicher Förderung läßt uns vermuten, daß offenbar *Zusammenhänge bestehen zwischen der sozialen Struktur großstädtischer Räume und meßbaren Formen des Elternverhaltens.*

6. Großstädtische Quartiere als soziale Räume

Die Sozialstruktur der Bevölkerung einer Großstadt mag die vorn dargestellten Unterschiede der sprachlichen Förderung von Kindern insofern erklären, als sie u. U. Indikator für eine spezifische, historisch gewordene örtliche Kultur ist. Allerdings erscheint es uns zu grob und wenig präzise, sozialökologische Umfelder von Familien mit kleinen Kindern über die sozialräumliche Typik von Großstädten auch räumlich bestimmen zu wollen. Das räumliche Äquivalent des sozialökologischen Umfelds von Familien mit Kindern im vorschulischen Alter ist vielmehr eher durch ihr *urbanes Wohnquartier*, ihr *Stadtviertel* gegeben. Das Quartier ist charakterisiert durch die räumliche Verdichtung alltäglicher Aktivitäten der Familie – insbesondere der Kinder: Die Spielkameraden des Kindes leben überwiegend im Quartier; über den Kontakt der Kinder ergeben sich mit hoher Wahrscheinlichkeit Kontakte zwischen den Eltern. Eltern suchen mit ihren Kindern alltäglich bestimmte Orte im Quartier auf (etwa zum Einkaufen) und treten so in Interaktion mit anderen Personen aus dem Quartier. Nicht zuletzt die Inanspruchnahme des Kindergartens (in den immerhin 69% der Kinder gehen, auf die unsere Untersuchung sich bezogen hat) ergibt Ort und Gelegenheit (etwa beim Bringen und Holen, der Teilnahme an Elternversammlungen) für Interaktion mit Personen (anderen Eltern, Kindern, dem Personal der Einrichtung), die im selben Stadtviertel wohnen. Die Hälfte der von uns untersuchten Familien gibt überdies an, regelmäßig, mindestens einmal im Monat von Verwandten aus dem Stadtviertel Besuch zu bekommen.

Wenn wir so Wohnquartiere als das räumliche Äquivalent des sozialökologischen Umfelds von Familien mit Kindern im Vorschulalter bezeichnen, so ist damit nicht etwa gesagt, daß das sozialökologische Umfeld der Familie ausschließlich die soziale Umwelt des Quartiers wäre. Die Außenbeziehungen der Familie reichen vielmehr in der Regel über die relativ engen Grenzen des Wohnquartiers hinaus. Das Quartier ist jedoch der Bereich des sozialen Raumes, der in seinem Ressourcenangebot für alle in ihm lebenden Familien identisch gehalten werden kann. Dies heißt aber wiederum nicht, daß alle Familien ihr Quartier in gleicher Weise als sozialökologisches Umfeld nutzen. Vielmehr setzen hier jene Prozesse der Selektivität von Familien bezüglich der Partizipation an ihrer Umwelt ein, die wir vorn dargestellt haben.

Die empirischen Erhebungen im Rahmen unseres Projektes sind in achtzehn Quartieren (jeweils sechs pro Stadt) der Städte Bielefeld, Münster und Gelsenkirchen durchgeführt worden. Die Quartiere haben wir unter Verwendung kleinräumiger Daten der Volkszählung 1970 sozialräumlich bestimmt und ausgewählt. Als einen wesentlichen Mangel der an *Shevky/Bell* anknüpfenden sozialräumlichen Forschungen können wir die Größe der sozialräumlich zu klassifizierenden Gebietseinheiten (in der Regel statistische und Zählbezirke) ansehen, die sich derart auswirkt, daß kleinräumige Differenzen ignoriert werden und eine relativ grobmaschige Klassifizierung eines Stadtgebietes in urbane Subräume erfolgt, deren Grenzen überdies stets den Grenzverläufen von Verwaltungsbezirken entsprechen, die jedoch ihrerseits nicht unbedingt als sozialräumliche Grenzen festgelegt worden sind. *Friedrichs* (1977, 210) sieht das Problem der Klassifikation städtischer Teilgebiete durch die Sozialraumanalyse, die (angeleitet von einer Theorie des sozialen Wandels und der Stadtentwicklung) urbane Verwaltungseinheiten klassifiziert, aufgrund der Nichtberücksichtigung heterogener kleinräumiger Strukturen innerhalb solcher Einheiten als nicht gelöst an.

Gerade unter unserem Bezugsproblem der Indizierung von Quartieren als sozialökologische Umfelder von Familien mit Kindern im Vorschulalter erscheinen solche heterogenen Strukturen innerhalb städtischer Verwaltungseinheiten jedoch höchst bedeutsam, so daß für unsere Zwecke die sozialräumliche Identifikation von Quartieren zunächst auf möglichst kleinräumige Gebietseinheiten (Blöcke oder Blockseiten) zurückgreifen muß, um z. B. sozialräumliche Grenzen zu bestimmen, die quer zu bestehenden amtlichen Bezirkseinteilungen liegen (vgl. dazu auch *Herlth et al.* 1976, *Bargel et al.* 1977; zur kleinräumigen Segregation *Vaskovics* 1976).

Wenngleich eine Vielzahl von Sozialraumanalysen (siehe dazu die Übersicht bei *Friedrichs* 1977) bestätigt hat, daß urbane Subareale in unterschiedlichen Städten nach den von *Shevky/Bell* identifizierten Faktoren: sozialer Rang, Urbanisierung, Segregation (vgl. *Shevky/Bell* 1974) sozialräumlich klassifiziert werden können, so erscheint es uns doch angemessener, hier die von *Shevky/Bell* für den Großraum Los Angeles entwickelte Typologie nicht ungeprüft zu übernehmen. Wir haben uns daher für den ersten Schritt zur Bestimmung und Abgrenzung von Quartieren der induktiven Verfahrensweise der Faktorialökologie (vgl. *Rees* 1972) bedient, um dann im Anschluß die faktorialökologisch bestimmten und abgegrenzten Quartiere sozialräumlich zu klassifizieren. Auch diese gemischte, zunächst induktive Arbeitsweise bestätigt die Typologie von *Shevky/Bell* annähernd, wie dies übrigens bei den meisten faktorialökologischen Studien der Fall ist (vgl. dazu *Friedrichs* 1977, 185ff.)[19]. Der Versuch der Bestimmung von Quartie-

19 Die Technik der Faktorialökologie besteht – vereinfacht gesagt – darin, alle über eine Region verfügbaren kleinräumigen Daten unter Anwendung von Faktorenanalysen auf latente Strukturen zu untersuchen. Unsere Methode der faktorialökologischen Bestimmung von Quartieren muß hier nicht im einzelnen dargestellt werden (vgl. dazu ausführlich *Kaufmann et al.* 1978, Kap. 3.2.3., *Strohmeier/Schulze* 1977). Daß der (bei *Shevky/Bell* dritte) Faktor „Segregation" nicht extrahiert wurde, ist die Folge des Ausschlusses von Gebieten mit hohen Ausländeranteilen. Pretests unseres Fragebogens mit auslän-

ren über die Aggregation von Blockseitendaten der Volkszählung ergab, daß sozialstrukturell homogene Gebietstypen in der Regel nur kleinräumig bestimmbar sind (vgl. dazu auch die Ergebnisse zur kleinräumigen Segregation von *Vaskovics* 1976). Andererseits mußte jedoch für die Auswahl der Untersuchungspopulation sichergestellt werden, daß innerhalb der Quartierseinheiten für statistische und Vergleichszwecke ausreichend viele Familien mit Kindern im Vorschulalter untersucht werden konnten. Um genügend große Quartiersstichproben ziehen zu können, mußten wir die Untersuchungsquartiere so groß wählen, daß dabei ein gewisses Maß an Heterogenität in Kauf zu nehmen war; dabei wurden jedoch natürliche bzw. quasi-natürliche Grenzen (wie Bahndämme und Industrieanlagen) beachtet.

Die so bestimmten und ausgewählten Quartiere wurden unter Verwendung der kleinräumig verfügbaren Daten der Volkszählung 1970, die jeweils für die Quartiere neu aggregiert wurden, sowie eigener Merkmalsneubildungen (z. T. durch Kombination) hinsichtlich der Merkmalsbereiche

- Altersaufbau,
- Haushaltsstruktur,
- Erwerbstätigkeit,
- Bildung/Bildungsbeteiligung

der Bevölkerung charakterisiert (s. die ausführliche Variablenliste in *Strohmeier/ Schulze* 1977, Anlage 2). Auf der Grundlage dieser Daten wurde sodann eine sozialräumliche Typisierung der Quartiere vorgenommen. Nach einer Faktorenanalyse haben wir den Ausgangsbestand von 31 Quartiersmerkmalen um jene bereinigt, die mit Variablen desselben Merkmalsbereichs (s. o.) hoch (z. T. nahe 0,9) korrelierten und auf demselben Faktor luden. Nach einer weiteren Faktorenanalyse mit dem bereinigten Datensatz ergab sich folgende Variablen- und Faktorenstruktur, wie sie in Tabelle 3 (S. 116) wiedergegeben ist.

Der erste dieser Faktoren erklärt 50,7% der Gesamtvarianz, der zweite 31,5%, der dritte – im wesentlichen gebildet über nur ein Merkmal, den Anteil der erwerbstätigen Frauen – nur noch 10%. Es erschien uns deshalb gerechtfertigt, für die Typisierung nur noch jene Variablen zu berücksichtigen, die hoch auf den beiden ersten Faktoren laden. Aus diesen Variablen waren Indikatoren zu entwikkeln, die einerseits eine möglichst differenzierte Typisierung der Untersuchungsquartiere ermöglichen, andererseits möglichst unabhängig voneinander sein sollten. Zu diesem Zweck wurden die Variablen

dischen Müttern haben ergeben, daß dieses Instrument dort nicht anwendbar war, so daß ausländische Familien und damit auch Gebiete, in denen sie – in den drei Städten in hohem Maße segregiert – leben, aus der Untersuchung ausgeschlossen wurden (vgl. dazu ausführlicher *Forschung im Geschäftsbereich des BMJFG* 1974/1975, Teil 1, 42f.).

Tabelle 3: Varimax-rotierte Faktorladungsmatrix ausgewählter und quartiersweise aggregierter kleinräumiger Daten (Blockseiten) der Volkszählung 1970 für Bielefeld, Münster und Gelsenkirchen (Ladungen, die ihrem Betrag nach kleiner als 0,3 waren, sind fortgelassen worden)

	Faktor 1	Faktor 2	Faktor 3
% unter 5jährige in der Wohnbevölkerung	–	0,95	–
% 20- – unter 40jährige in der Wohnbevölkerung	0,65	0,63	–
% Selbständige unter den Erwerbstätigen	0,72	–0,32	–
% Arbeiter unter den Erwerbstätigen	–0,98	–	–
% Beschäftigte in „übrigen" Wirtschaftsabteilungen unter den Erwerbstätigen	0,94	–	–
% Personen mit Schulabschluß Volksschule an allen Personen mit Schulabschluß	–0,96	–	–
% Personen mit Hochschulabschluß an allen Personen mit Schulabschluß	0,89	0,33	–
% Schüler auf weiterführenden Schulen an allen Schülern über 10 Jahren	0,90	–0,31	–
% kinderreiche Familien an den Mehrpersonenhaushalten	–	0,97	–
% Mehrpersonenhaushalte an allen Haushalten	–0,46	0,86	–
% erwerbstätige Frauen in der Wohnbevölkerung	–	–	0,94
% über 60jährige in der Wohnbevölkerung	–	–0,94	–

– Selbständige unter den Erwerbstätigen
– Beschäftigte in „übrigen" Wirtschaftsabteilungen unter den Erwerbstätigen
– Personen mit Hochschulabschluß an allen Personen mit Schulabschluß
– Schüler auf weiterführenden Schulen an allen Schülern über 10 Jahre
und
– unter 5jährige in der Wohnbevölkerung
– 20- bis unter 40jährige in der Wohnbevölkerung
– Mehrpersonenhaushalte an allen Haushalten
– kinderreiche Familien an den Mehrpersonenhaushalten
wie folgt recodiert:

0 bis Mittelwert minus 1 Standardabweichung	= 0 Punkte
Mittelwert minus 1 Standardabweichung bis Mittelwert plus 1 Standardabweichung	= 1 Punkt
mehr als Mittelwert plus 1 Standardabweichung	= 2 Punkte

Abbildung 1: Untersuchungsquartiere nach sozioökonomischem Status und Familienstatus

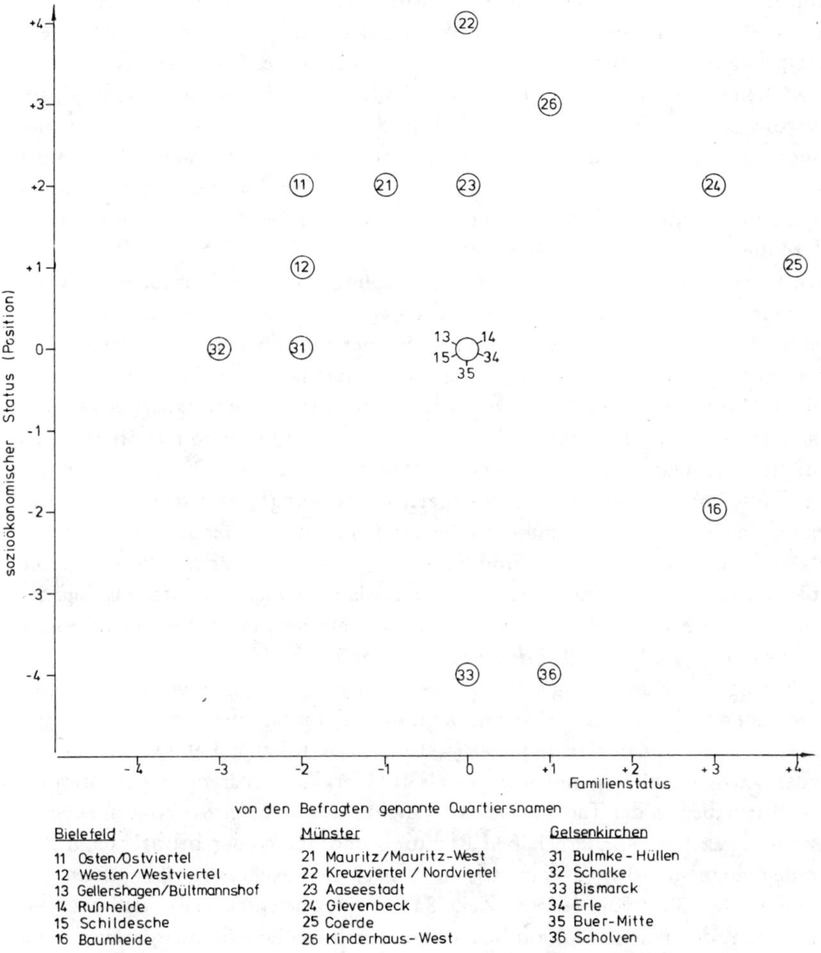

Auf diese Weise wurden die Indizes: *sozioökonomischer Status* und *Familienstatus* (des Quartiers) durch Addition der Punktwerte des ersten bzw. zweiten Viererblocks gebildet.
Beide Indizes stellen unabhängige Dimensionen zur Charakterisierung der Untersuchungsquartiere dar (r = –0,08).

Die Untersuchungsquartiere lassen sich mithin als Punkte innerhalb eines durch beide Dimensionen aufgespannten Achsenkreuzes darstellen (vgl. Abb. 1, S. 117). Beide Indizes haben ein arithmetisches Mittel von (gerundet) 4. Durch diesen Wert wurde der Nullpunkt für beide Skalen gelegt (d. h. die Skalen wurden zentriert), daraus ergibt sich für jeden Index ein Wertebereich von –4 bis +4.
Wir wollen im folgenden jene Merkmale von Quartieren bestimmen, die sie als sozialökologische Umfelder hinsichtlich ihres Ressourcenangebots für die dort lebenden Familien charakterisieren und die durch ihre sozialräumliche Zuordnung indiziert sind. Wir unterziehen damit unsere beiden sozialräumlichen Indikatoren einem Gütetest im Hinblick auf ihre Brauchbarkeit für den Zweck der Indizierung differentieller sozialökologischer Umfelder.
Dazu haben wir individuell in unserer Befragung erhobene Variablen der wirtschaftlichen Lage, des sozialen Status der Familien, ihrer Integration in soziale Netzwerke, von Strukturbedingungen familialer Sozialisation, der Inanspruchnahme öffentlicher Sozialleistungen und Merkmale familialer Lernumwelten jeweils zu Durchschnittswerten bzw. Anteilswerten für unsere 18 Quartierspopulationen aggregiert. Als Merkmal der Ausstattung der Quartiere mit öffentlichen Einrichtungen wurde die Anzahl der Kindergartenplätze auf 100 Kinder genommen. Diese (mit Ausnahme der Kindergartenversorgung) „konstruierten" Variablen haben wir auf ihre Zusammenhänge mit den „analytischen Kontextmerkmalen" sozioökonomischer Status und Familienstatus des Quartiers überprüft. Die statistischen Zusammenhänge repräsentieren damit *kollektive* oder *ökologische Hypothesen*. Sie machen Aussagen über Eigenschaften von Gebieten, nicht jedoch über einzelne Familien (vgl. *Friedrichs* 1977, 350ff.).
Für die folgende Darstellung sind nur Beziehungen genommen worden, die mindestens auf dem Niveau von 5% signifikant sind. Diese Signifikanz erscheint angesichts der geringen Zahl von 18 Fällen (= Quartieren) akzeptabel. Darüber hinaus werden Zusammenhänge mit weniger als 10% erklärter Varianz nicht interpretiert. Wir haben in der Tabelle 4 (S. 120) nicht die einfachen Korrelationskoeffizienten angegeben, sondern haben Richtung und Stärke der beobachteten Zusammenhänge mit den (asymmetrischen) partiellen Regressionsgewichten bezeichnet. Der Wert von + .59 in Zeile 8a bedeutet beispielsweise, daß bei zwei Quartieren, deren sozioökonomischer Status sich um eine Standardabweichung unterscheidet, die Differenzen der durchschnittlichen Anzahl der Kinderbücher 0.59 Standardabweichungen betragen, wobei der Einfluß des Familienstatus konstant gehalten wird. Ein Wert von 1 würde bedeuten, daß die abhängige Variable durch die erklärende Variable (unter Konstanthaltung des Einflusses der anderen erklärenden Variablen) vollständig deteminiert ist.
Die in der Tabelle 4 dargestellten Beziehungen bestätigen zunächst einmal, daß es uns gelungen ist, mit unseren sozialräumlichen Indikatoren unterschiedlich struk-

turierte Quartiersumwelten von Familien zu bestimmen. Die ersten beiden Zeilenblöcke (wirtschaftliche Lage, sozialer Status der Familie) belegen, daß der für die Gesamtbevölkerung durch den sozioökonomischen Status des Quartiers ermittelte Grad der räumlichen Segregation unterschiedlicher sozialer Schichten in der gleichen Weise für Familien mit Kindern im Vorschulalter angenommen werden kann.

Unter Berücksichtigung von Richtung und Stärke der in der Tabelle angegebenen Koeffizienten können wir nunmehr jeweils in Abhängigkeit vom sozioökonomischen Status und vom Familienstatus Quartiere als sozialökologische Umfelder quasi idealtypisch charakterisieren[20]. In *Quartieren mit hohem sozioökonomischen Status* dominieren Familien der oberen sozialen Schichten in guter wirtschaftlicher Lage, mit guter Wohnraumversorgung. Das allgemeine Niveau der familialen Handlungsfähigkeit, bezogen auf die Partizipation an ihrem sozialökologischen Umfeld, ist relativ hoch. Auf der anderen Seite sind die im Quartier gegebenen Möglichkeiten der Aktualisierung von Ressourcen (soweit sie die Möglichkeit zur Inanspruchnahme des Kindergartens (Zeile 5) und die Partizipation an sozialen Netzwerken betreffen) relativ gering. Wir haben an anderer Stelle (*Strohmeier/Schulze* 1977) gezeigt, daß die hohen Inanspruchnahmequoten von Kindergarten und Elternbildung in solchen Quartieren z. T. das Ergebnis der selektiven Inanspruchnahme dieser Einrichtungen außerhalb des Quartiers sind. Auch Beziehungen im Rahmen sozialer Netzwerke richten sich eher nach außen als ins Quartier. Die durchschnittlichen Ausprägungen der Variablen der familialen Lernumwelt sind durchweg positiv. Wir können annehmen, daß in Quartieren mit hohem sozioökonomischen Status Bedingungen und Merkmale der Erziehungsfähigkeit von Familien durchschnittlich gut sind, daß sozialisationsrelevante Ressourcen überwiegend nicht im Quartier, sondern außerhalb aktualisiert werden.

Charakterisieren wir kontrastierend dazu *Quartiere mit niedrigem sozioökonomischen Status*, so ergibt sich ein Bild dessen, was landläufig als Unterschichtmilieu bezeichnet wird: Wirtschaftliche Lage und sozialer Status der Population als Merkmale ihrer Handlungsfähigkeit haben niedrige Ausprägungen. Die Wohnungsversorgung ist tendenziell schlecht. Kindergarten und Elternbildung werden in geringem Maße in Anspruch genommen (wenn, dann im Quartier, s. *Strohmeier/Schulze* 1977). Die Integration in örtliche, und hier insbesondere verwandtschaftliche soziale Netzwerke im Quartier ist hoch. Die familialen Lernumwelten von Kindern sind dagegen tendenziell defizitär. Wir finden also in Quartieren mit geringem sozioökonomischen Status zwar erhebliche Ressourcen-

20 Dies, indem wir die durch die Koeffizienten ausgedrückten Je-Desto-Beziehungen in der Richtung ihres Vorzeichens als „Wenn-Dann-Relationen" interpretieren.

Tabelle 4: Zusammenhänge zwischen den sozialräumlichen Indikatoren sozioökonomischer Status und Familienstatus des Quartiers und quartierweise aggregierten Kontextvariablen

aggregierte Kontextmerkmale	sozialräumliche Indikatoren: sozioökonomischer Status des Quartiers (A)		Familienstatus des Quartiers (B)	
	β^*	durch A erklärte Varianz	β^*	durch B erklärte Varianz
1. wirtschaftliche Lage				
a) durchschnittliches (ds.) *Prokopfeinkommen*	+.79	62%	ns	–
b) ds. mtl. Aufwendungen für Wohnung *(Miete)*	+.76	57%	+.55	31%
c) % *Wohngeldbezieher*	ns**	–	+.65	43%
d) % *Haus- und Grundeigner*	+.62	38%	+.30	9%
2. sozialer Status der Familie				
a) ds. *Bildungsstand* der *Mütter*	+.86	74%	+.29	8%
b) ds. *Bildungsstand* der *Ehemänner*	+.85	73%	+.28	8%
c) ds. *Berufsstatus* der *Ehemänner*	+.86	74%	+.21	5%
3. familiale Struktur				
a) ds. *Kinderzahl* pro Familie	–.30	9%	+.45	20%
b) ds. *Alter der Kinder*	–.58	33%	ns	–
c) ds. *Ehedauer*	–.53	28%	ns	–
4. Wohnsituation				
a) ds. *Wohnfläche pro Person*	+.74	55%	ns	–
b) % Zielkinder mit *eigenem Zimmer*	+.78	61%	+.23	5%
c) ds. *Alter der Wohnhäuser*	ns	–	–.61	38%
5. Ausstattung mit *Kindergartenplätzen* (1976; Plätze auf 100 Kinder im Alter von 3–6 Jahren)	–.30	9%	ns	–
6. Inanspruchnahme öffentlicher Einrichtungen				
a) % Zielkinder im *Kindergarten*	+.65	42%	–.29	9%
b) % Eltern, die *Elternbildung* in Anspruch nehmen	+.74	55%	+.35	12%
7. Integration in soziale Netzwerke				
a) ds. Anzahl der im Monat zu Besuch kommenden *Verwandten aus dem Viertel*	–.77	59%	–.46	21%

aggregierte Kontextmerkmale	sozialräumliche Indikatoren sozioökonomischer Status des Quartiers (A)		Familienstatus des Quartiers (B)	
	β*	durch A erklärte Varianz	β*	durch B erklärte Varianz
b) ds. Anzahl der im Monat zu Besuch kommenden *Verwandten von außerhalb*	−.38	15%	ns	–
c) ds. Anzahl der im Monat zu Besuch kommenden *Bekannten und Freunde aus dem Viertel*	ns	–	ns	–
d) ds. Anzahl der im Monat zu Besuch kommenden *Bekannten und Freunde von außerhalb*	+.79	62%	+.26	7%
e) ds. Häufigkeit des Besuchs durch *Nachbarn*	ns	–	+.40	16%
f) ds. Anzahl der mtl. *Besucher aus dem Viertel*	−.59	34%	−.23	5%
g) ds. Anzahl der mtl. *Besucher von außerhalb*	+.42	18%	+.25	6%
h) % Familien, die *Freunde und Bekannte überwiegend im Viertel* besuchen	−.71	50%	ns	–
i) % Familien, die *Verwandte überwiegend im Viertel* besuchen	−.81	66%	−.39	15%
8. familiale Lernumwelt				
a) räumlich-dinghafte Dimension:				
1. ds. Anzahl *Kinderbücher*	+.59	35%	ns	–
2. ds. Anzahl *Spielsachen*	+.62	39%	+.26	7%
b) zeitliche Dimension: ds. Häufigkeit, mit der *Mütter vorlesen*	+.51	26%	ns	–
c) soziale Dimension: ds. Häufigkeit der Anwesenheit von *Spielkameraden*	+.53	28%	+.66	43%
d) Aktivitätsdimension: ds. Punktwert der elterlichen *Restriktivität*	−.48	23%	−.38	14%
e) Elternkompetenz: % Mütter, die *pädagogische Lektüre* lesen	+.78	61%	+.41	17%

* standardisierte partielle Regressionsgewichte
** nicht auf 5% Niveau signifikant

angebote im Rahmen integrierter sozialer Netzwerke (vgl. ausführlich *Kaufmann et al.* 1978, wo insbesondere das im Rahmen solcher Quartiere in beachtlichem Umfang aktualisierbare Potential direkter Hilfeleistung dargestellt ist). Kulturelle Ressourcen des Elternverhaltens sind jedoch über solche verwandtschaftlichen und territorialen Netzwerke nicht in einer Weise aktualisierbar, die für die Entwicklung von Kindern förderliche familiale Lernumwelten nach sich zöge. Solche Netzwerke schließen in Quartieren mit geringem sozioökonomischen Status überwiegend Familien geringerer Handlungs- und Erziehungskompetenz ein.

Der *Familienstatus* ist ein Maß für demographische Monostrukturierung von Quartieren. Wenn wir Familienstatus operational als Anteil junger Erwachsener mit Kindern im Vorschulalter und kinderreicher Familien fassen, so ergeben sich in Quartieren, wo dieser Anteil hoch ist, deutliche Begleitphänomene, die sie als sozialökologische Umfelder charakterisieren: So ist bei *hohem Familienstatus* das allgemeine Mietniveau hoch, offenbar zu hoch, wie die hohe Wohngeldinanspruchnahmequote signalisiert. Die überwiegend kinderreichen Familien wohnen in überwiegend neuen Häusern. Der Kindergarten wird in geringem Maße genutzt. Die Integration des Quartiers durch soziale Netzwerke ist durchweg gering. Regelmäßige Kontakte bestehen vor allem mit unmittelbaren Wohnungsnachbarn. Ansonsten sind die Familien relativ isoliert. Die familialen Lernumwelten können nur in der sozialen Dimension als für Kinder förderlich angesehen werden. Hier wirkt sich offenbar das quantitativ hohe Angebot an altersgleichen Spielkameraden in solchen Quartieren aus. Quartiere mit hohem Familienstatus sind *überwiegend Neubaugebiete in städtischen Randlagen*. Ihr Angebot an sozialisationsrelevanten Ressourcen im Rahmen sozialer Netzwerke und aufgrund ihrer infrastrukturellen Versorgung ist relativ gering. Gerade für die Integration ihrer Bevölkerung in soziale Netzwerke lassen sich hier negative Korrelate einer allzu einseitigen demographischen Struktur der Bevölkerung feststellen.

7. Sozioökonomischer Status von Quartieren und sprachliche Förderung von Kindern in Familien der Unter- und Mittelschicht

Die in der Tabelle 4 dargestellten Zusammenhänge bestätigen die Hypothese der sozialräumlichen Variation quartierstypischer Formen des Verhaltens (*Shevky/Bell* 1974, 135), insbesondere die Indikatorqualität des sozioökonomischen Status des Quartiers (im folgenden der Kürze halber „Position" genannt), ist beachtlich! Trotz tendenziell sinkenden Angebots erhöht sich mit steigendem sozioökonomischen Status des Quartiers der Anteil der Kinder, die in den Kindergarten gehen. Mit steigender Position des Quartiers verringert sich das Ausmaß der Integration der Familien in lokale und/oder verwandtschaftliche Netzwerke, zugleich erhöhen sich die für die unterschiedlichen Dimensionen familialer Lernumwelten ermittelten Merkmalsniveaus.

Bezüglich unserer beiden Arbeitshypothesen über die sprachliche Förderung läßt sich sagen (Tab. 4, Zeilen 8a, b), daß mit steigender Position des Quartiers sowohl ein Anstieg der durchschnittlichen Zahl der Kinderbücher pro Familie als auch der durchschnittlichen Vorlesehäufigkeit einhergeht. Mit dem Familienstatus des Quartiers ergeben sich hier keine signifikanten Zusammenhänge.

Tabelle 5 zeigt, daß die mit Daten der amtlichen Statistik vorgenommene sozialstrukturelle Klassifikation der Gesamtbevölkerung der Quartiere ihre Entsprechung in der sozialen Schichtung der dort von uns untersuchten Familien findet. Mit steigender Position des Quartiers steigen die Mittelschichtanteile von 8 auf 61% der Befragten.

Tabelle 5: Soziale Schichtung der Untersuchungspopulation nach dem sozioökonomischen Status („Position") der Quariere

„Position" der Quartiere	*Unterschicht*	*Mittelschicht*	*Anzahl der Quartiere*
–4	92	8	2
–2	78	22	1
0	68	32	7
+1	51	49	2
+2	46	54	4
+3	49	51	1
+4	39	61	1
insgesamt	62	38	18

Der positive Zusammenhang zwischen den für die Quartiere ermittelten Niveaus der sprachlichen Förderung und ihrer Position ist z. T. natürlich die Folge der mit steigender Position nahezu linear abnehmenden Unterschichtanteile. Hier wirkt sich das vorn für die Unterschicht generell festgestellte niedrige Niveau der sprachlichen Förderung in gewissem Umfang bei der Durchschnittsbildung aus. Die vorn für die Städtepopulationen angestellte Regionalisierung unserer beiden Arbeitshypothesen hat jedoch ergeben, daß offenbar sowohl das Niveau als auch das Ausmaß der Unterschiedlichkeit sprachlicher Förderung in der Unter- und Mittelschicht von der Sozialstruktur von Gebieten, d. h. von Art und Ausmaß ihrer sozialstrukturellen Homogenität bzw. Heterogenität abhängen.

Der Wertebereich der Variablen ,,sozioökonomischer Status (Position) des Quartiers" umfaßt ganzzahlige Werte von 0 bis 8. Zentrieren wir diese Verteilung, so erhalten wir eine Skala von –4 bis +4 mit dem Mittelwert 0. Ein Quartier mit der Position –4 können wir operational als relativ homogenes Unterschichtquartier bezeichnen, eines mit der Position +4 als relativ homogenes Mittelschichtquartier. Ein Positionswert von genau 0 bezeichnet dementsprechend ein heterogenes, sozialstrukturell gemischtes Quartier.

Ausgehend von den für die Städte gewonnenen Ergebnissen können wir vermuten, daß abweichend von der durchschnittlich für die Schichten ermittelten Verteilung *in tendenziell homogenen Unterschichtquartieren (niedrige Position) die Werte der sprachlichen Förderung für die Mittelschicht niedriger, in heterogenen, gemischten Quartieren die Werte für die Unterschicht höher sind und daß in tendenziell homogenen Mittelschichtquartieren (mit hoher Position) die Werte für die Mittelschicht hoch, für die Unterschicht extrem gering und die Differenz zwischen beiden am größten sein werden.*

Mit den achtzehn Untersuchungsquartieren haben wir gegenüber dem eher impressionalen Vergleich der drei Städte eine Datenbasis, von der her wir prüfen können, ob diese Annahmen sich als systematische Trends erweisen, mit dem sozialräumlichen Indikator ,,sozioökonomischer Status des Quartiers" ein Maß für die Beschaffenheit der örtlichen Sozialstruktur, das auf der Grundlage von Daten für die Gesamtbevölkerung (und nicht nur für unsere Untersuchungsstichprobe) gewonnen wurde[21].

Abbildung 2a (S. 125) stellt die durchschnittlichen Häufigkeiten dar, mit denen Kindern zu Hause vorgelesen wird, jeweils für die Unter- und Mittelschichtfamilien in Abhängigkeit vom sozioökonomischen Status (Position) des Quartiers, in dem die Familien leben.

In der Tat bestätigen die Daten, daß unsere Annahmen über die Abhängigkeit des Zusammenhangs von Schichtzugehörigkeit (oder sozialem Status) der Familie und

21 Wenngleich infolge mangelnder Aktualität des Datenbestandes der Volkszählung 1970 ein Quartier aus den anschließenden differenzierten Analysen herausgenommen werden mußte. Hier ergab sich eine gravierende Veränderung gegenüber dem Erhebungszeitraum/Volkszählung 1970: Es handelt sich um das Untersuchungsquartier 2.6., Münster-Kinderhaus-West. Für dieses Quartier kann die mit den Daten der VZ 1970 vorgenommene Positionsbestimmung als inzwischen ungültig angesehen werden; es hat dort zwischenzeitlich eine neubaubedingte Überlagerung der ursprünglichen Bevölkerung stattgefunden. Gegenüber durchschnittlich 22,6 % leben in Kinderhaus-West 85,2 % der Befragten in nach 1970 gebauten Häusern! Nach Auskunft des Jugendamtes ist dieses Neubaugebiet ein Problemgebiet. Es ist daher mit dem hohen Indexwert nicht mehr zutreffend charakterisiert. Wir werden in den folgenden Auswertungen die Merkmalswerte der abhängigen Variablen für dieses Quartier nicht berücksichtigen.

Abbildung 2a: Durchschnittliche Häufigkeit des Vorlesens in Unter- und Mittelschichtfamilien nach dem sozioökonomischen Status (Position) des Quartiers[22]

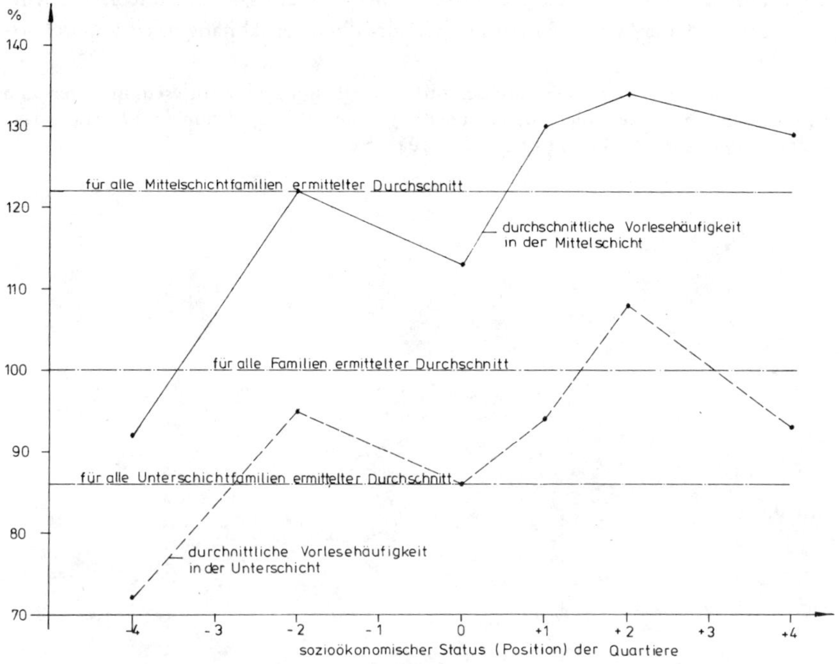

sprachlicher Förderung von Vorschulkindern von der Art und dem Grad der Homogenität der Sozialstruktur ihrer Quartiere zutreffen.

In Quartieren niedriger Position liegen die Mittelschichtwerte unter dem Durchschnitt für die Mittelschicht insgesamt und unter der für alle Familien bestimmten durchschnittlichen Häufigkeit des Vorlesens. Auch der Wert für die Unterschicht ist dort extrem niedrig, in Position –4 finden wir auch die geringste Differenz zwischen Unterschicht und Mittelschicht.

Überdurchschnittliche Vorlesehäufigkeiten in der Unterschicht ergeben sich erwartungsgemäß für die relativ schichtheterogenen Quartierstypen (–2 bis +2). Das Niveau der über Vorlesen gemessenen sprachlichen Förderung reduziert sich in der Unterschicht wiederum bei gleichzeitiger Vergrößerung der Differenz zur

22 Die für die einzelnen Quartierspositionen ermittelten Meßpunkte sind miteinander zu Kurven verbunden worden, um (hypothetische) Trends in ihren Verteilungen zu verdeutlichen.

Unterschicht in Quartieren mit hoher Position, also relativ homogenen Mittelschichtquartieren.
Abbildung 2b verdeutlicht die unterschiedlichen Häufigkeiten, mit denen Kindern verschiedener Schichten vorgelesen wird, in ihrer Abhängigkeit von der so-

Abbildung 2b: Differenzen der durchschnittlichen Häufigkeit des Vorlesens in Unter- und Mittelschicht und Unterschichtanteile in der Untersuchungspopulation der Quartiere nach sozioökonomischem Status (Position) der Quartiere

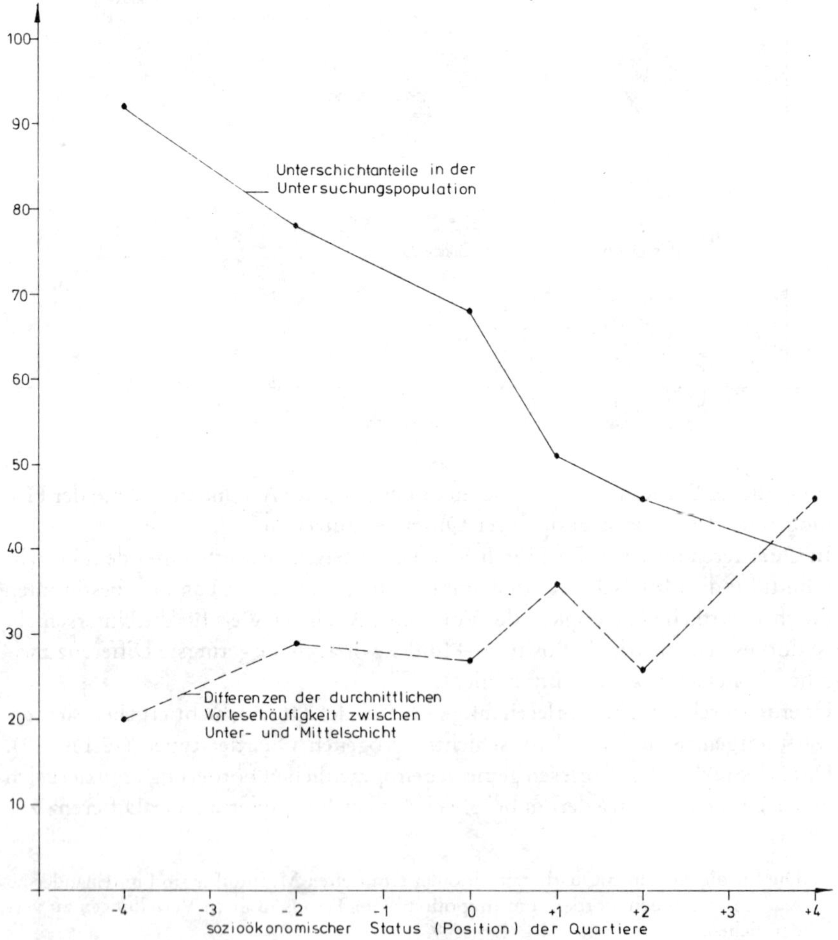

zialen Struktur ihrer Quartiersumwelt. Die untere (gestrichelte) Kurve stellt die mit steigender Position der Quartiere in der Tendenz zunehmenden Differenzen der Mittelwerte von Unterschicht und Mittelschicht dar. Die obere (durchgezogene) Kurve enthält die Unterschichtanteile der Untersuchungspopulation in Quar-

Abbildung 3a: Durchschnittliche Anzahl der Kinderbücher in Unter- und Mittelschichtfamilien nach dem sozioökonomischen Status (Position) der Quartiere

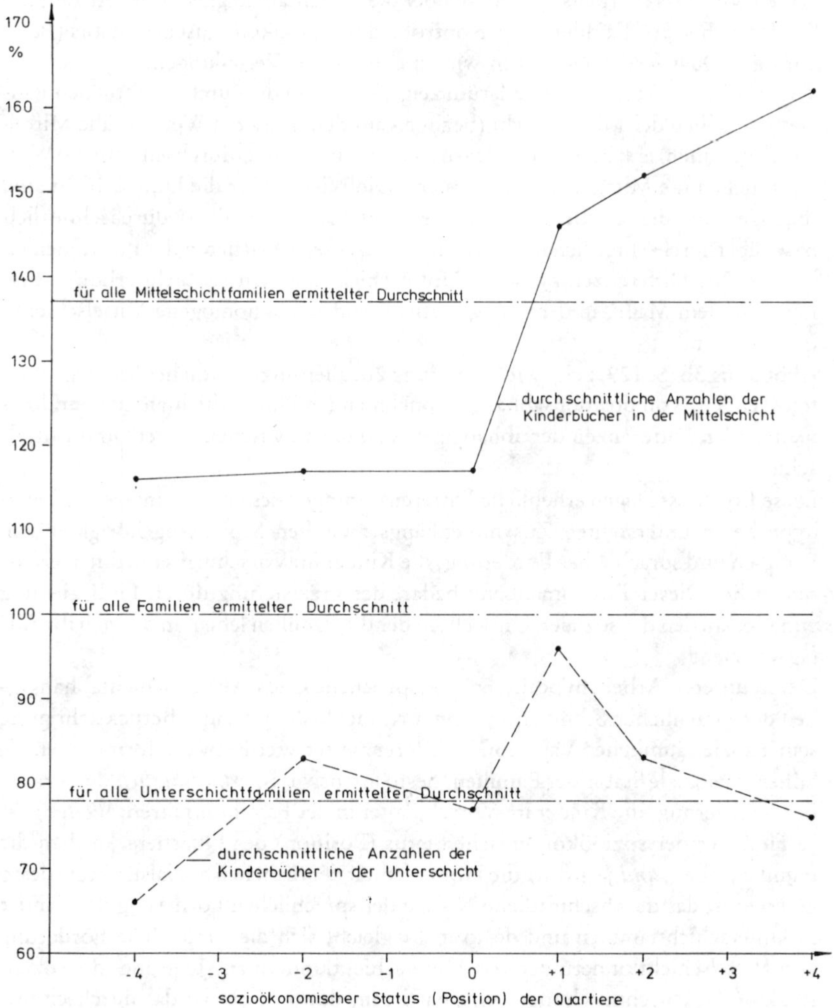

tieren mit unterschiedlicher Position. Wir sehen, daß dem (fast) linearen Absinken der Unterschichtanteile ein schwacher Anstieg der Differenzen der Häufigkeiten entspricht, mit denen Unterschicht- bzw. Mittelschichtkindern vorgelesen wird. Die niedrigste Differenz zwischen Unter- und Mittelschicht finden wir dabei in der niedrigsten Quartiersposition (also in homogenen Unterschichtsquartieren), die größte in der obersten Kategorie bei deutlicher Dominanz von Mittelschichtfamilien.

Prüfen wir unsere Arbeitshypothese über die Schichtabhängigkeit der Anzahl der Kinderbücher pro Familie unter Kontrolle des sozioökonomischen Status (Position) der Quartiere, so gelangen wir zu extremeren Verteilungen.

Wie Abbildung 3a (S. 127) wiederum zeigt, erreichen die durchschnittlichen Kinderbuchzahlen der Mittelschicht (bezogen auf den mittleren Wert für alle Mittelschichtfamilien) erst in solchen Quartieren signifikant überdurchschnittliche Werte, in denen die Mittelschicht dominiert. Die Niveaus für die Unterschicht sind (bezogen auf den mittleren Wert aller Unterschichtfamilien) durchschnittlich bzw. überdurchschnittlich in den relativ gemischten Quartieren der Positionen –2 bis +2. Die Differenzen zwischen Unterschicht und Mittelschicht erhöhen sich rapide in dem Maße, in dem die Quartiere tendenziell homogene Mittelschichtquartiere sind.

Abbildung 3b (S. 129) zeigt wie Abbildung 2b, allerdings deutlicher, die gegenläufige Tendenz von positionsabhängig abnehmenden Unterschichtanteilen und zunehmenden Differenzen der abhängigen Variablen zwischen Unter- und Mittelschicht.

Diese Ergebnisse legen erhebliche Differenzierungen des vorn in unseren Arbeitshypothesen unterstellten Zusammenhangs zwischen Schichtzugehörigkeit von Familien und sprachlicher Förderung, die Kinder im Vorschulalter in ihnen erfahren, nahe. Dieser Zusammenhang bedarf der Präzisierung durch Einbeziehung von Merkmalen der sozialen Umwelt, in der die Familien leben, in der sich ihr Alltag vollzieht.

Der in unseren Arbeitshypothesen angesprochene Gedanke der Schichtabhängigkeit der sprachlichen Stimulation kleiner Kinder ließe sich unter Berücksichtigung seiner sozialräumlichen Variation in differenzierter Weise etwa so formulieren: Je höher der soziale Status der Familien, desto intensiver ist *grundsätzlich* die sprachliche Förderung, die Kinder im Vorschulalter in der Familie erfahren. *Weiter gilt:* Je niedriger der sozioökonomische Status (Position) des Quartiers, in dem die Familien leben, *und* je größer die Homogenität der örtlichen Sozialstruktur, desto geringer ist das durchschnittliche Niveau der sprachlichen Förderung der Kinder in Unterschichtfamilien und desto mehr gleicht sich die sprachliche Förderung von Mittelschichtkindern der von Unterschichtkindern an. Je größer die sozialstrukturelle Durchmischung von Quartieren, desto besser ist das durchschnitt-

Abbildung 3b: Differenzen der durchschnittlichen Anzahl der Kinderbücher zwischen Unterschicht und Mittelschicht und Unterschichtanteile in der Untersuchungspopulation der Quartiere nach dem sozioökonomischen Status (Position) der Quartiere

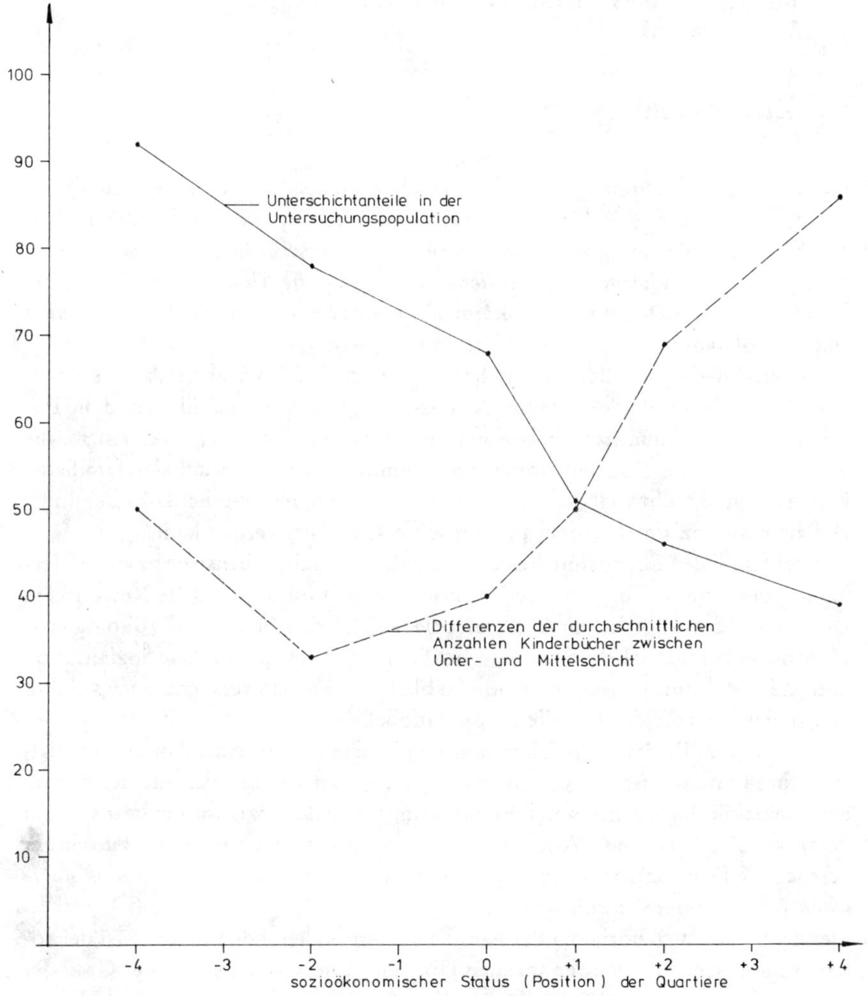

liche Niveau der sprachlichen Förderung von Vorschulkindern in Unterschichtfamilien, desto geringer die Differenz zur Mittelschicht. Je höher der sozioökonomische Status von Quartieren und je größer die sozialstrukturelle Homogenität ihrer Bevölkerung, desto größer ist das durchschnittliche Maß der sprachlichen Förderung, die Vorschulkinder in Mittelschichtfamilien erfahren, desto geringer ist das durchschnittliche Niveau der sprachlichen Förderung in der Unterschicht, d. h. desto größer die Differenz zwischen beiden Schichten.

8. Zusammenfassung

Wir sehen also, daß abhängig von der sozialräumlichen Beschaffenheit von Quartieren, die in unseren beiden Arbeitshypothesen behauptete Schichtabhängigkeit der sprachlichen Stimulation kleiner Kinder in unterschiedlicher Weise bestätigt wird: *Ausmaß und Form der sprachlichen Anregung, die Kinder in der Familie erfahren, erklären sich aus dem Zusammenwirken von sozialem Status der Familie und sozioökonomischen Status (Position) ihres Wohngebiets.*

„Erklären" meint hier allerdings nicht mehr als das Faktum nachweisbarer statistischer Kovariation. Beide Variablen, den sozialen Status von Familien und die Position ihres Wohnquartiers, haben wir zuvor als Indikatoren charakterisiert, die jeweils spezifische Konstellationen und Bedingungsfaktoren auf der familialen Ebene und in der Umwelt der Familie anzeigen, mit denen elterliches Erziehungsverhalten als soziales Handeln theoretisch erst erklärt werden kann.

Auf der familialen Ebene sind dies vor allem die familiale Lebenslage bzw. die Verfügung der Familie über kulturelle, ökonomische und ökologische Ressourcen. Die angestellten empirischen Analysen belegen, daß diese letztere, die ökologische Dimension familialer Lebenslagen, erheblichen Einfluß auf familiale Sozialisation hat, daß dieser Einfluß jedoch verborgen bleibt, wenn man versucht, auch sie über den sozialen Status der Familie zu operationalisieren.

Hierin liegt u. E. das analytische und empirische Defizit einer einseitig sozialstrukturell orientierten Sozialisationsforschung. Der von uns dargestellte Ansatz einer sozialökologisch geleiteten Erforschung familialer Sozialisation beansprucht demgegenüber nicht, eine Alternative zum sozialstrukturellen Ansatz zu sein, er versucht jedoch *sozialstrukturelle Bedingungsvariablen in einen sozialökologischen Bezugsrahmen zu integrieren.*

Der der Schichtzugehörigkeit der Familie korrespondierende Indikator ist der sozioökonomische Status ihrer sozialen Umwelt, d. h. die Art sowie der Grad der Homogenität der sie umgebenden örtlichen Sozialstruktur. Position und Homogenität von Quartieren sind gleichfalls nicht schon aus sich heraus verhaltenserklärende Variablen. Sie indizieren vielmehr (wie wir in Abschnitt 6 haben zeigen können) in ihrem Angebot an sozialen Ressourcen unterschiedliche sozialökologische Umfelder und typische Formen des Umgangs von Familien mit ihrer sozialen

und räumlichen Umwelt. Die Art des sozialen Raums, in dem eine Familie lebt, stellt damit ein Indiz für jene objektiven Faktoren in ihrer Umwelt dar, vor deren Hintergrund eine durch den sozialen Status indizierte Handlungsfähigkeit zur Verfügung über sozialisationsrelevante Ressourcen führt.
Die sozialräumliche Variation von Merkmalen familialer Sozialisation bei Familien gleicher Schichtzugehörigkeit belegt, daß die Art und Weise, in der Bedingungen der sozialen Umwelt der Familie ihren Alltag unterschiedlich beeinflussen, Auswirkungen hat auf die binnenfamiliale Interaktion von Eltern und Kindern. Die Liste der Variablen, mit denen wir im Rahmen dieses Beitrags (Tabelle 4) Quartiere als unterschiedliche alltägliche Handlungs- und Erfahrungskontexte charakterisiert haben, kann in keiner Weise Vollständigkeit beanspruchen. So sind z. B. Merkmale der gebauten Umwelt darin nicht enthalten[23]. Desgleichen sind auf der familialen Ebene eine Vielzahl weiterer Variablen zu berücksichtigen, um zu einer theoretisch befriedigenden Rekonstruktion der Umweltabhängigkeit familialen Sozialisationsgeschehens zu gelangen. Zu nennen wären hier die Integration der Familien in soziale Netzwerke, das Ausmaß, in dem sie öffentliche Einrichtungen (am Ort) in Anspruch nehmen, Auswirkungen der Erwerbstätigkeit der Eltern u. ä. m.

Literatur

Abrahams, F. F./Sommerkorn, J. M.
1976. Arbeitswelt, Familienstruktur und Sozialisation. In K. Hurrelmann (Hrg.), Sozialisation und Lebenslauf, Reinbek: Rowohlt, 68–89.

Bargel, T./Kuthe, M./Mundt, J. W.
1977. Die Indizierung von Soziotopen als Grundlage der Messung sozialer Disparitäten. Arbeitsbericht 4. Projekt Umwelt, Kind und Elementarbereich. Zentrum für Bildungsforschung. Universität Konstanz.

Bell, W.
1959. Social Areas: Typology of Urban Neighborhoods. In M. B. Sussman (Ed.), Community Structure and Analysis. New York, 61–91.

Bernstein, B.
1959. A Public Language: Some Sociological Implications of a Linguistic Form. British Journal of Sociology, 10, 311–326.

23 Diese und die im folgenden genannten Variablen wurden in ihrer Relevanz für den familialen Alltag und in ihren Auswirkungen auf den Sozialisationsprozeß im Rahmen unseres 1980 abgeschlossenen Projekts über „Umweltbeziehungen und Leistungen der Familie" untersucht.

1960. Language and Social Class. British Journal of Sociology, 11, 271–276.
1961. Social Class and Linguistic Development: a Theory of Social Learning. In A. H. Halsey/J. Floud/C. A. Anderson (Eds.) Education, Economy and Society, New York: The Free Press, 288–314.
1964. Elaborated and Restricted Codes: Their Social Origins and Some Consequences. American Anthropologist, Special Issue, Ethnography of Communication, 55–69.
1967a. Social Class, Language and Learning. In J. de Cecco (Ed.), The Psychology of Language, Thought and Instruction. New York: Holt, 85–103.
1967b. Sprache und Lernen im Sozialprozeß. In A. Flitner/H. Scheuerl (Hrg.), Einführung in pädagogisches Denken. München: Piper, 253–270.

Bernstein, H./Henderson, D.
1969. Social Class Differences in the Relevance of Language to Socialization. Sociology, 3, 1–20.

Bertram, H.
1976. Probleme einer sozialstrukturell orientierten Sozialisationsforschung. Zeitschrift für Soziologie, 5, 103–117

Blood, R. O. jr./Wolfe, D. M.
1960. Husbands and Wives: The Dynamics of Married Living. Glencoe, Ill.: Free Press.

Bott, E.
1971. Family and Social Network. Roles, Norms and External Relationships in Ordinary Urban Families. 2. Aufl., London: Tavistock.

Broderick, C. B.
1971. Beyond the Five Conceptual Frameworks: A Decade of Development in Family Theory. Journal of Marriage and the Family, 139–159.

Bronfenbrenner, U.
1974. Wie wirksam ist kompensatorische Erziehung? Stuttgart: Klett.
1976. Ökologische Sozialisationsforschung. Stuttgart: Klett.

Claessens, D./Menne, F. W.
1973. Zur Dynamik der bürgerlichen Familie und ihrer möglichen Alternativen. In D. Claessens/P. Milhoffer (Hrg.), Familiensoziologie. Frankfurt/M.: Fischer, 313–346.

Dogan, M./Rokkan, S. (Hrg.)
1969. Quantitative Ecological Analysis in the Social Sciences. Cambridge, Mass.: M. J. T. Press.

Forschung im Geschäftsbereich des BMJFG
1976. Jahresbericht 1974/1975 – Teil I. Schriftenreihe des Bundesministers für Jugend, Familie und Gesundheit, Band 49, Berlin: Kohlhammer, 42f.

Friedrichs, J.
1977. Stadtanalyse. Soziale und räumliche Organisation der Gesellschaft, Reinbek: Rowohlt.

Göschel, A./Herlyn, U./Krämer, J./Schardt, T./Wendt, G.
1977. Infrastrukturdisparitäten und Segregation. In F. X. Kaufmann (Hrg.), Bürgernahe Gestaltung der sozialen Umwelt. Probleme und theoretische Perspektiven eines Forschungsverbundes. Meisenheim am Glan: Hain, 112–149.

Greer, S.
1960. The Social Structure and Political Process of Suburbia. American Sociological Review, 25, 514–526.

Heckhausen, H.
1972. Die Interaktion der Sozialisationsvariablen in der Genese des Leistungsmotivs. In C. F. Graumann (Hrg.), Handbuch der Psychologie. 7. Bd., Sozialpsychologie 2. Halbbd., Göttingen: Hogrefe, 955–1019.
Herlth, A./Kaufmann, F. X./Strohmeier, K. P.
1976. Öffentliche Sozialleistungen und familiale Sozialisation. – Zur Analyse der Wirkungen familienpolitischer Maßnahmen. In K. Hurrelmann (Hrg.), Sozialisation und Lebenslauf. Reinbek: Rowohlt, 243–259.
Herlyn, U.
1974. Wohnquartier und soziale Schicht. In U. Herlyn (Hrg.), Stadt- und Sozialstruktur. München: Nymphenburger Verlagshandlung, 16–41.
Hill, R.
1971a. Gegenwärtige Entwicklungen der Familientheorie und ihre konzeptuellen Probleme. In G. Lüschen/E. Lupri (Hrg.), Soziologie der Familie. Opladen: Westdeutscher Verlag, 68–93.
1971b. Modern Systems Theory and the Family: A Confrontation. Social Science Information, 10, 7–26.
Hill, R./Rodgers, R. H.
1964. The Developmental Approach. In T. Harold/H. T. Christensen (Eds.), Handbook of Marriage and the Family. Chicago: McNally, 171–214.

Johnson, H. M.
1970. Strukturell-funktionale Theorie der Familien und Verwandtschaftssysteme. In G. Lüschen/E. Lupri (Hrg.), Soziologie der Familie. Opladen: Westdeutscher Verlag, 32–48.

Kagan, J.
1971. Personality Development. New York: Harcourt.
Kaufmann, F. X./Herlth, A./Schulze, H.-J./Strohmeier, K. P.
1978. Sozialpolitik und familiale Sozialisation. Schlußbericht des Forschungsprojektes ,,Wirkungen öffentlicher Sozialleistungen auf den Sozialisationsprozeß", verv. MS, erscheint demnächst. Bielefeld.
Kirchberger, S.
1975. Kritik der Schichtungs- und Mobilitätsforschung. Frankfurt: Campus.
Kohn, M. C.
1969. Class and Conformity. A Study in Values. Homewood, Ill.: Dorsey.
König, R.
1969. Soziologie der Familie. In R. König (Hrg.), Handbuch der empirischen Sozialforschung, Bd. 2. Stuttgart: Enke, 172–305.
Kriz, J.
1973. Statistik in den Sozialwissenschaften, Reinbek: Rowohlt.

Luhmann, N.
1975. Soziologische Aufklärung 2. Aufsätze zur Theorie der Gesellschaft. Opladen: Westdeutscher Verlag.
Lawton, D.
1963. Social Class Differences in Language Development: A Study of Some Samples on Written Work. Language and Speech, 6, 120–153.
1968. Social Class, Language and Education. London: Routledge.

Lüscher, K./Fisch, R.
1977. Das Sozialisationswissen junger Eltern. Arbeitsbericht 1, Projektbeschreibung. Konstanz.

McIntyre, J.
1966. The Structural-Functional-Approach to Family Study. In F. Nye/F. Berardo (Eds.), Emerging Conceptual Frameworks in Family Analysis. New York: McMillan, 52–77.

McKinley, D. G.
1964. Social Class and Family Life. New York: Free Press.

Neidhardt, F.
1975. Systemtheoretische Analysen zur Sozialisationsfähigkeit der Familie. In F. Neidhardt (Hrg.), Frühkindliche Sozialisation: Theorien und Analysen. Stuttgart: Enke, 162–187.

Oevermann, U.
1966. Soziale Schicht und Begabung. Zeitschrift für Pädagogik, Beiheft 6, 166–186.
1968. Schichtspezifische Formen des Sprachverhaltens und ihr Einfluß auf die kognitiven Prozesse. In H. Roth (Hrg.), Begabung und Lernen. Gutachten und Studien der Bildungskommission des Deutschen Bildungsrates. Stuttgart: Klett, 297–356.
1972. Sprache und soziale Herkunft. Ein Beitrag zur Analyse schichtspezifischer Sozialisationsprozesse und ihrer Bedeutung für den Schulerfolg. Frankfurt: Suhrkamp.

Oevermann, U./Allerst, T./Gripp, H./Kohnau, E./Krembeck, J./Schröder-Cäsar, E./Schütze, Y.
1976a. Beobachtungen zur Struktur der sozialisatorischen Interaktion. In M. R. Lepsius (Hrg.), Zwischenbilanz der Soziologie, Verhandlungen des 17. Deutschen Soziologentages. Stuttgart: Enke, 274–295.

Oevermann, U./Kieper, M./Rothe-Bosse, S./Schmidt, M./Wienskowski, T.
1976b. Die sozialstrukturelle Einbettung von Sozialisationsprozessen: Empirische Ergebnisse zur Ausdifferenzierung des globalen Zusammenhangs von Schichtzugehörigkeit und gemessener Intelligenz sowie Schulerfolg. Zeitschrift für Soziologie, 5, 167–198.

Parsons, T.
1976. Zur Theorie sozialer Systeme. S. Jensen (Hrg.), Opladen: Westdeutscher Verlag.

Parsons, T./Bales, R. F.
1955. Family, Socialization and Interaction Process. New York: The Free Press.

Pfeil, E.
1965. Die Familie im Gefüge der Großstadt. Hamburg: Christians.

Pitts, J. R.
1964. The Structural-Functional Approach. In S. Christensen (Ed.), Handbook of Marriage and the Family. Chicago: McNally, 51–124.

Polk, K.
1957. Juvenile Delinquency and Social Areas. Social Problems, 5, 214–217.

Rees, P. H.
1972. Problems of Classifying Subareas within Cities. In B. J. L. Berry/K. B. Smith (Eds.), City Classification Handbook, Methods and Applications. New York: Wiley, 265–330.

Robson, B. T.
1969. Urban Analysis. Cambridge: University Press.
Rosenbaum, H.
1976. Familie als Gegenstruktur zur Gesellschaft. Stuttgart: Enke.

Schaeffer, E. S.
1972. Parents as Educators: Evidence from Cross-Sectional, Longitudinal and Intervention Research. In U. Bronfenbrenner (Ed.), Influences on Human Development. Hinsdale, Ill.: The Dryden Press, 432–489.
Schrader, A.
1971. Einführung in die empirische Sozialforschung. Stuttgart: Kohlhammer.
Shevky, E./Bell, W.
1974. Sozialraumanalyse. In P. Atteslander/B. Hamm (Hrg.), Materialien zur Siedlungssoziologie. Köln: Kiepenheuer, 125–139.
Sirjamaki, J.
1964. The Institutional Approach. In H. T. Christensen (Ed.), Handbook of Marriage and the Family. Chicago: McNally, 33–50.
Stolte-Heiskanen, V.
1967. Social Structure, Family Patterns and Interpersonal Influence, Turku: Academie Bookstore Helsinki.
1975. Family Needs and Societal Institutions: Potential Empirical Linkage Mechanisms. Journal of Marriage and the Family, 37, 903–916.
Strohmeier, K. P./Schulze, H.-J.
1977. Wohnquartiere als sozialökologische Umwelten von Familien mit Vorschulkindern, Referat, gehalten auf der 2. Sitzung des Arbeitskreises Sozialökologie und Sozialplanung in Bad Homburg am 5./6.9. 77, verv. MS, Bielefeld.
Sussman, M. B.
1953. The Help Pattern in the Middle Class Family. American Sociogical Review, 18, 22–28.
1959. The Isolated Nuclear Family: Fact or Fiction? Social Problems, 6, 333–340.
Sussman, M. B./Burchinal, L.
1962. Kin Family Network: Unheralded Structure in Current Conceptualizations of Family Functioning. Marriage and Family Living, 24, 231–240.

Tyrell, H.
1976. Probleme einer Theorie der gesellschaftlichen Ausdifferenzierung der privatisierten modernen Kernfamilie. Zeitschrift für Soziologie, 5, 393–417.

Vaskovics, L. A.
1976. Segregierte Armut. Randgruppenbildung in Notunterkünften. Frankfurt: Campus.

Weber, M.
1972. Wirtschaft und Gesellschaft. Grundriß der verstehenden Soziologie. J. Winkelmann (Hrg.), 5. revidierte Aufl., Studienausgabe, Tübingen: Mohr.
Weisser, G.
1959. Distribution (II). In E. Beckerath (Hrg.), Handwörterbuch der Sozialwissenschaften. Bd. 2, Stuttgart: Fischer, 635–654.
1971. Grundsätze der Verteilungspolitik. In B. Külp/W. Schreiber (Hrg.), Soziale Sicherheit. Köln: Kiepenheuer, 110–135.

White, B./Watts, J. C.
1973. Experience and Environment. Major Influences on the Development of the Young Child. Engelwood Cliffs, N. J.: Prentice Hall.
Willmot, P./Young, M.
1960. Family and Class in a London Suburb. London: Routledge.

Young, M./Willmot, P.
1957. Family and Kinship in East London. London: Routledge.

Zapf, K.
1969. Rückständige Viertel. Frankfurt/M.: Campus.

Hauptschüler vor dem Eintritt in die Arbeitswelt

Eine vergleichende sozialökologische Studie aus bayerischen Stadtgebieten

Sibylle Hübner-Funk und Hans-Ulrich Müller

Das nachstehend dargestellte Projekt wird seit Januar 1975 unter dem Titel „Sozialisation und Umwelt. Jugendliche im sozial-ökologischen Kontext" von dem erziehungswissenschaftlichen Schwerpunktprogramm der *Deutschen Forschungsgemeinschaft* finanziert, dessen Leitthema der „Sozialisationsprozeß Jugendlicher unter der Einwirkung bestimmter Lernorte oder einer Mehrzahl von Lernorten" ist. Träger der materiellen Grundausstattung des Projekts und institutionelle Arbeitsbasis des dreiköpfigen Forscherteams ist das *Deutsche Jugendinstitut* e. V. in München.

Nach einer einjährigen Phase theoretischer Vorklärungsarbeit, die zur Präzisierung des empirischen Forschungsdesigns geführt hat, ist 1976 die Feldphase in einem ersten Typ einer kommunalen Umwelt – einer Stadtrand-Neubausiedlung Münchens – begonnen worden. Sie wurde 1977/78 mit Untersuchungen in zwei weiteren städtischen Regionen fortgesetzt. Der hier vorgelegte (im Frühjahr 1977 verfaßte) Bericht versucht, die unvermeidlich noch sehr „vorläufigen" Ergebnisse der empirischen Forschung so zu präsentieren, daß ihre wissenschaftliche Bedeutung und ihr praktisch-politischer Stellenwert im Rahmen der forschungsstrategischen Gesamtkonzeption des Projekts deutlich werden.

1. Wissenssoziologische Reflexion der Projektorientierung

1.1. *Merkmale einer Tendenzwende in der empirischen Sozialforschung*

In Gegenstandswahl und Methodik empirischer Sozialforschung ist seit Beginn der 60er Jahre in der Bundesrepublik, ihren westeuropäischen Nachbarstaaten und den USA in zunehmendem Maße eine Tendenz zu erkennen, die sich als „Vorstoß handwerklicher, persönlicher Studien" und als „theoretische Rückkehr zum ‚Konkreten' "(*Dion* 1975, 12/13) kennzeichnen läßt. Ihre Äußerungsformen

sind vielfältig, ihre philosophischen Ableitungen, methodologischen Begründungen und praktisch-politischen Rechtfertigungen relativ einheitlich. Eine *negative* Orientierung an den jahrzehntelang unumstritten als gültig akzeptierten Maßstäben empirischer Forschung ist das auffälligste Merkmal dieser Tendenz. Ihre Gegnerschaft gilt insbesondere den *quantifizierend* und *statistisch* verfahrenden Analysen eines sozialen Problemfeldes und ihrem Anspruch, ein Bild der Wirklichkeit zu liefern, an dem gesellschaftspolitische Maßnahmen sinnvoll ansetzen können. Kritisiert wird, daß in all den Fällen, in denen die Exaktheit der vorgelegten Ergebnisse den Schein ihrer Richtigkeit und Adäquatheit erzeugt, die von sozialwissenschaftlichen Forschungen betroffenen Personen ihre *Subjekthaftigkeit* zu verlieren drohen. Dabei wird nicht ein ausschließlich moralischer Wertstandpunkt eingenommen. Wenn neuerdings zahlreiche Fachvertreter der Soziologie in Westeuropa und den USA fordern, es sollten die Menschen, die für eine gewisse Zeit Gegenstand empirischer Forschungen sind, nicht auch noch dadurch zu ‚Objekten' gemacht werden, daß ihnen die Realisierung der Interpretation ihrer eigenen Problemlage und der Entscheidung über Art und Richtung wünschenswerter Veränderungen erschwert wird, so ist in dieser Forderung vielmehr ein Wandel des *teleologischen* Selbstverständnisses sozialwissenschaftlicher Forschung zu sehen. Obwohl nach wie vor wichtigster Lieferant von Grundlageninformationen für sozialpolitische Planung, orientiert sich diese Forschung tendenziell immer weniger nur an den Interessen der wohlfahrtsstaatlichen Bürokratien und Verbände, statt dessen immer offener an den Interessen der von obrigkeitlichen Maßnahmen potentiell ‚betroffenen' Bürger.
Aus diesem humanitär-parteiischen Bezugspunkt wird auch verständlich, warum sich in jüngster Zeit ein beträchtlicher Teil der Forschungsarbeit in einschlägigen empirischen Studien auf die ‚*Erschließung*' von Interessen ausgewählter Bevölkerungsgruppen richtet. Dabei handelt es sich überwiegend nicht um Gruppen, die aufgrund gemeinsamer sozialstatistischer Merkmale als *ideelle* Einheit begriffen werden können (wie etwa Schichten, Bildungs- und Altersgruppen), sondern um *reale* soziale Gruppierungen, deren Mitglieder in einem ihnen gemeinsamen *kontextuellen* – organisatorisch, ökologisch und/oder interaktiv geprägten – Zusammenhang stehen (so z. B. Schüler einer Schulklasse, Einwohner eines Stadtbezirks, Mitarbeiter eines Betriebes, Insassen eines Gefängnisses). Deren Interessen werden als solche gesehen, die durch die konkreten Bedingungen der jeweiligen sozialen Umwelten geformt, doch in unterschiedlichem Maße bewußt und somit auch sprachlich zugänglich sind. Deshalb besteht eine der wichtigsten Aufgaben der Sozialforscher darin, den ‚Betroffenen' zur (gemeinsamen) Interessen*artikulation* zu verhelfen – ob auch zur Interessen*durchsetzung*, ist umstritten. Die klassischen standardisierten Instrumente empirischer Forschung eignen sich hierzu ebenso wenig wie der bei ihrem Einsatz normalerweise übliche einmalige und ge-

richtete Kommunikationskontakt zwischen Forschern und ‚Beforschten'. Daher müssen Verfahren angewandt werden, die es erlauben, aus einer teilnehmenden Beobachtung des Alltags der fraglichen Untersuchungsgruppen und den daraus gewonnenen verbalen und non-verbalen Informationen systematische Schlüsse zu ziehen. Diese Verfahren, als *qualitative* bekannt (teilnehmende Beobachtung, offene Befragung, Handlungsforschung), verlangen vom forschenden Beobachter, auf die sprachlichen und ideologischen Bezugssysteme der Individuen einzugehen, ihre Eigenständigkeit und Funktionalität im Rahmen des jeweiligen Lebensvollzuges zu begreifen und dennoch ihre widersprüchlichen und handlungshemmenden Momente durch entsprechendes Nachfragen zutage zu fördern. Sie stellen daher sowohl an die soziale Kommunikationsfähigkeit wie an die intellektuelle und emotionale Verarbeitungskapazität des Forschers wesentlich höhere Ansprüche als die *quantitativen* Erhebungsmethoden.

Gerade darin liegt aber auch die Schwäche qualitativer Verfahren. Sie beanspruchen den Sozialforscher nahezu umfassend; er kann sich kaum mehr zeitweilig distanzieren oder konzentrieren. Allzu leicht wird er vom Alltag seiner ‚Untersuchungsobjekte' absorbiert und findet oft nur mit Mühe zu seiner erkenntnisleitenden Absicht zurück. Dies wiederum kann zu Mängeln in der Aufbereitung und Darstellung der Ergebnisse führen, so daß die publizierten Erfahrungsberichte ausgiebiger ‚subjektnaher' Forschung bisweilen in einem ungünstigen Verhältnis zu dem erbrachten persönlichen und zeitlichen Aufwand stehen. Zwar kann in diesen Fällen dem Kritiker entgegengehalten werden, die wesentlichen Ergebnisse des Forschungsprozesses seien *‚praktisch'*, d. h. im veränderten Handeln der untersuchten Personen, wirksam geworden und hätten somit weitergehende Konsequenzen gezeitigt als irgendwelche *schriftlich* dargestellten ‚Fakten' jemals ermöglichen würden. Dennoch bleibt das mit *wissenschaftlicher* Wirklichkeitserkundung stets auch verbundene *systematische* Erkenntnisinteresse weitgehend unbefriedigt. Zur Revision und Weiterentwicklung soziologischer *Theorie* tragen Studien der genannten Art infolgedessen unmittelbar wenig bei.

In *erkenntnistheoretischer* Hinsicht greifen die ‚Neuerer' auf Phänomenologie und Hermeneutik bzw. deren sozialwissenschaftlich überarbeitete Derivate zurück (*Schütz* 1974, *Schütz/Luckmann* 1975, *Berger/Luckmann* 1969). Sie geben damit explizit das „Cartesianische Ideal der Voraussetzungslosigkeit" (*Strasser* 1964, 227) auf und verwandeln die Einsicht, „daß es *un*interpretierte Erfahrungen nicht gibt, weder in der alltäglichen Lebenspraxis noch erst recht im Rahmen der wissenschaftlich organisierten Erfahrung" (*Habermas* 1967, 103), in forschungsstrategische Ansätze. Da es sich aber bei der Phänomenologie um eine „wesentlich *antiempirische* Philosophie" (*Strasser* 1964, 226) handelt, erfordert die Umsetzung ihres spezifischen Wirklichkeitszugangs in empirische Forschungen einen nicht unerheblichen begrifflich-methodischen Arbeitsaufwand. Er besteht insbesondere darin, zunächst eine Theorie zu konzipieren, ,,die die Strukturen der umgangssprachlich artikulierten Lebenswelt" (*Habermas* 1967, 109) explizieren hilft; nach *Cicourel* und *Habermas* hätte dies eine ,,Theorie der Kultur" (*Cicourel* 1970, 28) mit dem Status einer ,,Lehre von den transzendentalen Bedingungen der Konstitution solcher Lebenswelten" (*Habermas* 1967, 110) zu sein. So wenig Notwendigkeit und Dringlichkeit der Entwicklung einer entsprechenden Theorie umstritten sind, so sehr divergieren bei den Anhängern einer Neuorientierung der soziologischen Methodologie die Auffassungen über die Wege, auf denen man zu ihr gelangen könne. ‚Ethnomethodologie' und ‚Linguistik' sind zwei der wichtigsten Ansätze, die dies versuchen. Als ihr gemeinsames Charakteristikum kann festgehalten werden, daß sie die gesprochene menschliche *Sprache* als den genuinen Schlüssel sowohl zu der zu erforschenden Realität wie zu den in ihr wirksamen alltäglichen und wissenschaftlichen Erfahrungsdimensionen erkannt haben, also als das ,,Medium", ,,in dem sich die Dialektik des Allgemeinen und Besonderen alltäglich vollzieht" (*Habermas* 1967, 120).

Da es eine *allgemein akzeptierte* Strategie für die Erschließung des sozialen Alltagslebens mit Hilfe des phänomenologisch-hermeneutischen Zugangs nicht gibt, ist die Kluft zwischen dieser abstrakten Erkenntnis und ihrer Umsetzung in konkrete empirische Forschungsarbeit noch immer sehr groß. Obwohl *Heidegger* bereits 1927 darauf hingewiesen hat, daß ,,der *Ausgang* der Analyse ebenso wie der *Zugang* zum Phänomen und der *Durchgang* durch die herrschende Verdeckung . . . eine eigene methodische Sicherung" erfordere und daß diese ,,das Gegenteil der Naivität eines zufälligen, unmittelbaren und unbedachten Schauens" sei (zit. nach *Strasser* 1964, 268), belegt ein großer Teil der aus einer solchen Erkenntnishaltung hervorgegangenen *empirischen* Studien das Fehlen einer verbindlichen Methodik. An den Ansprüchen der philosophischen Gründungsväter gemessen, lassen sie sich daher als Beiträge zum ,,phänomenologischen Impressionismus" (*Strasser* 1964, 268) klassifizieren oder, weniger abwertend formuliert, als ,,phänographische" Untersuchungen. Die ,,Phänographie" ist, nach *Holzkamp* (1973, 22), dadurch gekennzeichnet, daß sie sich auf die ,,unreduzierte menschliche Lebenswirklichkeit" bezieht und ,,keine weitergehenden Ziele als eben die der *deskriptiven* Verdeutlichung" verfolgt. Ausgangspunkt der Explikation ist ,,das alltägliche Vorwissen" (ebd.), das die Menschen von einem Erfahrungstatbestand haben; von *Holzkamp* wird dieses ,,Vorwissen" insbesondere als vom ,,räumlichen Standort und der sich daraus ergebenden Perspektive des wahrnehmenden Menschen innerhalb der bürgerlichen Gesellschaft" (ebd., 266) abhängig eingeschätzt: ,,Menschen in einer unterschiedlichen Ökologie innerhalb der bürgerlichen Gesellschaft nehmen unterschiedliche ‚Stichproben' von Weltgegebenheiten wahr" (ebd., S. 266). Daneben läßt sich dieses Wissen auch vom *biographischen Zeitpunkt* der Entwicklung des einzelnen Menschen herleiten; denn die Struktur des handlungsbezogenen Interpretationssystems, das phänomenologisch orientierte Forscher ,,Lebenswelt" nennen, ist ,,ich-zentrisch" (*Habermas* 1967, 114). Die ,,konstitutive Ordnung" dieser Lebenswelt ist daher von empirischen Bedingungen abhängig, die das Ergebnis von Sozialisationsprozessen sind (ebd., S. 123). Insofern also das ,,alltägliche Vorwissen" zum Schlüssel der ,,Phänographie" der Wirklichkeit gemacht wird, lassen sich zwar auf dem Weg über die Sprache die komplexen, dialektischen Beziehungsstrukturen zwischen Individuum und Gesellschaft im Kern einfangen; dies macht jedoch nicht eine Entscheidung über Art und Zahl der für *Zwecke der Darstellung* auszuwählenden Erkenntnisdimensionen überflüssig.

In der im letzten Jahrzehnt in der bundesrepublikanischen Soziologie erkennbaren Interessenverlagerung von der empirischen Erforschung von ,,*Gesellschaftsbildern*" verschiedener (ideeller) Bevölkerungsgruppen zu der empirischen ,Erschließung' von ,,*Lebenswelten*" einzelner (realer) Gruppen kommt ein wachsender konkretistischer und subjektivistischer Trend zum Ausdruck: es wird nicht mehr der wie immer auch bruchstückhafte Niederschlag des gesellschaftlichen *Ganzen* im Bewußtsein einzelner Individuen thematisiert, sondern Ziel der Untersuchungen ist es, möglichst vollständig die gedanklichen Vorstellungen der Menschen von den sie umgebenden *unmittelbaren* – kulturellen, materiellen und sozialen – *Lebensbedingungen* zu erfassen. Diese *räumliche* Beschränkung der Erkenntnisabsicht auf die Wechselwirkungen zwischen der sinnlich erfahrbaren, praktisch handhabbaren ,,Umwelt" und den in ihr lebenden Personen bedeutet aber prinzipiell keine Vereinfachung der Forschungsaufgabe, wie es auf den ersten Blick scheinen könnte. Die Darstellung eines konkreten gesellschaftlichen Ausschnitts erfordert insgesamt eher differenziertere Beobachtungen und Beschreibungen als die Charakterisierung eines gesellschaftlichen Ganzen, die oft allein schon durch Aufzeigen abstrakter Strukturmerkmale erfolgen kann. Aus der Hinwendung zum ,,Lebensweltlichen" läßt sich u.U. jedoch auf eine gewisse *politische Ernüchterung* schließen, vielleicht sogar auf eine Art Resignation, die den Umfang der gesellschaftlichen Bereiche, deren Veränderung durch Aufklärung und direkte politische Aktionen für möglich gehalten wird, heute für wesentlich geringer einschätzt als noch vor wenigen Jahren. Gesellschaftsveränderung ,im Großen' – wie Ende der 60er Jahre – wird nicht mehr erwartet; die Verbesserung der Lebensbedingungen ,im Kleinen' steht auf dem Programm, und Sozialpolitik wird tendenziell, auch von Soziologen, weniger durch gesamtgesellschaftliche Analysen als durch praktische Sozialarbeit voranzutreiben versucht.

Vor dem Hintergrund der längerfristigen Entwicklung der deutschen Soziologie als Wissenschaft nimmt sich dieser Orientierungswechsel wesentlich innovativer aus als etwa im Rahmen der amerikanischen soziologischen Wissenschaftsgeschichte. Während nämlich im Deutschland der Jahrhundertwende bis in die 20er

Jahre von *philosophischer* Seite die entscheidenden Grundlagen zu einer *phänomenologischen* Erschließung der sozialen Wirklichkeit gelegt wurden, auf die jetzt auch die amerikanischen Sozialforscher zurückgreifen, wurden dort *ohne* große theoretische Ableitungen bereits vielfältige empirische Beiträge geliefert, die sich aus heutiger Sicht unter die neue Richtung subsumieren lassen. Zum einen waren es die stadt-soziologischen Studien der „Chicago-School", zum anderen die ethnologischen Arbeiten der „Cultural Anthropology". Bei diesen beiden Forschungsrichtungen spielte die aktive Teilhabe des Forschers am Alltagsleben der ‚Beforschten' und die Beschäftigung mit den konkreten Details ihrer Lebensumstände eine wichtige Rolle. Städte, Stadtviertel und ethnische Lebensverbände wurden von den Sozialforschern aufgesucht, weil sie für sie *unvertraute* Formen gesellschaftlichen Zusammenlebens darstellten. Daß sie prinzipiell dem Verständnis zugänglich sein müßten, wurde nicht bezweifelt, da die Forschenden ihrerseits in hohem Maße Kommunikations- und Lernbereitschaft mitbrachten. Häufig ließen sie sich sogar über mehrere Jahre auf ihre neuen Umwelten ein, wurden Bürger und Funktionsträger innerhalb der Kommunen und Ethnien und lösten sich nach Ablauf der Untersuchungszeit nur ungern von ihnen. Eine Mischung aus Nichtwissen, Neugier, Unvoreingenommenheit und kommunikativem Selbstvertrauen gegenüber fremden Menschen und Umwelten ist wahrscheinlich der Schlüssel zum Erfolg dieser Studien gewesen. Demgegenüber ist zu vermuten, daß sich Forscher, die die Grundstrukturen und Gesetzmäßigkeiten ihrer Gesellschaft begriffen zu haben glauben, nur schwerlich zu solch einer „Naivität" bereitfinden würden. Für die Ermittlung von Daten und die Darstellung von Ergebnissen macht es einen erheblichen Unterschied, ob eine konkrete Fallstudie als *Beleg* für deduktiv aus einer Theorie gewonnene Erkenntnisse dienen soll oder als *Grundstein* für eine *induktiv* erst noch *zu konzipierende Theorie*. Gerade weil in Deutschland aber – aufgrund seiner starken philosophischen Traditionen – wenig Mangel an theoretischen Modellen der Gesellschaft bzw. eines historisch realisierten Typs von Gesellschaft herrschte, wurde meist der erste, selten aber der zweite Weg beschritten. Daher fehlt es hierzulande nicht nur an ausführlichen phänomendeskriptiven Forschungsarbeiten der genannten Art, sondern auch an überzeugenden Versuchen, aus ihnen *„empirische Theorien"* zu gewinnen.

In den USA ist in dieser Hinsicht entscheidende Vorarbeit geleistet worden. Die *begrenzte Gültigkeit* der mit der Methode „teilnehmender Beobachtung" gewonnenen Untersuchungsergebnisse, die *strukturelle Ähnlichkeit* der Forschungsfelder (lokale Sozialgebilde) und die *thematische Nähe* der untersuchten Fragenkomplexe (Denkstrukturen und Handlungsmaßstäbe des gesellschaftlichen Alltags) haben dazu beigetragen, daß anhand der zahlreichen Studien aus Stadtsoziologie und Kutluranthropologie ein Verfahren entwickelt wurde, das sich *„comparative analysis"* nennt. Der analytische Vergleich mit Hilfe der ‚Vergleichsanalyse'

– deren Bekanntheit hauptsächlich aus dem Bereich inter-kultureller Studien stammt – soll mehrere, miteinander eng verbundene Aufgaben erfüllen: die einzelnen Erkenntnisse zu präzisieren und in Richtung auf empirische Verallgemeinerungen weiter zu bearbeiten, die verwendeten Begriffe zu klären und in angemessene Hypothesen einzubringen sowie schließlich aus all dem empirisch begründete (grounded) Theorien zu entwickeln (vgl. dazu: *Glaser/Strauss* 1968 und 1971, 176f.). Die ,,comparative analysis" läßt sich zwar nicht ohne soziologische Phantasie durchführen, doch hat sie auch einige einfache methodische Charakteristika, die je nach *Allgemeinheitsgrad* der angestrebten Theorie zu berücksichtigen sind. *Glaser* und *Strauss* unterscheiden in diesem Zusammenhang ,,*substantielle*" von ,,*formalen*" Theorien. Erstere werden, so ihre Aussage, für einen empirisch abgrenzbaren (z. B. Jugend), letztere für einen *begrifflich* abgrenzbaren Bereich soziologischer Forschung (z. B. Sozialisation) erstellt, wobei die ,,formalen" Theorien auf die ,,substantiellen" und z. T. neu hinzugenommene Daten aus explorativen Studien aufbauen (ebd., 177f). Als einfachste Ebene des Vergleichs – im Hinblick auf ,,substantielle" Theorien – gilt die zwischen *gleichartigen Gruppen* in einem gegebenen organisatorischen Kontext (so etwa Schulklassen eines bestimmten Schultyps und einer bestimmten Altersstufe); als nächste Ebenen, die zu einer Steigerung der Allgemeingültigkeit der Ergebnisse führen, kommen die der strukturell ähnlichen Gruppen in *unterschiedlichen Regionen* innerhalb einer Nation und anschließend in *verschiedenen Nationen* und Kulturkreisen hinzu. Für die Entwicklung ,,formaler" Theorien dagegen ist es nach *Glaser* und *Strauss* bereits im Ansatz vorteilhaft, den Vergleich auf Gruppen zu stützen, die in *inhaltlicher* Hinsicht *nicht* vergleichbar scheinen, es jedoch in *begrifflicher* Hinsicht sind. Was sie damit meinen, zeigt sich am besten an ihrer eigenen ,,formalen" Theorie der ,,Status-Übergänge"; zu ihnen zählen sie sowohl unrevidierbar einmalige – wie den Tod – als auch oft mehrere Jahrzehnte überdauernde, revidierbare Änderungen – wie Heirat oder Berufsentscheidung. Sie beziehen daher inhaltlich ein so breites Spektrum menschlicher Altersgruppen und sozialer Stellungswechsel mit ein, daß nur der strukturierende Begriff ,,status-passage" noch eine Gemeinsamkeit herzustellen vermag.

Die frühen deskriptiven Studien der amerikanischen Stadtsoziologie und Kulturanthropologie fielen also ,,in eine Art Kluft (limbo) zwischen Soziologie und Geschichte" (*Stein* 1960, 3). Sie wurden lange Zeit weder in die ,,erzählende Interpretation von Historikern" noch in die ,,allgemeinen Theorien von Soziologen" integriert (ebd., S. 3), weil ihnen der verbindende begriffliche Rahmen und das methodische Instrumentarium zum Vergleich fehlte. Im Prinzip droht auch den ,,phänographischen" Forschungen, die – wie beschrieben – gegenwärtig in der empirischen Soziologie Platz greifen, eine solche Gefahr. Um ihr vorzubeugen, muß einerseits der Horizont einschlägiger ‚substantieller' und ‚formaler' Theorien im Auge behalten werden und andererseits in jedes neue Forschungsdesign ein *systematischer Anknüpfungspunkt* für vergleichende Verallgemeinerungen eingebaut werden. Beides, theoretische Einbettung und methodische Absicherung, sind aber ohne bewußte Auseinandersetzung mit den Forschungstraditionen des jeweiligen Feldes nicht zu leisten, selbst wenn statt einer theoriegeleiteten ‚Rekonstruktion' nur eine phänomendeskriptive ‚Exploration' der sozialen Realität beabsichtigt ist. Die Annahme, ein wissenschaftlich unreflektierter, „naiver" Problemzugang sei gegenwärtig in den empirisch arbeitenden Sozialwissenschaften irgendwo intendiert, wäre ein *Mißverständnis der neuen Erkenntnisideale*, von denen vorstehend die Rede war. (Vgl. dazu auch *Strasser* 1964, 268ff.) Daß dennoch in der *praktischen Durchführung* empirischer Untersuchungen des öfteren der ‚Unmittelbarkeit' der Erfahrung Vorrang vor ihrer ‚Brechung' durch wissenschaftliche Begriffe und theoretische Verallgemeinerungen eingeräumt wird, ist zwar ein unbestreitbares Faktum, dürfte vermutlich aber weniger aus einem verminderten Niveau der Qualitätsstandards humanwissenschaftlicher Forschung zu erklären sein als vielmehr mit dem zwischen theoretischen und praktischen Effizienzansprüchen hin- und hergerissenen Rollenverständnis der Forscher selbst zusammenhängen.

1.2. *Veränderungstendenzen in der sozialwissenschaftlichen Erforschung von ‚Jugend'*

Die veränderte Zwecksetzung, Methodik und Gegenstandsbestimmung sozialwissenschaftlicher *Empirie* hat sich infolge parallel laufender gesellschaftspolitischer Interessenverlagerungen in der Bundesrepublik hauptsächlich an der mit Kindern und Jugendlichen und ihren Erziehungs- und Bildungsprozessen befaßten Forschung festgemacht. Mit der *„realistischen Wendung"* der pädagogischen Forschung beginnend, die zum Ziel hatte, „die intuitive Hermeneutik der Erziehungswirklichkeit . . . auf erfahrungswissenschaftliche Grundlagen zu stellen" (*Roth* 1962, zit. nach *Thiersch/Tütken* 1967, 118/119), haben nach und nach alle sonst noch beteiligten Forschungszweige (so die Jugendforschung, Sozialisationsforschung, Entwicklungspsychologie) eine merkliche *Neuorientierung* durchgemacht. Sie wurde nicht zuletzt durch die stärkere *wechselseitige Verquickung* ihrer traditionell unterschiedlichen Analysegesichtspunkte bewirkt.
Die *normativen Beurteilungskriterien* für die ‚Relevanz' eines empirischen Forschungsprojekts sind dabei überwiegend der *Pädagogik* entnommen worden, die Forschung als wissenschaftlichen Selbstzweck nicht respektiert, sondern statt dessen die *humanitäre Veränderung* des Bildungssystems und der in ihm herrschenden Wertmaßstäbe und Interaktionsstrukturen propagiert. Die *Sozialisationsfor-*

schung hingegen hat zu großen Teilen die abstrakten begrifflichen Kategorien und *systematischen Analyseebenen* geliefert, mit deren Hilfe die zwischen Personen innerhalb und außerhalb von Institutionen ablaufenden sozialen Prozesse beschrieben und erklärt werden können. Ergänzend sind aufgrund der von der Persönlichkeits- bzw. *Entwicklungspsychologie* zur Verfügung gestellten Instrumente zur *Rekonstruktion intrapsychischer Erfahrungsorganisation* differenzierende Typisierungen von Personmerkmalen möglich geworden, die als Ergebnisse bzw. ‚Effekte' von Erziehungsprozessen im engeren Sinne oder Sozialisationsprozessen im weiteren Sinne verstanden werden können. Die *Jugendforschung* schließlich hat – wenn auch nur indirekt – zur historisch-kulturellen und subkulturellen *Relativierung* empirisch ermittelter Forschungsresultate beigetragen. Die in den Jahren seit 1966 in der Bundesrepublik geführte *Chancengleichheits-Diskussion* zeigt beispielhaft, in welcher Weise die erwähnten vier Forschungszweige zusammengearbeitet und sich wechselseitig vorangetrieben oder nachgezogen haben. Rückblickend läßt sich feststellen, daß die gleichzeitigen Anleihen bei diesen in ihrem Selbstverständnis und ihrem methodisch-begrifflichen Wirklichkeitszugang so verschiedenen Richtungen sozialwissenschaftlicher Forschung insgesamt zu einer Verstärkung ihrer *gesellschaftspolitischen Argumentationskraft* geführt haben.

Den *wissenschaftlichen* Voraussetzungen der Zusammenführung der pädagogischen, psychologischen und soziologischen Paradigmen zur Erforschung der mit Kindheit und Jugend verbundenen Probleme wurde im Zuge dieses raschen strategischen Bedeutungszuwachses ihrer Aussagen nur wenig systematische Aufmerksamkeit geschenkt. Im Grunde ist es allzu häufig zu einer oberflächlichen, *nominellen* Verbindung von Begriffen und ad-hoc-Übertragung von Ergebnissen gekommen, durch die eine Verbreitung pseudo-wissenschaftlicher Vorurteile zwar gefördert, eine echte Integration von Ansätzen aber eher verhindert wurde. Die ideologischen und praktischen Verwertungen, die etwa die Erkenntnisse der *schichtspezifischen Sozialisationsforschung* erfahren haben, ohne daß die *Bedingungen ihrer Übertragbarkeit* oder Generalisierbarkeit benannt worden wären, bilden eines der auffälligsten Beispiele für diesen Trend. Sie zeigen zugleich einen tendenziellen Verlust sozialwissenschaftlichen Methodenbewußtseins an, da sie auf der impliziten Unterstellung basieren, „Schichten" seien historisch und kulturell allgemeine, real existierende Ebenen der Sozialstruktur, deren Eigenarten sich in den Persönlichkeitsmerkmalen der ihnen zugehörenden konkreten Individuen niederschlügen. Die Tatsache, daß „Schichten" nur durch systematische Operationen mit Hilfe von Indikatoren (Bildung, Einkommen, Beruf) von Sozialforschern ‚erzeugt' werden, also *intellektuelle Kunstprodukte* sind, deren sozialer Wirklichkeitsgehalt sich erst über die relative Homogenität der an den beforschten Personen gemessenen Charakteristika konstituiert, ist von der Mehrzahl der Rezipienten übersehen worden. Sicher hat dabei auch die strategische Absicht eine Rolle gespielt, Belege für die Richtigkeit marxistisch orientierter Gesellschaftsanalysen zu finden (vgl. dazu *Walter* 1973, 36ff.). In deren Argumentationszusammenhang sind ‚*Klassen*' allerdings – im Gegensatz zu Schichten – *real existierende* soziale Strukturmerkmale vor allem kapitalistischer Gesellschaften: Sie konstituieren sich über das Kriterium des Eigentums oder Nicht-Eigentums an Produktionsmitteln. Demgegenüber können ‚Schichten' höchstens als *ideelle Untergliederung* von ‚Klassen', nicht aber als ihre Äquivalente angesehen werden. Eine Hypostasierung schichtspezifischer zu klassenspezifischen Forschungsergebnissen produziert daher einen falschen Grad von Allgemeingültigkeit – in theoretischer wie in praktischer Hinsicht. Diese *politische* Überbewertung der Beweiskraft schichtspezifischer Sozialisationsforschung ist in vielen Fällen noch ergänzt worden durch unzulässige Ableitungen, die mehr aus *arbeitstechnischen* Simplifikationsversuchen zu erklären sind. Dazu gehörte etwa der Usus, zur Überprüfung von Aussagen nicht auf die primären Untersuchungen zurückzugehen, sondern sich auf ein „Zitierkartell" (*Bertram* 1976, 104) von Sekundärinterpretationen zu stützen. Dadurch kam es oft zum Schein der ‚Objektivität' von Ergebnissen, der auf nicht mehr beruhte als einer oberflächlichen Intersubjektivität, die sich aus identischen fehlerhaften Quellen speiste.

Eines der *positiven wissenschaftlichen Ergebnisse* der Argumentation mit Beispielen aus der schichtspezifischen Sozialisationsforschung bestand darin, daß das für weite Bereiche traditioneller Jugendforschung und Erziehungswissenschaft typische „*Altersgruppen-Denken*" aufgebrochen wurde: Die ‚*Jugend*' als Summe der Menschen im Alter zwischen 14 und 18 oder zwischen 14 und 30 Jahren wurde nicht mehr als *einheitliche Problemgruppe* begriffen. Ihre Lebensbedingungen, Entwicklungsmöglichkeiten und Perspektiven hatten sich nämlich aufgrund von bildungssoziologischen Untersuchungen als abhängig von mindestens vier Grundfaktoren gleichzeitig erwiesen: Geschlecht, sozioökonomischem Status der Eltern, Wohnregion und Religionszugehörigkeit; Indikator für die ‚Chancen' der Einzelnen war dabei der jeweils erreichte *Bildungsstatus*. Obwohl dessen Prognosekraft um so geringer ist, je langsamer sich die Zahl der bildungsmäßig hierarchisierten Positionen auf dem Arbeitsmarkt in Relation zu der Zahl entsprechender Bildungsabschlüsse entwickelt, so bleibt doch die grundsätzliche *Differenzierung* wichtig, die er in bezug auf die Gruppe der ‚Jugend' entfaltet hat: Jugendliche werden nicht mehr, wie in manchen Untersuchungen der 50er und beginnenden 60er Jahre, als „teen-ager" mit bestimmten alterstypischen Einstellungen und Verhaltensweisen angesehen, sondern als *Mitglieder von Ausbildungsinstitutionen* und ‚Objekte' von Ausbildungsgängen begriffen, die ihnen in unterschiedlichem Maße Leistungen abverlangen und dafür gesellschaftlich anerkannte Gratifikationen zuteilen. Erst diese *funktionalistische Bestimmung* des Jugendbegriffs ermöglichte auch die von *H. Roth* geforderte ,,realistische Wende" der Erziehungswissenschaft, mit der Konsequenz allerdings, daß die Erforschung der *pädagogischen Institutionen* selbst zum vorrangigen Ziel erklärt wurde. Jugendliche in ihrer *Rolle als ,Insassen'* solcher Institutionen zu betrachten, denen Erwachsene in ihrer *Rolle als Lehrer* oder *Erzieher* gegenüberstehen, wobei deren Interaktion durch curriculare und didaktische *Verordnungen* der zuständigen Träger gelenkt ist, war eine notwendige und fruchtbare Zuspitzung des Blickwinkels, ohne die systematische Veränderungen, etwa der schulischen Erziehungswirklichkeit, kaum hätten thematisiert werden können. Für Zwecke der Bildungsplanung und Bildungsreform erwiesen sich Untersuchungen dieses Typs daher als ausgesprochen wichtig. Indem sie analysierten, wie *schulische Lernprozesse* unter dem Vorzeichen bürokratischer Reglementierung ihrer Programme und zeitlichen Abläufe stattfinden, deckten sie – z. T. ungewollt, z. T. bewußt – auch den *informellen Schulalltag* mit auf, der sich als ,,hidden curriculum" in den gruppenspezifischen Interpretations- und Interaktionsnormen von Schülern, Lehrern und Schulverwaltung verbirgt. Die Tatsache aber, daß in Schulen als ,Orten planvollen Lernens' viel *ungeplantes Lernen* geschieht, dessen Bedeutung für die Persönlichkeitsentwicklung der Jugendlichen vermutlich derjenigen der *intendierten* Erziehungseffekte kaum nachsteht, hat langfristig die Vertreter der empirischen Pädagogik veranlaßt, ihr Konzept von ,Erziehung' überhaupt zu überdenken. Überwiegend kamen sie dabei zu dem Ergebnis, daß es sinnvoll sei, statt dessen den Begriff der ,Sozialisation' zu adaptieren, weil er geplante und ungeplante Einflüsse gemeinsam zu thematisieren gestatten würde.

Die Einbeziehung der ,,Sozialisationsthematik" in die Untersuchung *innerinstitutioneller* Interaktions- und Lernprozesse setzte implizit eine Begrenzung des Bedeutungsgehalts dieses Begriffs voraus, die in seinem ursprünglichen *gesellschaftstheoretischen* Begriffszusammenhang nicht vorgesehen war und ihm im Prinzip auch zuwider läuft. Dort hatte nämlich ,Sozialisation' den allgemeinen, mindestens zwei Jahrzehnte überdauernden *Prozeß der Beeinflussung* eines neugeborenen Menschen durch die ihn umgebende *gesamte Gesellschaft* bezeichnet, der aus dem ,unsozialen' Säugling – unterstützt durch die biophysische Entwicklung des Organismus – ein ,soziales Wesen' erschuf. *Ideelles Endprodukt* dieses Prozesses war das ,vollwertige Mitglied' der Gesellschaft, und zwar in dem Sinne, daß es nicht nur deren Sprache zu verstehen vermochte, sondern auch deren Norm- und Wertstruktur teilte. Daß der ,homo sociologicus' als systematisches Konstrukt (vgl. *Dahrendorf* 1961) nicht dem *Idealbild* eines vergesellschafteten Menschen entspricht, ist nach ausgiebigen sozialwissenschaftlichen Debatten mittlerweile allgemein akzeptiert. Sein Verhältnis zu den philosophischen Leitvorstellungen eines *,humanen Menschen'* bzw. seinen zahlreichen moralisch-politisch bestimmten Untertypen, wie sie beispielsweise in Verfassungsnormen und den aus ihnen abgeleiteten institutionellen Erziehungszielen zum Ausdruck kommen, leidet jedoch an strukturellen Schwächen. Sie bestehen vor allem darin, daß die Verknüpfung zwischen den *abstrakt-theoretisch rekonstruierten* Verläufen von Sozialisationsprozessen sowie den stufenweise von heranwachsenden Individuen erreichbaren individuellen und sozialen Kompetenzen einerseits und den jeweils *historisch gegebenen* gesellschaftspolitischen Leitvorstellungen der Erziehung sowie den zu ihrer Verwirklichung eingesetzten Institutionen andererseits bislang noch nicht geleistet worden ist. Die historisch valide „*Theorie der Sozialisation*", die diesen Brückenschlag zum Gegenstand hätte, ist ein dringendes Desiderat (vgl. *Gottschalch et. al.* 1971, 13). Ohne sie lassen sich im Grunde die *Wirkungen einzelner konkreter Institutionen* – so etwa der Schulen eines bestimmten Ausbildungsgangs – auf die in sie einbezogenen Gruppen von jungen Menschen nicht als ‚*Sozialisationseffekte*' erkennen. Denn es fehlen die Kriterien, die eine Aussonderung der *überdauernden* Folgen für die Persönlichkeitsstruktur der Jugendlichen aus den phasenbedingten, institutionenspezifischen Lerneffekten gestatten würden. Ausgangsbasis für die Entwicklung solcher Maßstäbe hätte das im Laufe der individuellen Biographie jeweils erreichte ‚*Niveau' der Vergesellschaftung* zu sein, das aufgrund entwicklungspsychologischer Forschungen im Hinblick auf kognitive und moralische Fähigkeiten bereits systematisch vorstrukturiert erscheint. Auf seiner Kenntnis aufbauend, wäre zugleich eine Einschätzung aller sonstigen sozialen Einflüsse notwendig, denen eine bestimmte Gruppe von Jugendlichen zu einem gegebenen Zeitpunkt ausgesetzt ist. Ein allmählicher Abbau dieses systematischen Theoriedefizits ist daher aus dem Blickwinkel empirischer Forschungsdesigns nur dann zu erreichen, wenn nicht mehr *punktuell* – im Sinne von ‚biographisch' und ‚institutionenbezogen' – angesetzt wird, sondern statt dessen eine *Integration* der gesellschaftlichen Einflußgrößen, die auf Jugendliche eines bestimmten Alters und Bildungsstatus' wirken, im *historischen Längs-* und *situativen Querschnitt* versucht wird. Da es aber unmöglich ist, diese beiden Dimensionen ohne beträchtliche klassifikatorische und typisierende Vorarbeit empirisch zu berücksichtigen, sind die Entscheidungen für *bestimmte Reduktionen* jeweils unter theoretischen, forschungspraktischen und pädagogisch-politischen Gesichtspunkten zu reflektieren.

Die *schichtspezifische* Sozialisationsforschung hatte die auf Kinder und Jugendliche wirkenden gesellschaftlichen Einflüsse schwerpunktmäßig auf die *Familie* und deren durch den Beruf des Vaters definierten *Sozialstatus* reduziert, die *institutionenspezifische* Sozialisationsforschung auf die *strukturellen Bedingungen* öffentlich organisierter Bildungsprozesse. Beiden Richtungen ging es in erster Linie um die ‚*Sozialisationsdefizite*', die insbesondere die Kinder sozial benachteiligter Statusgruppen erleiden. Die empirisch ermittelten Forschungsergebnisse dienten daher unmittelbar einer *Politik der Kompensation* dieser Defizite, sei es durch intensivierte pädagogische Maßnahmen, durch strukturelle Änderungen der institutionell geregelten Erziehungsprozesse oder durch Verbesserung der materiellen Existenzbedingungen von Familien und Schulen. Sie ist zwar in einzelnen Fällen nicht ohne jegliche positive Wirkung geblieben, hat aber im großen und ganzen gezeigt, daß eine Beeinflussung der Lebensbedingungen und Chancen minderprivilegierter junger Menschen auf die Dauer nur dann gelingt, wenn die Institutionen im Rahmen der *regionalen und kommunalen Sozialstruktur* betrachtet werden, in deren Beziehungsnetz sie verwoben sind. Der entscheidende Schritt zur Verbesserung der politischen Praxis kam hier zunächst von der staatlich geförderten *Bildungsforschung*, die umfangreiche regional ausdifferenzierte statistische Unterlagen produzierte, deren Nachteil allerdings darin bestand, daß sie keine Rückschlüsse von quantitativ beschreibbaren Effekten auf qualitative Ursachen zuließen.

Ohne die *allgemeinen Entwicklungstendenzen in der empirischen Sozialforschung*, wie sie im ersten Abschnitt dargelegt worden sind, und ohne die parallel laufenden Annäherungen zwischen Wissenschaft und Politik ist die Entstehung und Ausbreitung der ‚ökologischen Sozialisationsforschung' in der BRD nicht zu verstehen. Die „*neuen Wege*" (*Walter* 1975, Bd. III), die nun beschritten werden, haben auf seiten der *Soziologie* die Reduktion der gesamtgesellschaftlichen Wirklichkeit auf ‚*sozial-ökologische Umwelten*' zum Ausgangspunkt, die sich überwiegend in der Größenordnung von Untereinheiten kommunaler Beziehungsnetze bewegen. Die Impulse, die die *Psychologie* diesem Forschungsfeld verliehen hat, stammen dagegen aus einem Konzept von ‚Umwelt', das im wesentlichen auf der ‚Natürlichkeit' situativer Bedingungen im Gegensatz zu ihrer labormäßig hergestellten ‚Künstlichkeit' beruht (vgl. *Bronfenbrenner* 1976, 199f). Diesen unterschiedlichen Spannweiten der in die jeweiligen Forschungen einbezogenen sozialen Kontexte entsprechen zugleich die *Handlungsräume* ihrer als ‚Sozialisanden' thematisierten Akteure: Die psychologische Forschungsrichtung interessiert sich hauptsächlich für die *primären Sozialisationsprozesse* von Kindern zwischen Elternhaus und Kindergarten (vgl. *Caesar* 1975, *Trudewind* 1975, *Mundt* 1975, *Engfer* 1976), die soziologische Richtung dagegen befaßt sich vornehmlich mit den *sekundären* und *tertiären* Sozialisationsprozessen von Jugendlichen zwischen Schule, Beruf und Freizeit (vgl. *Projektgruppe Jugendbüro* 1975 und 1976, *Thomae* 1974, *Kreutz et. al.* 1974). Da überdies im einen Fall quantifizierend-statistische Methoden angewandt werden, im anderen Fall eher deskriptiv und hermeneutisch verfahren wird, überschneiden sich beide Zweige kaum. Der gemeinsame *Bezug zur Sozialökologie* ist somit nur ein *minimal einigendes Programm;* es besteht im wesentlichen darin, die konkrete materielle Struktur der Alltagswelt im Rahmen empirischer Forschungen zur Sozialisation nicht mehr als unwichtige ‚Szenerie' interpersonellen Handelns, sondern als ‚Agens' zu begreifen, das Handlungen mit konstituiert.

2. Thematische Präzisierung der Erkenntnisabsichten des Projekts

2.1. *Außerschulische Sozialisation*

Das Schwerpunktprogramm „Sozialisationsprozesse Jugendlicher“ der Deutschen Forschungsgemeinschaft, aus dem das hier zur Diskussion stehende Projekt seit zwei Jahren finanziert wird, versteht sich als Beitrag der Senatskommission für Erziehungswissenschaft zur Überbrückung der „ärgerlichen Kluft zwischen der Abstraktheit und Differenziertheit prinzipieller methodologischer Überlegungen einerseits und der in der Masse kleiner Forschungsprojekte praktisch zur Anwendung gebrachten Forschungsstandards andererseits“ (*DFG-Kommission* 1976, 22). Es fördert inhaltlich einander nahestehende, methodisch ähnlich angelegte Projekte zusammenhängend über mehrere Jahre und regt deren gegenseitigen Erfahrungsaustausch an.
Anfang 1975, als das Projekt „Sozialisation und Umwelt“ zu laufen begann, gab es in dem Schwerpunktprogramm noch das unter dem Titel „Die Lebenswelt von Hauptschülern und Lehrlingen“ von der Wiesbadener Projektgruppe ‚Jugendbüro und Hauptschülerarbeit‘ im Anschluß an deren zweijährige Vorstudie gleichen Titels (1975) beantragte Forschungsvorhaben. Es war ursprünglich aus dem Zusammenhang *regionaler hessischer Schulreformversuche* hervorgegangen, als deren Voraussetzung die Kenntnis der *außerschulischen Lebensumstände* der betroffenen Schülergruppen unumgänglich notwendig erschien (ebd., S, 9f.). Der Anstoß zum Projekt „Sozialisation und Umwelt“ kam demgegenüber nicht aus schulpolitischer, sondern aus jugendpolitischer Richtung (vgl. *Deutsches Jugendinstitut* 1974). Wissenschaftlich abgesicherte *Empfehlungen zu jugendpolitischen Reformen* zu entwickeln, erwies sich angesichts der mangelnden Beschäftigung der Sozialisations- und Jugendforschung mit den *Wechselwirkungen* der institutionalisierten und nichtinstitutionalisierten Lebensbereiche Jugendlicher als schwierig. Es lag daher nahe, die Chance, die die Ausschreibung des erziehungswissenschaftlichen Schwerpunktprogramms der DFG 1973/74 bot (*DFG-Kommission* 1974, 967f.), dafür zu nutzen, an dieser ‚Schwachstelle‘ ein Projekt anzusetzen, das ohne „allzu große Praxisferne“ wie auch ohne „kurzschlüssige Anwendungsorientierung“ darauf ausgerichtet war, „mehrdimensionale Zusammenhänge, Kontextbedingungen, Sozialisationsverläufe und latente Prozesse mit Nebenwirkungen und Spätfolgen von Veränderungen“ (*DFG-Kommission* 1976, 16/17) anhand einzelner Vergleichsgruppen von Jugendlichen zu untersuchen.
Das Stichwort ‚*Umwelt*‘ wurde hier in erster Linie als Synonym für das benutzt, was der Ausschreibungstext als „*Mehrzahl von Lernorten*“ bezeichnete; darin

hieß es: „Es werden besonders Untersuchungen erwartet, die Bereiche des Lebens Jugendlicher *außerhalb der Schule* zum Gegenstand haben (z. B. Betrieb, Institutionen der Jugendhilfe, organisierte und nicht-organisierte Freizeitaktivitäten). . . . Soweit die Verbindung zwischen den *außerschulischen* Sozialisationsvorgängen und den Vorgängen in der Schule thematisiert werden, sollte das Ziel sein, die wechselseitigen *Wirkungen und Einwirkungen einer Mehrzahl von Lernorten* zu untersuchen. Der Schwerpunkt sollte beim sozialen Lernen liegen . . ." (*DFG-Kommission* 1974, 969). Über diese *methodisch integrative* Funktion hinaus wurde dem Leitbegriff ‚Umwelt' im Projektkonzept noch eine *sozial-räumlich integrative* Funktion zugeschrieben. Sie sollte vor allem dazu beitragen, nicht nur die Einflüsse der ‚abstrakten Örtlichkeiten' der Institutionen und ihrer Regeln, sondern auch die Einflüsse spezifischer kommunaler Lebensumstände auf Jugendliche zu erfassen. Insbesondere, weil den Gruppen der Kinder und Jugendlichen „sämtliche sozialen Zusammenhänge von mehr oder von anderer als nur familiärer Natur ausnahmslos in ihrer gemeindlichen Form begegnen" (*König* 1958, 104), schien ein solcher Forschungsansatz dem Problem der *Sozialisation* besonders adäquat zu sein; darüber hinaus verspricht er auch, Erkenntnisse zu liefern, die sich zur Umsetzung in jugendrelevantes *politisches* Handeln besser eignen als die meisten generalisierend abstrakten Aussagen der Jugendforschungs-Projekte ohne ökologischen Bezug.

2.2. *Sozial-ökologische Umwelt*

Regionale und kommunale Lebensverhältnisse als *modifizierende* Faktoren der institutionellen Sozialisation zu berücksichtigen, bedeutet nicht, daß der gesamtgesellschaftliche Wirkungszusammenhang in eine Anzahl typisierter lokaler ‚Mikrokosmen' aufgelöst wird. Dennoch lassen sich Indikatoren finden, mit deren Hilfe eine *objektivierende* Klassifikation von sozial-ökologischen ‚Umwelten' möglich ist. Demographie und Wirtschaftsgeographie haben bereits verschiedene Verfahren entwickelt, nach denen Regionen innerhalb eines Staatsgebiets und Siedlungsformen innerhalb von Regionen unterschieden werden können; sie stützen sich dabei vorwiegend auf Merkmalsvariablen der *Bevölkerungs- und Wirtschaftsstatistik*. Vorarbeiten solcher Art wurden von der Kontanzer *Arbeitsgruppe ‚Umwelt-Taxonomie'* für die Zwecke der ökologischen Bildungsforschung nutzbar gemacht (1973). Ziel dieser Arbeitsgruppe ist es, die verschiedenen Standorte von Kindergärten, in denen ein neues Curriculum (*Arbeitsgruppe Vorschulerziehung* 1976) erprobt wird, mit Hilfe eines ‚Soziotop-Modells' zu beschreiben, um aus der Kenntnis der sozialökologischen Einbettung der Kindergärten Rückschlüsse auf die Art der Handhabung der Curricula und die Rezeptionsbereitschaft auf seiten der Kinder und Eltern ziehen zu können (vgl. *Arbeitskreis Um-*

welt-Taxonomie/Soziale Evaluation 1975 und *Bargel et al.* 1976). Es handelt sich hier also um einen wichtigen Schritt zur *Regionalisierung* von Sozialisationsbedingungen im Zusammenhang mit der Planung von Bildungsprozessen. Ein solcher Ansatz wäre zweifellos auch für Planungsvorhaben im *jugendpolitischen* Bereich geeignet. Seine besondere Leistung ist die Erstellung eines systematischen *Rasters von Indikatoren,* der es erlaubt, Gemeinden aufgrund von sozialstrukturellen Ähnlichkeiten zu Typenklassen zusammenzufassen. Daß diese wiederum mit Variationen kindlicher und jugendlichen *Dispositionen* und *Verhaltensweisen* in Beziehung stehen, wird hypothetisch unterstellt (*Arbeitsgruppe ,Umwelt-Taxonomie'* 1973, 28). Den Nachweis für die Berechtigung dieser Annahme zu erbringen, ist zwar eine der Aufgaben des Konstanzer Projekts, doch dienen diesem Ziel letztlich alle sozial-ökologisch orientierten Sozialisationsforschungsprojekte, auch wenn sie weniger objektivierend und weniger technisch aufwendig ansetzen. Im Rahmen der Arbeitsteilung, die die methodologische Bewältigung solcher komplexen Abhängigkeiten erfordert, sind neben der objektivierenden Typisierung auch Formen typenmäßiger Vereinheitlichung denkbar, die von vornherein stärker das Element des *subjektiven Erlebens* mit einbeziehen. Dies bedeutet beispielsweise, daß bestimmte objektive Charakteristika der Umwelt nur soweit thematisiert werden, wie sie überhaupt auf bestimmte Gruppen von Sozialisanden zu *wirken* in der Lage sind – ein Kriterium, das sowohl von deren *kognitivem Niveau* als auch deren *sozial geformtem Handlungspotential* abhängt. Konsequent weitergedacht, hat ein solches Verfahren zur Folge, daß einem bestimmten, durch Bildungsprozesse beeinflußten biophysischen Stadium in der Entwicklung von jungen Menschen eine bestimmte Struktur und Ausdehnung der *wahrgenommenen Umwelt* zugeordnet wird. Sie unterscheidet sich zugleich von den vorhergehenden und den nachfolgenden Bildern der Umwelt, die handlungsrelevant werden, steht jedoch in einer sozio-biographisch und entwicklungslogisch notwendigen Relation zu ihnen. Die objektiven Umwelt-Charakteristika, die jeweils in diesen subjektiven Mustern aufscheinen, sind also immer schon durch die entwicklungsmäßig möglichen Verarbeitungskapazitäten der jeweiligen Gruppen von Jugendlichen ,gebrochen'. Umgekehrt ist aber auch deren Vorstellungsbild von ihrer ,Umwelt' samt ihrem individuellen Platz darin ein Bestandteil ihrer realen Vergesellschaftung und somit *Ergebnis konkreter Lernprozesse* in unterschiedlichen *objektiven* Kontexten.

Für die spezifischen Zwecke eines Sozialisationsforschungsprojekts gegenüber einem Bildungsplanungsprojekt scheint der *subjektivistische* Zugang entscheidende Vorteile gegenüber dem objektivistischen Zugang zu haben. Dies bedeutet jedoch nicht, daß auf jegliche Art objektivierender Umwelterfassung zu verzichten ist; im Gegenteil bleibt ein gewisses Maß davon unumgänglich, damit die möglichen Zusammenhänge zwischen beiden Seiten überhaupt thematisiert werden können. In Anlehnung an *Bronfenbrenner*, der in seinem ‚*Bezugsrahmen* für eine ökologische Sozialisationsforschung' (1976, 203) drei inhaltliche Ebenen unterschieden hat, die bei der Beschreibung von Umweltstrukturen zu berücksichtigen sind, lassen sich die objektiven Charakteristika folgendermaßen untergliedern:

a) die *unmittelbare Umgebung*, in der sich der Jugendliche befindet, und zwar nach ihrer *räumlichen* und *dinglichen Anordnung;*
b) die *Personen* und ihre verschiedenen *Rollen* und *Beziehungen zu Jugendlichen*, wie auch schließlich die *Tätigkeiten*, die die Personen ausüben, sei es miteinander oder mit den Jugendlichen, einschließlich der *sozialen Bedeutung* dieser Tätigkeiten; diese *sozialen* und Handlungsdimensionen werden meist in zwei unterschiedliche Systeme allgemeinerer Art zusammengefaßt: in „*soziale Netzwerke*", d. h. informelle soziale Strukturen der Region, und in „*Institutionen*", die dort tätig sind;
c) das *ideologische System*, in das die alltägliche Umgebung eingeschlossen ist und das die sozialen Netzwerke, Institutionen, Rollen und Tätigkeiten und ihre Verbindungen mit *Bedeutungen* und *Motiven* ausstattet und den Kindern und Jugendlichen ihren Platz und Stellenwert in dieser Welt zuweist.

Als empirische Verfahren zur Erfassung dieser Umweltdimensionen kommen Beobachtungen (a/b), sekundärstatistische Analysen (a/b), Inhaltsanalysen (c) und Interviews (b/c) in Betracht. Je nach dem zeitlichen und inhaltlichen Umfang des Engagements der Forscher in der ausgewählten Region werden die Verfahren verschieden miteinander kombiniert werden können. In jedem Fall aber wird es unerläßlich sein, daß nicht nur die Kinder und Jugendlichen befragt werden, deren Einstellungen zu ihrer spezifischen ‚Umwelt' interessieren, sondern daß auch Interviews mit *relevanten Erwachsenen* aus ortsansässigen Institutionen und informellen sozialen Netzwerken geführt werden, die auf die Jugendlichen offen oder verdeckt Einfluß ausüben. Denn die Auskünfte dieser *Experten* oder „*Schlüsselpersonen*" sind nicht nur Bausteine des je *aktuell* geltenden ideologischen Systems, sondern auch als Hinweise auf *Veränderungen* zu verstehen, die sich in der Entwicklung dieser Denkmuster in Abhängigkeit von realen sozial-ökologischen *Strukturverschiebungen* (z. B. Altersaufbau, soziale Zusammensetzung der Wohnbevölkerung, ökonomische und verkehrsmäßige Infrastruktur) ergeben haben. In diesem doppelten Sinne werden sie auch im empirischen Design des Projekts „Sozialisation und Umwelt" verwendet.

2.3. *Jugend und Umwelt*

Obwohl gerade das relativ hohe Maß an *unveränderlichen* und zeitlich überdauernden Charakteristika baulich gestalteter Lebensbedingungen *theoretisch* dafür

spricht, ihre Bedeutung für Sozialisationsverläufe zu untersuchen, wird *praktisch* und politisch erst durch die etwa infolge von Alterungs-, Mobilitäts- oder Umschichtungsprozessen der Bevölkerung sich einstellenden *Veränderungen* der Nutzungsarten das Verhältnis zwischen den Menschen und ihrer ‚Umwelt' *akut*. Am deutlichsten drückt es sich dort aus, wo die Bevölkerungsgruppen, die *noch nicht* oder *nicht mehr* im wirtschaftlichen Produktionsprozeß stehen und deshalb mit ihren Bedürfnissen und Aktivitäten räumlich wie sozial im wesentlichen auf ihre *Wohnregion* angewiesen sind (Frauen, Kinder, Jugendliche, Rentner), in ihr nicht ausreichende Möglichkeiten zur Entfaltung finden. Insbesondere in modernen städtischen Siedlungsgebieten, die nach einem einzigen konzeptionellen Großentwurf innerhalb weniger Jahre für Zehntausende von Menschen erstellt wurden, treten nach einer Bestandsdauer von 10 bis 15 Jahren regelmäßig die *Jugendlichen* als ökologische „*Problemgruppe*" in Erscheinung. Im Alter von 15 Jahren sind die Jugendlichen, die als Säuglinge in solche Siedlungsgebiete kamen oder dort erst geboren wurden, in der Regel den räumlichen Verhältnissen der elterlichen Wohnungen und der unmittelbaren Nachbarschaft so weit ‚entwachsen', daß es allenthalben öffentlich sichtbar wird. Weil sie sich trotz der oft wenig einladenden räumlichen Gliederung dort, wo sie von Kind an gelebt haben, emotional ‚zuhause' fühlen, verbringen sie ihre freie Zeit bevorzugt im nächsten Umkreis ihres Wohngebietes. So gern die jeweiligen Eltern dieses Verhalten auch sehen, für alle sonstigen Einwohner gilt es als permanentes Ärgernis, dem daher mit allen Arten informeller und formeller *Kontrolle* entgegengewirkt wird. So geraten die Jugendlichen in die Rolle mißliebiger *Außenseiter*, und dies gerade in einer entwicklungsmäßig sehr sensiblen pubertären Phase, die der Mehrzahl von ihnen die Entscheidung für einen Berufsweg abverlangt. Daß aber die Art, wie die Jugendlichen als Gruppe, als einzelne Vertreter dieser Gruppe und als Individuen im Rahmen ihrer Umwelt wahrgenommen und behandelt werden, mit der Art, wie sie sich selbst, die Legitimität ihrer Interessen und ihren ‚Marktwert' bei der Suche nach einer Lehrstelle einschätzen, etwas zu tun haben könnte, dürfte einsichtig sein – erst recht, wenn die Berufsfindung sich vor dem Hintergrund eines zu knappen Angebots an offenen Stellen abspielt, wie es gegenwärtig der Fall ist. Sich im Produktions- und Reproduktionsbereich gleichermaßen als *unerwünscht* und *überflüssig* zu begreifen, ist vermutlich nicht gerade das, was die Jugendlichen zu ‚positiven und konstruktiven Mitgliedern' ihrer Gesellschaft macht.
Nun gibt es aber neben dem genannten Typus moderner städtischer Wohngebiete mit unvermeidlich ‚auffällig' wirkenden Jugendlichen auch ökologische Regionen in Städten, die ihnen u. U. bessere Bedingungen zur Entwicklung bieten, so etwa Gebiete mit multifunktionaler Nutzung und ausgeglichenerer Altersstruktur, wie sie beispielsweise als *Cityrandbezirke* größerer Städte oder als *Kleinstädte* vorkommen. Die *generelle Hypothese*, daß dort die Sozialisationsprozesse Jugend-

licher *merklich* anders verlaufen als eben aufgezeigt und daß sie demzufolge auch erkennbar andere Auswirkungen auf deren Einstellungen und Handlungsweisen haben, wie sie am Beispiel der Berufsfindung manifest werden, ist der *systematische Ausgangspunkt* des vorliegenden Projekts. Für die methodische Grundstruktur des Forschungsdesigns bedeutet dies, daß die relevante Gruppe von Jugendlichen *statusmäßig konstant* gehalten wird, während deren objektive sozial-ökologische Lebensbedingungen *variiert* werden; es werden zwei gegensätzliche großstädtische Siedlungsregionen mit einer Kleinstadt gleicher Größenordnung verglichen. Daran läßt sich erkennen, daß es sich hier um einen *soziologischen Zugang* zur ökologisch orientierten Sozialisationsforschung handelt. Er soll zunächst Material für den Beleg der ‚Regionalisierungsthese' erbringen, die ebenso auf eine *Modifikation* des an Institutionen des Bildungssystems orientierten erziehungswissenschaftlichen Ansatzes wie auch auf eine *Differenzierung* des auf schichtspezifische Sprach- und Handlungsnormen ausgerichteten sozial-psychologischen Sozialisationskonzepts hinausläuft. Aus diesem Grund werden auch die institutionellen und statusmäßigen Charakteristika der Jugendlichen auf einem bestimmten Niveau fixiert: Das Projekt „Sozialisation und Umwelt" befaßt sich nur mit *Hauptschülern der 9. Klassen* der jeweils zentral im regionalen Kontext gelegenen Volksschulen; aufgrund ihres Bildungsabschlusses gehören die Schüler überwiegend wohl auch einer *einzigen Sozialschicht* an.
Prinzipiell wäre es im Rahmen eines Forschungsansatzes, der ökologische Faktoren als Determinanten der Sozialisationsverläufe einbeziehen will, ebenso gut denkbar, mehrere im Hinblick auf institutionelle und statusmäßige Kriterien *verschiedene* Gruppen Jugendlicher in einer *einzigen* Siedlungsregion auf ihre Einstellungen zu und Verhaltensweisen in dieser ‚Umwelt' zu untersuchen. Die dann ermittelten Differenzen wären jedoch primär den bildungs- und schichtspezifischen Unterschieden zuzurechnen. Außerdem würde auch ein entscheidender *systematischer Vereinheitlichungsmodus* fehlen: die *Gleichartigkeit der biographischen Situation*, die das Ende der Volksschulzeit und der Übertritt in eine Berufsausbildung bewirken. An diesem *Statusübergang* läßt sich wie in einem ‚Brennpunkt' die Bedeutung der aktuellen wirtschaftlichen Lage einer Gesellschaft für die Lebensbedingungen einer konkreten Gruppe von Jugendlichen innerhalb verschiedener regionaler Infrastrukturen ermitteln und daraus zugleich ein *historisches Modell* für eine wichtige Phase des Sozialisationsverlaufs dieser Gruppe ableiten. Es wird bewußt und explizit darauf verzichtet, mit Hilfe solcher Erkenntnisse auch allgemeine Aussagen über ‚*die* Sozialisation' von Hauptschülern oder ‚Jugendlichen' generell zu treffen. Das Äußerste, was von den Ergebnissen der empirischen Untersuchungen des Projekts erwartet werden kann, ist eine auf *bundesdeutsche* – institutionell, regional und sozial für die zweite Hälfte der 70er Jahre typische – *Verhältnisse* abgestellte Anzahl *deskriptiver Hypothesen*, die den Zu-

sammenhang zwischen institutionell geregelten Bildungsprozessen und sozialräumlich organisierten Lebensbedingungen mit Dimensionen des Orientierungsverhaltens einer bestimmten Gruppe von Jugendlichen (Hauptschulabgänger) – anknüpfend am Berufsfindungsproblem – nachzeichnen.

2.4. *Statusübergang: Hauptschule – Beruf*

Es gibt zahlreiche wichtige jugend- und bildungspolitische Gründe, Jugendforschungsprojekte gegenwärtig auf *Hauptschüler* und insbesondere Hauptschulabgänger abzustellen, u. a. weil sie die zahlenmäßig stärkste Gruppe der von Arbeitslosigkeit bedrohten Jugendlichen bilden. Diese brennende Aktualität als solche leistet jedoch keine Rechtfertigung dafür, sie zum Gegenstand einer sozialisationstheoretisch orientierten Untersuchung mit *ökologischem Bezug* zu machen. Denn ohne eine *systematische Verknüpfung* ihrer gegenwärtig zugespitzten Problemlage mit der generellen Frage nach den Schwierigkeiten der Bewältigung des *Statusübergangs* von der Hauptschule zur Berufsausbildung einerseits und nach den Auswirkungen bestimmter sozialer und ökologischer Strukturfaktoren auf die Bewältigungsformen und -erfolge andererseits ist die Entscheidung vom *wissenschaftlichen* Gesichtspunkt aus betrachtet willkürlich und möglicherweise für die partielle Rekonstruktion von Sozialisationsprozessen ungeeignet.
Am leichtesten ist der Stellenwert der getroffenen Wahl im Rahmen der ‚formalen' *Theorie der Sozialisation* zu benennen: Es geht um die Bewältigung einer der „developmental tasks" (*Havighurst* 1953), die auf jedes heranwachsende Mitglied einer Gesellschaft früher oder später mit unterschiedlicher Dringlichkeit zukommen, die *berufliche Plazierung*. Der Übertritt eines Jugendlichen von einer *staatlich gelenkten* Institution, die mit einer vorgeschriebenen Abfolge von Lehrplänen feste Erziehungs- und Bildungsziele verfolgt, in einen überwiegend *privatwirtschaftlich* organisierten Bereich, in dem es um die Produktion von Waren und die Erstellung von entgeltlichen Dienstleistungen geht, kann daher als die *biographische Situation* begriffen werden, in der sich am Beispiel einzelner Individuen die *Leistungen* des Bildungssystems mit den *Anforderungen* des Wirtschaftssystems messen. Weil aber die Betroffenen keines der beiden Systeme in ihren Strukturen und Maßstäben aktiv beeinflussen können, stehen sie persönlich an diesem Punkt vor der Aufgabe, in erster Linie sich selbst – mit allen im Laufe der bisherigen Sozialisation entwickelten Eigenschaften und erworbenen Qualifikationen – so *einzuschätzen*, daß eine ‚Eignung' für und ein Interesse an einer bestimmten beruflichen Position plausibel erscheint. Sie müssen also sowohl eine ‚Zwischenbilanz' ihres individuellen Werdegangs ziehen als auch in Umrissen ein Bild ihres erwünschten künftigen beruflichen Selbsts entwerfen. Beides erfordert aber ein Maß an *Reflexivität* und *Urteilskraft*, wie es zum Zeitpunkt des Hauptschulabgangs –

mit 15 bis 16 Jahren – biophysisch und sozial noch nicht hinreichend entwickelt ist. Die Entscheidung für einen beruflichen Ausbildungsweg geht daher bei dieser Gruppe von Jugendlichen mit *Orientierungsschwierigkeiten* einher, durch die die An- oder Abwesenheit bestimmter struktureller Lebensbedingungen erhöhten Einfluß zu gewinnen vermag (vgl. *Schwarz/Stoss* 1973). An dieser Stelle können beispielsweise Kommunikations-, Beziehungs- und Beratungsmuster wichtig werden, die der einzelne Jugendliche in seiner ‚Umwelt' zur Verfügung hat. Der theoretisch als ‚Naht- oder Bruchstelle' zwischen zwei gesellschaftlichen Subsystemen konzipierte Übergang von der allgemeinbildenden Schule in die Berufsausbildung, dessen *lebensgeschichtliche* Bedeutung für die Betroffenen nicht hoch genug eingeschätzt werden kann, erfährt also – so lautet die These – infolge seines entwicklungspsychologisch frühen Zeitpunktes bei den Hauptschulabgängern eine besonders enge Koppelung an die im Sinne einer gesamtgesellschaftlichen Analyse der Sozialisation eher sekundären Strukturgegebenheiten der Region (vgl. *Laatz* 1974, 45/46 und *Lange* 1975, 117).
Auch unter dem Gesichtspunkt einer sozio-kulturellen *Theorie der Bildungsprozesse,* die insbesondere den von *Institutionen* gesteuerten Verlauf der Sozialisation, d. h. die von ihnen bewirkte Erziehung, thematisiert, kommt dem *Hauptschulabgang* eine besondere Bedeutung zu. Denn es handelt sich bei diesem Bildungsabschluß um das gesellschaftlich definierte *‚Normalmaß'* notwendiger Erziehung, das auch von dem prozentual größten Anteil von Jugendlichen erzielt wird. Überdies ist dessen Niveau im Zuge der Reformtendenzen der 60er Jahre in der BRD durch die Einführung des 9. Pflichtschuljahres (1969) programmatisch angehoben worden, wobei das zusätzliche Schuljahr insbesondere der besseren Vorbereitung der Jugendlichen auf den Übergang zur beruflichen Ausbildung dienen sollte. Demgemäß heißt es z. B. in den *Richtlinien für die bayerischen Volksschulen* (1976, 27): „Im abschließenden 9. Schülerjahrgang nimmt die Hinführung zur Berufs- und Erwachsenenwelt im gesamten Unterricht breiten Raum ein. Der Schüler soll am Ende der Volksschulzeit imstande sein, seine Fähigkeiten und deren Grenzen im Blick auf bestimmte Berufsaufgaben zu beurteilen und die bestmögliche Berufswahl zu treffen. Ein besonderes Anliegen der Schule wird es sein, dem Schüler zu helfen, daß er die menschliche Reife für das Leben in der Arbeitswelt gewinnt." An dieser Stelle wird zugleich auch betont, daß für die „Landschule" die gleichen Grundsätze und Forderungen wie für die „Schule in der Stadt" gelten sollen (S. 27), ein Hinweis, der den *institutionell normierenden* Charakter schulischer Erziehung speziell herausstreicht. Daß dennoch die Unterschiede der regionalen Einordnung der Schulen auch in der Art des Unterrichts zum Tragen kommen können und sollen, wird so angedeutet: „Die Vorteile der ländlichen Schule im naturnahen und überschaubaren Lebensbereich wird der Lehrer erziehlich und unterrichtlich nutzen" (ebd.). Wenn außerdem noch erklärt

wird, der Lehrer werde „bestrebt sein, mit den außerschulischen Erziehungsmächten und Erziehungseinrichtungen, insbesondere mit Elternhaus und Kirche sowie mit den Stellen der Jugendpflege und Jugendfürsorge, zusammenzuarbeiten" (S. 35), so spiegelt sich in dieser intentionalen Prognose eine für den sozial-ökologischen Ansatz des hier vorgestellten Projekts sehr wichtige *regionale Relativierungsmöglichkeit* von schulischen Erziehungsleistungen. Obwohl sie für jeden Jahrgang der Volksschulen gleichermaßen gilt, verdient sie vor allem im letzten Schuljahr wegen des bevorstehenden Übergangs der Jugendlichen in einen völlig anders organisierten Lernalltag erhöhte Aufmerksamkeit. Diesen berüchtigten ‚Schritt ins Leben' von seiten der Schule angemessen vorzubereiten, würde ein breites *außerschulisches Engagement* der Lehrer erfordern, wie es höchstens in sehr kleinen Gemeinden aufgrund der wechselseitigen Bekanntheit der Vertreter verschiedener Institutionen und der starken Verflechtung beruflicher und außerberuflicher Kontakte realisiert wird. Daher ist auch anzunehmen, daß in den drei vom Projekt ausgewählten Typen sozial-räumlicher Umwelten die *Integration der Volksschulen* in das lokal zuständige institutionelle Beziehungsnetz, also die Basis für Verständigungen der Lehrer mit Vertretern außerschulischer Interessen, verschieden weit reichen wird. Die Folgen dieses variierenden ‚Integrationsgrades' zunächst für die Modifikation der curricular vermittelten Lehrinhalte und sodann für die persönlichen Strategien der Hauptschulabgänger beim Umgang mit relevanten Institutionen und ihren Vertretern sichtbar zu machen, ist dem *inter-regionalen Gruppenvergleich* vorbehalten, der das Projekt „Sozialisation und Umwelt" abschließen soll.

Die mit dem Abgang von der Hauptschule auf Jugendliche im Alter von 14 bis 16 Jahren zukommende berufliche Plazierungsaufgabe hat also im Rahmen des Projekts die Bedeutung eines sozialisationstheoretisch und bildungsoziologisch zentralen *biographischen Orientierungspunktes,* für den unterstellt werden kann, daß bei dem Zustandekommen der problembezogenen Wertungen und Handlungsweisen der Jugendlichen ihre über Kindheit und Schulzeit hinweg aufgebauten Beziehungen zu den sozial-räumlichen Strukturen der Region eine besondere – wenn auch nur indirekt erkennbare – Rolle spielen. Das seit *Lazarsfelds* früher Studie „Jugend und Beruf" (1931) immer wieder mit Überraschung konstatierte Faktum, „daß die Berufswünsche der Jugendlichen sehr genau den ökonomischen Aufbau ihrer Region widerspiegeln" (zit. nach *Laatz* 1974, 45), kann als direkter Hinweis auf diese Verknüpfung verstanden werden; die „subtilen Einflußmechanismen" (ebd., S. 45), die hier offenbar ihre Wirkung entfalten, haben allerdings bisher keine entsprechende Aufklärung gefunden. Vielmehr hat man die Ergebnisse der von Hauptschulabgängern getroffenen Ausbildung- und Berufsentscheidungen durch das „*Modell der Zufalls-Wahl*" erklärt, das von der Grundannahme ausgeht, diese Jugendlichen würden, wenn das Problem der Berufswahl auf sie

zukomme, „anhand situativer Kriterien den nächstliegenden Beruf, d. h. den Beruf, der sich in der konkreten Situation gerade anbietet", ergreifen (*Lange* 1975, 116). Irgendeine *Systematik* oder gar Rationalität wird ihnen dabei völlig abgesprochen. – Obwohl solch ein ‚Modell' für Zwecke der regionalen und gesamtgesellschaftlichen Prognose der Entwicklung des Arbeitsmarkts und seiner Engpässe brauchbar sein mag, der Forschung über Sozialisationsprozesse von Jugendlichen hilft es nicht sehr viel weiter, denn es geht nicht auf die *Lage* ein, in der sich die Hauptschulabgänger – körperlich, sozial, intellektuell, emotional – am Ende ihrer Schulzeit im Rahmen ihrer konkreten Lebensbedingungen befinden. Das Verständnis ihres ‚situativen' beruflichen Entscheidungsverhaltens erfordert aber die möglichst *umfassende* Berücksichtigung dieser Gegebenheiten; in sie gehen z. B. das in der Adoleszenz beginnende Distanzierungsbedürfnis gegenüber dem Elternhaus, die Entwicklung neuer Vertrauenskriterien gegenüber Peers, das Erleben erster Liebesbeziehungen ebenso ein wie beispielsweise die *alltägliche Kenntnis* von Arbeitsplätzen durch eigene Anschauung – beim Einkaufen, bei der Benutzung von Verkehrsmitteln, bei der Konsultation eines Arztes, beim Besuch eines Friseurs usw. – oder die *weitgehende Unkenntnis* der elterlichen Berufstätigkeit aufgrund der Trennung zwischen Wohn- und Arbeitsbereich. Es soll also im Rahmen des vorliegenden Projektansatzes versucht werden, die komplexen Dimensionen der Alltagswelt der Hauptschulabgänger nachzuzeichnen, vor denen sich die genannte ‚Zufallsentscheidung' für einen bestimmten Beruf vollzieht. Weil – *Lewin* zufolge – insbesondere dieser Punkt einer biographischen Neuorientierung vom Jugendlichen fordert, „aus dem Ganzen seiner Lebenssituation" heraus zu handeln (*Lewin* 1969, 44) kommt die *‚phänographische' Analyse,* die nicht von vornherein einen *einzelnen* Faktor der Umwelt zur ‚Determinante' (unabhängigen Variablen) der endgültig getroffenen Entscheidung (abhängigen Variable) erklärt, als empirisches Verfahren den subjektiven Bedingungen am nächsten, in denen sich vermutlich die Jugendlichen befinden (vgl. 1.1.). Sie wird sich mehr für die *Variationsbreite* der unterschiedlichen Orientierungswege interessieren, die die Abgänger der untersuchten drei Volksschulen in drei Typen von kommunalen Kontexten einschlagen, als für die faktische Streuung der *Berufswünsche* dieser Jugendlichen nach Ausbildungskategorien. Bereits die Verbindung der Sozialisationsfrage mit der *Umwelt-Thematik,* so wie sie vorstehend skizziert worden ist, legt eine ‚qualitative' Verfahrensweise nahe. Es geht dem Projekt „Sozialisation und Umwelt" daher um eine *interpretative,* deskriptive Art der Beweisführung, die sich an anderen Gütekriterien orientiert als die theorie- und hypothesentestende Empirie (vgl. dazu *Glaser/Strauss* 1968).
Langfristig werden dadurch die Chancen erhöht, auf induktivem Wege zu einer kulturell, historisch, schichtenmäßig und sozial-ökologisch differenzierten und damit auch praktisch nützlichen ‚Theorie der Sozialisation' zu gelangen.

3. Darlegung des Forschungsstandes im Rahmen des Projektdesigns

Das Projekt ist organisatorisch ingesamt als *fünfjährige* ‚explorative' Studie mit *zwei* empirischen Forschungsphasen angelegt, die sich jeweils auf eine definierte Statusgruppe Jugendlicher (Hauptschüler der 9. Klassen) und einen einheitlichen biographischen Zeitpunkt (wenige Wochen vor dem offiziellen Schulabschluß) beziehen, jedoch in *drei* unterschiedlichen Typen von kommunalen ‚Umwelten' stattfinden. Die erste dieser Phasen, innerhalb des Designs auch „Erkundungsphase" genannt, ist zum gegenwärtigen Zeitpunkt unter Erhebungsgesichtspunkten abgeschlossen; sie begann im April 1976 und dauerte – mit ihren drei Interviewschwerpunkten: Einzelgespräche mit Hauptschülern, Einzelgespräche mit Experten, Gruppendiskussionen mit Hauptschülern – bis einschließlich Februar 1977. Die zweite Feldphase wird in den entsprechenden Monaten 1977/78 in zwei städtischen Umwelten stattfinden. Aufgrund der Verknüpfung der Forschungsfrage des Projekts mit dem Schuljahresende der Volksschulen sind dem zeitlichen Dispositionsspielraum der empirischen Arbeit eindeutige Grenzen gesetzt. Umgekehrt hat die Entscheidung für einen ‚qualitativen', sozial-ökologisch integrativen Zugang zur Lebenssituation der Hauptschulabgänger zur Folge, daß gerade die Nachbereitung, Auswertung und Interpretation des auf mehreren Ebenen erhobenen Datenmaterials einen besonders hohen Aufwand an analytischer ‚Schreibtischtätigkeit' erfordert. Daraus erklärt sich auch, daß hier noch *keine systematisch gewonnenen Ergebnisse* der gerade abgeschlossenen „Erkundungsphase" vorgestellt werden können. Die nachfolgenden Ausführungen sind vielmehr als ‚Einblick in die Werkstatt' eines laufenden Forschungsprojekts zu verstehen, in der sich ‚Rohmaterialien', ‚Zwischenprodukte' und ‚Bearbeitungsinstrumente' in mehr oder weniger sinnvoller Ordnung befinden und das Interesse des Betrachters auf sich ziehen.

3.1. *Methodischer Aufbau*

Die Führung durch eine ‚Werkstatt' bedarf der Orientierung an dem zugrundegelegten ‚Fertigungsplan'. Bei einem empirischen Sozialforschungsprojekt der vorstehend skizzierten Art kann solch ein Plan nicht ‚statisch' Punkt für Punkt fixiert sein, weil einerseits die exakte Kenntnis der zu untersuchenden objektiven und subjektiven Faktoren und ihrer Interedependenzrelationen zu Beginn fehlt und andererseits die Forscher selbst im Verlaufe des Umgangs mit der ausgewählten Personengruppe ihre Verständniskategorien und Beziehungsebenen verändern.

Das *,Design'* des hier vorgestellten Projekts enthält für seinen empirischen Teil neben der bereits genannten *Grobgliederung* in drei – auf Vergleich angelegte – Umwelten eine *Feingliederung,* die mit der forschungspragmatischen Bestimmung der beiden Grunddimensionen von ,Sozialisation' und ,Umwelt' – zeitliches Nacheinander und räumliches Nebeneinander – zusammenhängt: der *prozessualen* Komponente der Vergesellschaftung Jugendlicher wird durch eine jeweils *vor* und *nach* dem Schulabschluß der Hauptschulabgänger angesetzte Befragung nahezukommen versucht; die *Komplexität* der sozial-räumlichen Lebensbedingungen dieser Gruppe von Jugendlichen und die von ihren ,Lernorten' ausgehenden Wirkungen werden durch die gleichzeitige Anwendung von Analysen öffentlich-statistischer Daten, Beobachtungen, Interviews mit Jugendlichen und ,Expertenbefragungen' einzufangen versucht.

3.1.1. *Zur Grobgliederung: die Regionen*

Als Typen kommunaler Umwelten, die den Vergleich der Sozialisationswirkungen von Umweltfaktoren ermöglichen sollen, wurden ausgewählt:
Region S1: Stadtrandneubau-/Trabantensiedlung
Region S2: Citynahes Altstadtviertel
Region S3: Ländliche Kleinstadt mit zentralen Funktionen für das Umland

Zu S1: Die ,monofunktionale Stadtrandneubausiedlung' (die häufig untersuchte und kritisierte ,Wohn- und Schlafstadt') hat in den Jahren seit 1945 bis in die Gegenwart entscheidend die Stadtentwicklung und das Leben in den Städten geprägt. Die meisten Haushalte befinden sich hier in der familialen Aufbau- und Konsolidierungsphase, wodurch der Anteil von Kindern und Jugendlichen an der Wohnbevölkerung überdurchschnittlich groß ist. Die in dieser Region ablaufenden Expansions-, Stabilisierungs- und Integrationsprozesse machen sie zu einem ,sozialen Brennpunkt' und geben vor allem der Auseinandersetzung der Jugendlichen mit dieser Umwelt einen ,brisanten' Charakter (vgl. 2.3.).
Zu S2: Das ,multifunktionale Altstadtviertel' (das nicht minder häufig untersuchte ,rückständige Quartier') bildet in vielen Hinsichten einen Kontrast zur Region S1. Neben den traditionell hier angesiedelten Produktionsstätten (Handwerksbetriebe, oft in Hinterhöfen; industrielle Klein- und Mittelbetriebe) und dem sich von den Citybezirken her ausbreitenden tertiären Sektor hat es sich als Wohngebiet behaupten können. Die meist erforderlichen und ablaufenden Sanierungsaktivitäten und der häufig hohe Anteil an Gastarbeiterhaushalten bilden dauerhafte Probleme. Überproportional viele Haushalte befinden sich in der Stagnations- bzw. Schrumpfungsphase, und damit liegt der Anteil der Kinder und Jugendlichen eher unter dem gesamtstädtischen Durchschnitt.
Zu S3: Die ,ländliche Kleinstadt' weist infolge ihrer für das Umland zentralen Funktionen ein den städtischen bzw. großstädtischen Regionen vergleichbares Niveau des (schulischen) Bildungsangebotes und auch der infrastrukturellen Ausstattung auf. Die Altersstruktur ist hier in dem Sinne ausgeglichen und ,stabil', als die Anteile einzelner Altersgruppen an der Gesamtbevölkerung weitgehend den

großräumig (z. B. auf Landesebene) ermittelten Durchschnittswerten entsprechen oder nur geringfügig von diesen abweichen.

Im Rahmen des Projektdesigns sind diese drei Vergleichsregionen *nicht* Bestandteil eines elaborierten, systematischen *Modells* gesamtgesellschaftlicher Regionalisierung (etwa im Sinne einer ,Umwelt-Taxonomie'), sondern ihre Auswahl ist allein nach Plausibilitäts- und Evidenzkriterien erfolgt. Über die unmittelbaren Alltagserfahrungen hinaus, die aus eigener Anschauung und Zeitungsberichten gewonnen werden, lassen auch zahlreiche jugendsoziologische, pädagogische und stadt- bzw. gemeindesoziologische Untersuchungen (vgl. dazu die Literaturübersicht in *Diery et al.* 1976) vermuten, daß diese Regionen für Jugendliche unterschiedliche Entwicklungsbedingungen darstellen, die sich folglich auch in variierenden ,Sozialisationseffekten' niederschlagen müßten.

Die *konkreten* Untersuchungsregionen, die die typisierten Regionen S_1, S_2 und S_3 repräsentieren sollen, liegen in *Bayern;* die beiden städtischen sind Teile von Münchener Stadtbezirken, die ländliche ist eine ostbayerische Kleinstadt. Der forschungspragmatische Gesichtspunkt der Nähe zum Standort der Forschungsgruppe und somit der schnellen Erreichbarkeit bekommt bei einem ,qualitativen' Verfahren, das mit Beobachtungen und offenen Interviews arbeitet, die viel Zeit in Anspruch nehmen und häufige Anwesenheit ,im Feld' erfordern, ein besonderes Gewicht. Darüber hinaus sind mit dieser geographisch-politischen Eingrenzung die *schulpolitischen Voraussetzungen* der schulischen Abläufe, in denen sich die Jugendlichen befinden, vereinheitlicht, wodurch die zwischen den bildungspolitischen Strategien der Bundesländer vorhandenen Divergenzen hinsichtlich des Hauptschulabschlusses ausgeklammert werden. Es kann also davon ausgegangen werden, daß alle befragten Hauptschulabgänger in bezug auf den Erwerb ihres (qualifizierenden) Hauptschulabschlusses den gleichen *institutionellen* Bedingungen ausgesetzt sind. Die von den Schulverwaltungen festgelegten *Einzugsbereiche* der Volksschulen (als quartiersbezogener Schultyp) definieren innerhalb der Untersuchungsregionen die relevanten Grenzen, die neben den kommunalpolitischen, räumlich-baulichen und sozial-kommunikativen Trennlinien zur Untergliederung beitragen.

3.1.2. *Zur Feingliederung: Verfahren zur Erfassung der Region*

In jeder der drei Untersuchungsregionen werden die jeweiligen ,objektiven' Regionsmerkmale auf mehreren Wegen ermittelt:

- durch eine Analyse der verfügbaren Daten der öffentlichen Statistik,
- durch Begehungen und Beobachtungen der Projektgruppe,
- durch ,Experteninterviews', die Auskünfte über die Region, ihre institutionellen und informellen Kommunikationsmuster und ,Mentalitäten' sowie über die Lebensbedingungen der Jugendlichen erbringen sollen.

Für die Verwendung von ‚Expertengesprächen' lassen sich folgende Gründe anführen:

- ‚Experten' sind Schlüsselpersonen der Region, in der die Hauptschulabgänger leben. Sie bilden einen personifizierten Teil der institutionellen Lebensbedingungen, innerhalb derer sich die Jugendlichen zurechtzufinden haben; man kann davon ausgehen, daß sie in den meisten Fällen Interaktionspartner der Jugendlichen sind, gelegentlich auch direkte soziale Kontrolle auf sie ausüben.
- ‚Experten' sind hinsichtlich einer Region Träger von Informationen und Erfahrungen, die in diesen Personen zusammenlaufen und die daher auf anderem Wege als deren direkter Befragung nicht oder nur sehr bruchstückhaft zugänglich sein würden.
- ‚Experten' sind, sofern sie ihre beruflichen Funktionen in der Region mit einer gewissen zeitlichen Dauer wahrgenommen haben, Auskunftspersonen in bezug auf Ereignisse und Abläufe in den zurückliegenden Jahren, die auch in den Schilderung der Jugendlichen bzw. ihrer Eltern einen wichtigen Stellenwert haben können; sie bringen daher ein gewisses Element der Kontinuität in die Beschreibung der sozial-ökologischen Bedingungen.

Die ‚Experteninterviews' sollen insgesamt dazu dienen, die Lebensverhältnisse der Jugendlichen, die beobachtbar und erfragbar sind, durch Auskünfte über jugendspezifische Vorkommnisse und Maßnahmen zuständiger Institutionen zu ergänzen. Die auf dem Wege über diese Gespräche gewonnenen Informationen können den in Anlehnung an *Bronfenbrenner* (vgl. 2.2.) entwickelten Ebenen der Umwelterfassung und -beschreibung zugeordnet werden, insbesondere den Ebenen der informellen und institutionellen Netzwerke und dem die Umwelt überlagernden ideologischen System.

Inhaltlich sind die ‚Experteninterviews' im wesentlichen auf die folgenden *Themenkomplexe* hin orientiert:

- Kenntnis- und Reflexionsstand der ‚Experten' hinsichtlich der Wohn- und Lebensbedingungen der Bevölkerung der Untersuchungsregion, Fragen der Gewichtung je nach berufsspezifischem Kontext und Fragen der persönlichen Einschätzung;
- Beurteilung der Situation, des Verhaltens und des ‚Charakters' der Jugendlichen; beruflich bedingte Beziehung zur Jugend der Untersuchungsregion;
- Wissen um und Einstellung zu der besonderen biographischen Situation der untersuchten Adoleszentengruppe (Hauptschulabgänger); Erfahrungen mit oder Meinungen über die Problematik der Lehrstellenknappheit, der Arbeitslosigkeit Jugendlicher und ihrer Folgen;
- Integration der ‚Experten' in die Untersuchungsregion bzw. Art ihrer Beziehungen zu Siedlungsgebiet und Bevölkerung; Informationen und Hinweise aus der je besonderen fachlichen und institutionellen Perspektive.

Die Aussagen der ‚Experten' werden nicht als Gegendarstellung oder ‚Korrektiv' zu den Aussagen der Jugendlichen über ihre regionalen Lebensbedingungen begriffen. Vielmehr haben sie einen eigenen Stellenwert als zwar subjektive, doch infolge der Kompetenzen der Experten übersubjektive – und in dieser Hinsicht verbindliche – Einschätzungen und Meinungsäußerungen.
Für Zwecke der ersten Auswertung werden die Gesprächsprotokolle mit ‚Experten' (analog den Themenkomplexen) untergliedert in Aussagen über:

- allgemeine, die jeweilige Untersuchungsregion *umfassend* charakterisierende Merkmale,
- Jugendliche in der Region und speziell Hauptschulabgänger bzw. Hauptschüler,
- Auffälligkeiten Jugendlicher (aus der Sicht der jeweiligen Institution),
- Bedingungen und Ursächlichkeiten von Vorgängen und Zuständen in der Region (ebenfalls aus der Sicht der Institution, der sie als Rollenträger angehören),
- wünschenswerte Veränderungen und evtl. vorhandene Pläne, z. B. hinsichtlich der Verbesserung des Angebots von Veranstaltungen im Bereich von Jugendarbeit und Jugendhilfe.

So entsteht ein ‚Mosaik' teils sich ergänzender, teils sich widersprechender Bemerkungen über die Regionen und ihre Einwohner, insbesondere die Jugendlichen. Zusammen mit den auf anderen Wegen – Beobachtung und statistische Datenanalyse – ermittelten besonderen Merkmalen wird es zur Charakterisierung der konkreten sozialökologischen Lebensbedingungen benutzt. Dem so gewonnenen Bild der ‚Umwelten' werden die subjektiven Erlebnis- und Erfahrungsmuster der Jugendlichen gegenübergestellt, die sich aus den Interviews herausinterpretieren lassen. Ihren Stellenwert für die Selbstbilder der Hauptschüler und das daraus folgende Verhalten angesichts des Statusübergangs in eine Berufsausbildung zu klären, ist eine zentrale Zielsetzung des Projekts.

3.1.3. *Einzelinterviews und Gruppendiskussionen mit Jugendlichen*

In jeder der drei Untersuchungsregionen werden mit der definierten Sozialisandengruppe – den Abgängern der 9. Hauptschulklassen – zunächst qualitative Einzelinterviews, anhand eines vorstrukturierten Gesprächsleitfadens, geführt; die Gespräche finden in den jeweiligen *Familienwohnungen* statt. Die Beteiligung der Eltern wird nicht ausgeschlossen. Für die Festlegung dieses (privaten) Interviewortes ist die Überlegung maßgebend, daß auf diese Weise einerseits ein unmittelbarer Eindruck von dem *räumlichen ‚setting'* der Familie der Jugendlichen gewonnen werden kann und andererseits eine private, d. h. in vertrauter Umgebung verlaufende und unverkrampfte Gesprächsführung erleichtert wird. Damit in gewissem Sinne auch der *prozessuale Charakter* des Statusübergangs der Hauptschulabgänger zum Tragen kommt, sind nach ca. sechs Monaten in einer zweiten Phase

Gruppendiskussionen mit den schon individuell interviewten Jugendlichen vorgesehen. Diese Diskussionen sollen an einem ‚neutralen' – weder durch eine Institution noch durch die Herkunftsfamilie vorbelasteten – Ort stattfinden, etwa in einer Gastwirtschaft oder einem Café der Region. Ein solcher im Gegensatz zur ‚Familienwohnung' *öffentlich zugänglicher* sozialer ‚Lernort' und die Diskussion mit einer *Gruppe* von Jugendlichen zum gleichen Zeitpunkt sollen dazu beitragen, bislang nicht erfaßte Orientierungsmuster kennenzulernen und unterschiedliche individuelle Deutungsmuster miteinander zu konfrontieren. Auch scheint die Gesprächssituation in der Gruppe den durch den Berufseintritt verstärkten *Ablösungsprozessen* vom Elternhaus soweit angemessen, als hier Konflikte und Probleme mit Vater oder Mutter besser artikuliert werden können. Inhaltlich wird bei den Gruppendiskussionen in erster Linie die Verarbeitung des Statusübergangs Schule – Berufswelt thematisiert; es werden also die damit verbundenen Erfahrungen und die ‚neue Sicht' der Lebensbedingungen, der Kommunikationspartner und des eigenen Selbsts angesprochen.

Im einzelnen enthält der *Gesprächsleitfaden für die Individualinterviews* mit den Hauptschulabgängern folgende *Themenkomplexe:*

- Situation und Problembewältigung im Zusammenhang mit der bevorstehenden Schulentlassung, Prüfungsvorbereitungen, Berufsfindungsverhalten, konkrete Lehrstellensuche, Zukunftsvorstellungen für berufliches und privates Leben, Einflüsse von Eltern und sonstigen Vorbildern und Vertrauenspersonen, Beratungen durch zuständige Institutionen, Situationsdefinitionen und Lösungsstrategien durch Jugendliche/Eltern und Institutionen, Reaktionsweisen darauf;
- Demographische Charakterisierung der Herkunftsfamilien (Zahl der Geschwister, Vollständigkeit der Familien, Wohnungsgröße und Raumaufteilung, Berufs- und Einkommensverhältnisse, Bildungsgänge usw.) und Einschätzung der familiären Situation durch die Jugendlichen und ggf. ihre Eltern;
- Wahrnehmung und Einschätzung der sozial-räumlichen Infrastruktur der gegebenen Umwelt für Aktivitäten und Bedürfnisse der Jugendlichen; Relevanz einzelner Lernorte und ihrer Interdependenzen (z. B. Schule, Freizeitheim, Kirche, Sportstätten, Diskotheken, Hobbyräume), jugendliche ‚Aktionsradien' im Bereich zwischen Schule und Wohnung, Lage informeller Treffpunkte;
- Zusammensetzung von Cliquen, Freundschaftsbildung in der Schulklasse und der Nachbarschaft, Mitgliedschaften in Vereinen, Dichte der Kommunikationsnetze, Erfahrungen mit sozialer Kontrolle und sozialen Normen bzw. den sie repräsentierenden Instanzen, Beziehungen zur Erwachsenengeneration, soziale Integriertheit der Region.

Der Gesprächsleitfaden ist flexibel handhabbar; er erlaubt also, unvorhergesehene Themen, die zum Verständnis der je individuellen Problemsituation wichtig sind, jederzeit aufzunehmen. Grundsätzlich sollen sowohl die Einzelinterviews wie auch die Gruppendiskussionen auf Tonband aufgenommen und anschließend in Protokollform vollständig transkribiert werden. Beobachtungsnotizen über die Wohnverhältnisse, das Erscheindungsbild der Jugendlichen und den Verlauf der Diskussionen werden ebenfalls erstellt.

3.1.4. *Auswertungsschritte – Auswertungsebenen*

Der ‚qualitative' Modus der empirischen Datenerfassung des Projekts bringt auf allen Ebenen sehr heterogenes Erfahrungsmaterial hervor. Seine *systematische* Auswertung erfordert daher *mehrere* Verfahrensschritte, die jeweils auf eine Herausarbeitung von immer ‚homogeneren' Problemgruppen von Jugendlichen (nach sozialen Merkmalen und nach Verhaltens- bzw. Orientierungsmustern) zielen müssen. Relativ leicht lassen sich zunächst die ‚objektiven' Merkmalskategorien (Sozialdaten) aus den Einzelinterviews herausziehen und in einem einheitlichen Auswertungsbogen zusammenstellen; dieser *erste* Auswertungsschritt berücksichtigt im wesentlichen folgende Merkmalskomplexe:

- die Interviewsituation selbst,
- die Schulbiographie und den geplanten Schulabschluß,
- die Berufsorientierung und den Stand der Berufswahl zum Zeitpunkt des Interviews,
- die Familienstruktur und Berufstätigkeit der Familienmitglieder,
- die Wohnverhältnisse und evtl. vorangegangene Mobilität,
- die Gruppenbeziehungen, Mitgliedschaften und Treffpunkte der Jugendlichen.

Aus den genannten Merkmalskomplexen können erste Typisierungen der befragten Gruppe von Jugendlichen versucht werden, etwa nach Geschlecht, Dauer des Wohnens in der Region, Wohnform, Familienkonstellation, Kommunikationsmustern.

In einem *zweiten* Schritt lassen sich die Aussagen der Jugendlichen nach Themen bzw. Themenkomplexen zusammenfassen, die im Verlauf der Gespräche gezielt (nach Leitfaden) angesprochen oder die von Fall zu Fall von den Jugendlichen ‚aufgebracht' worden sind. Somit entsteht neben der ‚vertikalen' Protokollaufbereitung (Aussagen für jeden interviewten Jugendlichen über alle Themen) eine ‚horizontale' (Aussagen zu einem Thema über alle Interviewten oder auch deren typisierte Untergruppen). Das so vorstrukturierte sprachliche Protokollmaterial wird anschließend die Grundlage für die zentrale *inhaltliche* Auswertung bilden, in der es um die interpretative Herausarbeitung von Zusammenhängen zwischen bestimmten kommunalen (sozial-ökologischen) Lebensbedingungen und individuellen Orientierungs- und Problemlösungsmustern der Hauptschulabgänger geht. Es ist abzusehen, daß hier etwa

- die Beziehungen zwischen Typen von Jugendlichen und den Institutionen der Region,
- die Generationsbeziehungen in der Region,
- die Aktivitäts- und Orientierungsmuster verschiedener Typen von Jugendlichen,
- die Beziehungen zwischen Problemlösungsverhalten im Bereich der Berufsfindung und Aktivitätsmustern in der Freizeit

eine Rolle spielen werden.

Sobald diese Einzelauswertungen und Interpretationen aus allen drei Untersuchungsregionen vorliegen werden, wird dann eine *integrative Gesamtauswertung* im Sinne einer ‚comparative analysis' (vgl. 1.1.) einerseits für die Ebene des innerstädtischen Vergleichs zwischen den Jugendlichen der Regionen S_1 und S_2 und andererseits des Stadt-Land-Vergleichs zwischen Jugendlichen von S_1 und S_3 sowie S_2 und S_3 bzw. S_1/S_2 mit S_3 zu leisten sein.

Wenn die Projektarbeit bis zu diesem Punkt fortgeschritten sein wird, wird voraussichtlich auch die Frage nach dem Zusammenhang von ‚Sozialisation' und ‚Umwelt' wesentlich klarere Konturen gewonnen haben, als dies zum gegenwärtigen Zeitpunkt – aufgrund der noch nicht abgeschlossenen Auswertung der Ergebnisse der ‚Erkundungsphase' – der Fall sein kann.

3.2. *Ablauf der ‚Erkundungsphase'*

Ende April 1976, ungefähr zwei Monate vor Ende des Schuljahres, begann die empirische ‚Erkundungsphase' des Projekts. Obwohl ihre Ergebnisse in der Endauswertung denjenigen der 1977/78er Forschungsphase gleichgestellt werden, diente sie in gewisser Hinsicht nicht nur der Datenermittlung, sondern auch der Überprüfung der Zugangswege und Verfahren. Sie war quasi eine ‚Pilot-Studie' qualitativer Art, ließ also mehr Irrtümer, Umwege und methodische Fehlschritte zu als im normalen Forschungsprozeß üblich. Im folgenden erscheint der Verlauf notwendigerweise etwas ‚geglättet', was mit der Art der Darstellung zusammenhängt; die unverfälschte Wiedergabe aller Erfahrungen, die das Projektteam in der ‚Erkundungsphase' Schritt für Schritt gemacht hat, würde im Grunde eine *tagebuchartige* Berichtsform erfordern.

Nachdem auf abstraktem Niveau Einigkeit darüber bestand, welchem ‚Typus' einer kommunalen Umwelt die erste Beobachtungsregion entsprechen sollte (vgl. 3.1.1.), waren es allein *forschungspragmatische* Überlegungen, die zur konkreten Bestimmung des fraglichen Münchener Stadtteils führten. Da es innerhalb Münchens bereits mehrere sehr stark ‚beforschte' und im Lichte der Öffentlichkeit stehende Neubaugebiete gibt (so z. B. „Neuperlach" und „Hasenbergl"), sollte – als Gegengewicht – für Zwecke des Projekts ein ‚ganz normales', sozusagen unauffälliges, Wohnquartier ausgewählt werden. Um an diesem Dasein als ‚graue Maus' hier so wenig wie möglich zu verändern, wird es mit Namen nicht näher bezeichnet. Es kann zunächst nur charakterisiert werden als ein gut zehn Jahre altes Siedlungsgebiet im Münchener Westen, in dem – vornehmlich in Wohnblöcken – ca. 13 000 Einwohner leben.

Aufgrund der thematischen Festlegung des Projekts auf eine Untersuchungspopulation von *Hauptschulabgängern* war zunächst die exakte Begrenzung der in die Beobachtung einzubeziehenden Umwelt durch den *schulischen Einzugsbereich* der im Quartier gelegenen Volksschule vorgegeben. Unvermeidlich schlossen dessen Grenzen auch Teile des Stadtbezirks mit ein, die den vorher festgelegten Merkmalen des Umwelttypus S1 nicht entsprachen – etwa hinsichtlich Siedlungsdichte, Alter der Bausubstanz, Eigentumsstruktur, Wohnungsgröße, Infrastrukturausstattung. So umfaßte der Einzugsbereich der Volksschule beispielsweise Teile von Eigenheimsiedlungen aus der Kriegs- und Vorkriegszeit und Teile einer in einen ehemaligen selbständigen Dorfkern integrierten Blockbebauung. Diese sozusagen ‚untypischen' Unterbezirke und die in ihnen lebenden Hauptschulabgänger hätten eigentlich nach ökologischen ‚Reinheitskriterien' ausgeklammert werden müssen, wurden jedoch insbesondere aus Gründen der möglichst vollständigen Erfassung der ausgewählten Gruppe von Jugendlichen in die Untersuchung mit einbezogen.

Im Verlauf der empirischen ‚Erkundung' erwies sich diese Entscheidung als ausgesprochen vorteilhaft, weil sie die Möglichkeit zu Vergleichen zwischen einzelnen Zonen innerhalb der gewählten Region bot. Jugendliche, die derselben Schule und dem gleichen Klassenverband angehörten, ließen sich so nach einem sozial-okologischen *Feinraster* unterscheiden, etwa in bezug auf: die Art ihrer Kommunikationsstrukturen mit Peers (Klassenverband versus Nachbarschaft; Einzelfreundschaften versus Cliquenbeziehungen) oder die Weite und Differenziertheit ihrer Aktivitätsbereiche.

Dennoch bildeten, schon allein nach quantitativen Maßstäben, die in der *Neubausiedlung* des Typs S1 wohnenden Hauptschulabgänger die zentrale Zielgruppe der Untersuchungen in der ‚Erkundungsphase'.

Nach der Einigung auf die erwähnte Stadtregion Münchens bestand der *erste Schritt* der empirischen Erforschung darin, zu verschiedenen Zeiten und bei unterschiedlichem Wetter diese ‚Umwelt' zu besichtigen und zu begehen, soweit sie öffentlich zugänglich war; dabei wurde alles protokolliert, was für die Lebensbedingungen der Einwohner, insbesondere aber der Jugendlichen unter ihnen, wichtig erschien: z. B. Verkehrsverbindungen, Zahl und Art der Serviceeinrichtungen,

offene und geschlossene Treffpunkte (Park, Spielplatz vs. Café, Gaststätte, Räume der Kirche). Darüber hinaus wurde auf normierende Bestimmungen geachtet, wie sie etwa in Haus- und Gaststättenordnungen lesbar fixiert sind. Auch wurde ganz allgemein dem ‚Straßenleben' Aufmerksamkeit geschenkt, d. h. der Art der Gruppenbildungen und ihren sichtbaren Tätigkeiten (z. B. Mütter mit Säuglingen, spielende Kinder, sich unterhaltende Jugendliche, Jugendliche auf Mofas, alte Leute auf Bänken usw.). Insgesamt sollten die Projektmitarbeiter auf diese Weise soweit mit den Bedingungen des Lebens in der ausgewählten Stadtregion vertraut werden, daß sie in den anschließend folgenden Interviews mit den Jugendlichen, ihren Eltern und einzelnen erwachsenen ‚Schlüsselpersonen' in der Lage waren, deren räumliche Bezugspunkte anzusprechen und wiederzuerkennen und die mit ihnen verbundenen Einstellungen und Verhaltensweisen zu verstehen. Von Fall zu Fall wurden während und nach der Interviewphase bestimmte häufig erwähnte Orte erneut ‚erkundet', um die im Gespräch erfahrenen deskriptiven Details nachzuvollziehen, sofern dies möglich war.
Der *zweite Schritt* in der Erschließung eines empirischen Zugangs zur Projektthematik bestand im *Ausfindigmachen* der Hauptschulabgänger der in der Region S1 liegenden Volksschule. Auf den ersten Blick schien eine Anfrage bei der Schule selbst der einfachste Weg der Adressenermittlung zu sein. Dieses institutionenorientierte Verfahren hätte jedoch – wie bei genauerer Kenntnis der bürokratischen Organisationsstrukturen von Schulen leicht ersichtlich – nicht ohne weiteres den erwünschten Erfolg gebracht. Auch hätte es, im Falle des Gelingens, unvermeidlich nach einer geheimen Allianz zwischen Forschergruppe und Schulbehörde ausgesehen, was von beiden Seiten nicht besonders geschätzt werden konnte. Daher wurde ein weniger formeller, sozusagen ‚privater' Weg des Kennenlernens der fraglichen Jugendlichen gewählt: in der Quartiersöffentlichkeit (an Bushaltestellen, vor Hauseingängen, im Ladenzentrum) wurden Gruppen von jungen Leuten angesprochen und gefragt, ob sie zufällig Schüler der 9. Klassen der zugehörigen Volksschule seien oder kennen würden. Sie ließen sich zwar zunächst den Zweck des Projektvorhabends ausführlich erläutern, gaben dann jedoch recht unbefangen Namen, Anschriften und Telefonnummern bekannt. Auf diese Weise konnten an *einem* Nachmittag 15 Schüler namentlich ermittelt werden; die Namen der weiteren Klassenkameraden von ihnen wurden im ‚Schneeballverfahren' herausgefunden, d. h. am Ende jedes mit den erstgenannten Jugendlichen geführten Interviews wurde um Angabe noch fehlender Namen gebeten, bei Interviews mit diesen Jugendlichen entsprechend usw., so lange bis alle drei Abschlußklassen personell vollständig erschlossen waren. Dieses Ergebnis war erstaunlicherweise bereits nach Ablauf von vier Wochen erreicht. – Implizit hatte das eingeschlagene Verfahren auch noch den Nebeneffekt, daß die zeitliche Abfolge der genannten Namen und die in bezug auf bestimmte Namensnennungen erkennbaren Häufig-

keitsverteilungen einen gewissen Rückschluß auf die zwischen den Abschlußklassen der Volksschule, zwischen einzelnen Schülern dieser Klassen und zwischen benachbarten Schülern bestehenden soziometrischen Beziehungen zuließen.
Der *dritte Schritt* der empirischen ‚Erkundungsphase' hatte zum Ziel, die fraglichen Jugendlichen (und ihre Eltern) dazu zu bewegen, daß sie sich bereit erklärten, mit einem der Projektmitarbeiter in ihrer Wohnung ein Gespräch über die Einschätzung ihrer persönlichen Lebenssituation im Hinblick auf die anstehende Berufs- und Lehrstellenwahl zu führen. Zu diesem Zweck wurde ihnen in einem Brief das Projektvorhaben in einfachen Worten erläutert und sein *wissenschaftlicher Charakter* betont; dadurch sollte möglichst eine Verwechslung mit einer Behörde – einem ‚Amt' – ausgeschlossen werden, die entweder eine unangemessen positive Erwartungshaltung (etwa auf konkrete Hilfe bei der Lehrstellenvermittlung) oder eine unangemessen negative Abwehrhaltung (man könne sich schon selber helfen) und Mißtrauen erzeugt hätte. Wie sich allerdings bei einzelnen Interviews zeigte, war dieses Einstellungssyndrom so stark, daß es selbst am Ende mancher positiven Gesprächsverläufe nicht in jedem Fall als ausgeräumt gelten konnte; daß es für manche Verweigerungen ursächlich war, ist ebenfalls belegt. Generell scheinen die Erfahrungen der Eltern der Hauptschüler mit irgendwelchen amtlichen ‚Stellen' – sei es dem Wohnungsamt, dem Sozialamt, der Berufsberatung des Arbeitsamts – nicht so erfreulich verlaufen zu sein, daß ihnen eine Fortsetzung sinnvoll erschienen wäre. – Daneben gab es auch Befürchtungen der Art, daß ihnen aus Anlaß des Interviews irgendetwas ‚verkauft' werden solle: politische Dogmen oder Konsumgegenstände. All diesen Vorbehalten konnte, wie schnell deutlich wurde, mit schriftlichen Erklärungen allein nicht angemessen vorgebeugt werden. Die Tatsache, daß ca. 80% der Jugendlichen einen Telefonanschluß hatten, erleichterte es der Projektgruppe erheblich, im Laufe der Interviewphase bei ihnen auf fernmündlichem Wege Mißtrauen abzubauen und die Bereitschaft zur Teilnahme an der Befragungsaktion zu erhöhen.
Die Verabredung eines bestimmten Gesprächstermins erfolgte – nach einigen fehlgeschlagenen Versuchen mit nur *schriftlicher* Ankündigung – wo immer es möglich war, per Telefon oder auf telefonischen Rückruf der angeschriebenen Jugendlichen hin. In jedem Fall wurde aber dem Einführungsschreiben der Projektgruppe ein definitiver *Terminvorschlag* beigegeben; darin kündigte der vorgesehene Interviewer seinen Besuch bei seinem jugendlichen Gesprächspartner mit Datum und Uhrzeit genau an. Überdies bat er um schriftliche Zustimmung der Eltern zu dem Interview, falls er den Jugendlichen zu Hause nur allein antreffe. Als Tageszeit für die Interviews waren normalerweise die Stunden zwischen 17 und 21 Uhr vorgesehen, d. h. vor oder nach dem Abendessen, das die Hauptschüler sowieso zur Rückkehr in die elterliche Wohnung veranlaßte. Außerdem konnten dann, falls Interesse bestand, auch die Eltern selbst sich an dem Gespräch beteili-

gen. Je nach der Zahl der Teilnehmer dauerte ein Interview 40 Minuten bis 2 1/2 Stunden. Sein Verlauf wurde mit einem Tonbandgerät aufgezeichnet. Zur Überraschung der Projektgruppe bestanden – bis auf einen einzigen Fall – in bezug auf die Verwendung dieser Technik keinerlei Bedenken.
Das erste Interview mit einem Jugendlichen (hier: Mädchen, soziometrischer ‚Star', seit 11 Jahren in S_1 lebend) fand am 28. April, das letzte (hier: Dreiergespräch mit drei Jungen, die eine Freundschaftsgruppe bilden und erst seit ca. 3 Jahren in der Region S_1 wohnen) am 13. Juli 1976 statt. Insgesamt nahmen 52 von 87 Jugendlichen an den Befragungen teil (= 60%). Die Gespräche fanden als offene, nur anhand eines Gesprächsleitfadens strukturierte Interviews statt. Die Themenkomplexe, auch einzelne exakte Fragen nach Sozialdaten, waren festgelegt, doch die Reihenfolge des Ansprechens der Themen, der Umfang des Nachfragens bei einzelnen Themenkomplexen, die Intensität und Beharrlichkeit des ‚Nachhakens' blieben offen und waren je nach Interviewsituation und -verlauf und je nach Interesse vom einzelnen Interviewer festzulegen. Vor Beginn der eigentlichen Interviewphase wurde der Gesprächsleitfaden schriftlich ausgearbeitet und in der Projektgruppe intensiv diskutiert, um ein möglichst einheitliches Verständnis der Fragen und eine möglichst einheitliche Handhabung der Themenkomplexe zu erreichen. In der Interviewpraxis ergaben sich dennoch sehr unterschiedliche Verfahrensweisen, z. B. bezüglich der Reihenfolge der Behandlung der Themen und ihrer Gewichtung, der Vollständigkeit der Besprechung des Leitfadens, der Ausführlichkeit des ‚Nachhakens', der Handhabung von Tabuschwellen und der Intensität der beratenden Einflußnahme. Zusammenfassend gesagt, fiel die Handhabung und ‚Mischung' der sachlogischen und der Beziehungsebene in den Interviews jeweils verschieden aus. Darüber hinaus hing die Gesprächsführung auch in erheblichem Umfang von der Interviewsituation selbst ab, d. h. davon, ob nur mit einem einzigen Jugendlichen in ungestörter Atmosphäre – etwa seinem eigenen Zimmer – gesprochen wurde, oder ob sozusagen die ganze Familie mehr oder weniger teilnehmend und kommentierend dabei saß, evtl. das Interview außerdem noch im Freien (Garten oder Balkon) stattfand. Von seiten der Jugendlichen wurde eine zusätzliche Variante dadurch eingebracht, daß gelegentlich eng befreundete Zweier- oder Dreiergruppen sich zu einem mit einem einzelnen Hauptschüler vereinbarten Gesprächstermin einfanden.
Die ‚Experteninterviews', die zum Teil neben den Interviews mit den Jugendlichen herliefen, zum Teil auch erst nach deren Beendigung geführt wurden, bildeten den *vierten Schritt* der ‚Erkundungsphase'. Mit Ausnahme der Berufsberatung des Arbeitsamtes, mit der „wegen Arbeitsüberlasung" der zuständigen Beamten kein Gespräch zustande kam und der Klassenlehrer der Hauptschüler, die sich – bis auf einen – trotz Zustimmung des Schulamtes weigerten, in einem Interview Auskünfte zu geben, stieß das Projektvorhaben bei allen anderen angesprochenen

Institutionen auf weitgehendes Entgegenkommen: katholische Kirche, Freizeitheim, Familienfürsorge, Elternbeirat, Bezirksausschuß, Jugendpolizei – und z. T. auch bei einzelnen eher als private Auskunftspersonen zu verstehenden ‚Experten' (Arzt, Hausmeister, Gastwirt). Bis auf zwei Fälle konnten hier alle Interviews (Gesamtzahl 13) auch auf Tonband aufgenommen werden; in der Regel wurden sie von zwei Projektmitgliedern gleichzeitig geführt und fanden – wo dies möglich war – im jeweiligen räumlichen ‚setting' der Institutionen (z. B. Klassenzimmer der Schule, Aufenthaltsraum des Freizeitheimes, Arbeitsraum des Polizeireviers, Beratungsraum der Familienfürsorge, Arbeitsraum des Pfarrers) statt. *Fünfter Schritt:* Mit einer Folge von 5 *Gruppendiskussionen* schloß im Februar 1977 die ‚Erkundungsphase' ab. Zu ihnen waren grundsätzlich all die Jugendlichen eingeladen worden, die sich an Einzelinterviews beteiligt hatten, ob sie nun in eine weiterführende Schule gingen oder in einer beruflichen Ausbildung standen. Insgesamt nahmen 25 der 52 Jugendlichen daran teil, und zwar 9 Mädchen und 16 Jungen. Die Gruppendiskussionen fanden regelmäßig an Samstagnachmittagen statt. Treffpunkt war das Nebenzimmer einer Gaststätte, in der fast ausschließlich Jugendliche verkehrten. Sie gehörte zu einem städtischen Eisstadion, das am Rande der Untersuchungsregion liegt und mit öffentlichen Verkehrsmitteln relativ leicht von dem Wohngebiet der Jugendlichen aus zu erreichen war. Je nach Zahl und Geschlecht der jugendlichen Teilnehmer verliefen die Gruppendiskussionen unterschiedlich ‚diszipliniert', die stärkste Eigendynamik entwickelte sich bei einer Diskussion mit 10 Jungen, deren Kern eine fünfköpfige Clique bildete. Die Mädchen kamen nie in so großer Zahl und auch ausschließlich in Zweier- und Dreiergruppen. Viele von ihnen waren sowieso verhindert, da sie in Dienstleistungsberufen tätig sind, in denen an Samstagen auch nachmittags gearbeitet werden muß.

3.3. *Erste Eindrücke aus der ‚Erkundungsphase'*

Der Stand der Auswertung des in der ‚Erkundungsphase' erhobenen Datenmaterials und der bevorstehende Beginn der empirischen Hauptphase des Projekts erlauben gegenwärtig nicht mehr als eine knappe Wiedergabe der ersten von der Region S1 und ihren Hauptschulabgängern gewonnenen Eindrücke. Sie sollen primär der Veranschaulichung der besonderen Merkmale dieser Siedlung und ihrer Einwohner dienen, d. h. die sozial-ökologische Umwelt der Jugendlichen umschreiben und diese selbst ein wenig charakterisieren. Die spezifischen Verhaltensweisen der Hauptschüler, die insbesondere im Zusammenhang mit der Bewältigung ihres Statusüberganges von der Schule in die Arbeitswelt abgefragt worden sind, lassen sich hier noch nicht schildern. Auch ist der ‚Brückenschlag' zwischen der erkundeten ‚Umwelt' und ihren bei den Jugendlichen nachzuweisenden ‚Sozialisationseffekten' noch nicht möglich. Wie aus den bereits früher dargelegten methodologischen Erläuterungen ersichtlich, kann er erst am Ende der ,Vergleichsanalysen' der in den drei gewählten Regionen gewonnenen Forschungsergebnisse stehen.

3.3.1. *Die Untersuchungsregion*

Der Münchener Stadtbezirk, in dem die Blocksiedlung des Typs S1 mit der Volksschule liegt, die von den befragten Hauptschülern besucht wird, hatte Ende 1975 laut öffentlicher Statistik 39 000 Einwohner, beim Census 1970 erst 30 000. In der Siedlung selbst, die in aufgelockerter und durchgrünter Blockbebauungsweise mit interner Fußgängererschließung angelegt worden ist, wohnen ca. 13 000 Personen. Der Anteil von Kindern und Jugendlichen (0- bis 18jährige) an der Wohnbevölkerung ist überdurchschnittlich hoch: er machte Ende 1975 ca. 31% aus, im zugehörigen Stadtbezirk dagegen nur 24% und im Münchener Stadtgebiet insgesamt gar nur 18%. Die 10- bis 18jährigen wiederum stellen fast 60% von der Gesamtheit dieser Altersgruppe in S1; die 15- bis 17jährigen einen Anteil von knapp 16%. Damit entspricht die Altersgruppe der Hauptschulabänger prozentual also wiederum nahezu dem gesamtstädtischen Durchschnitt aller Jugendlichen Münchens.

Errichtet wurde die ,Blocksiedlung' in zwei Bauabschnitten: der nördliche Teil besteht seit gut 13, der südliche seit ungefähr 7 Jahren; zwischen beiden verläuft – seit ca. 5 Jahren – eine vierspurige Schnellstraße, die von zwei Fußgängerstegen und einer Straße überbrückt wird. Von den befragten Jugendlichen und ihren Eltern wird diese Verkehrsschneise eindeutig als Trennlinie wahrgenommen, d. h. es wird zwischen ,hüben' und ,drüben' nicht nur sprachlich unterschieden, sondern auch die Kommunikationsnetze beziehen jeweils stärker Bewohner der eigenen als der gegenüberliegenden Siedlungsseite mit ein. Der überwiegende Teil der Hauptschulabgänger, die zu einem Interview bereit waren, wohnt im nördlichen Gebiet (30 von 52), in dem auch die fragliche Volksschule liegt; nur 6 Schüler leben in Wohnblöcken des anderen Teils. Die Restgruppe der Jugendlichen (16) hat ihr Zuhause in benachbarten Zonen, die durch kleinere Einfamilienhäuser älterer Bauart gekennzeichnet sind.

Wie bereits früher erwähnt, entspricht die Region S1 dem Typ eines monofunktionalen Wohngebiets. Fabrikationsstätten fehlen daher völlig; die wenigen vorhandenen Arbeitsplätze gehören zum Dienstleistungsgewerbe. Die verkehrsmäßige Anbindung an andere Stadtteile Münchens erfolgt über drei Buslinien. Insgesamt wird sie nicht als völlig zufriedenstellend empfunden, zumal relativ viele der tagsüber anwesenden Bewohner (d. h. Jugendliche und Mütter mit Kindern) allein auf diese Beförderungsmittel angewiesen sind. Das Problem der ,Verkehrsanbindung' beschäftigt daher auch wiederholt die Vertreter der Parteien, die im ,Bezirksausschuß', dem regionalen politischen Basisgremium, Sitz und Stimme haben.

Insgesamt ist die infrastrukturelle Ausstattung der Untersuchungsregion ziemlich ungleichgewichtig. Der ‚Kern' der Siedlung wird von der Volksschule, einer katholischen Pfarrkirche mit Kindergarten und Gemeindesaal und einem um einen quadratischen Innenhof gruppierten Ladenzentrum gebildet. Darüber hinaus sind ein Postamt, zwei Apotheken, zwei Bankfilialen, zwei Restaurants, ein kleines Eiscafé und zwei Lebensmittel-Supermärkte vorhanden. Freizeiteinrichtungen für Jugendliche und Erwachsene – wie etwa Schwimmbad, Kino, Bibliothek, Freizeitheim, Snackbar, Diskothek, öffentlicher Sportplatz mit Vereinsräumen – fehlen vollständig. Nur der tägliche und ein Teil des periodischen konsumptiven Bedarfs kann, wenn auch z. T. zu überhöhten Preisen, in der Region gedeckt werden. Ein regelmäßiger Wochenmarkt bringt hier ein wenig Abwechslung. Die beiden Restaurants sind relativ klein und von Ausstattung und Preislage her ‚anspruchsvoll', d. h. sie stellen keine Pendants etwa zu Eckkneipen der Altstadt dar: es sind ausschließlich Speiselokale. Das eine allerdings hat zusätzlich eine Kegelbahn, das andere im Sommer einen ‚Biergarten'. Für Gruppen von Jugendlichen kommen diese Lokale als Treffpunkte nicht infrage; ohnedies gestatten sie nur Kindern in Begleitung von Erwachsenen oder Jugendlichen ab 18 Jahren den Zutritt. Die Gemeinderäume der katholischen Kirche sind insofern der einzige Ort, an dem sich die Einwohner von S1 – außer unter freiem Himmel – in größerer Zahl versammeln können; auch der ‚Bezirksausschuß' wäre auf sie angewiesen, wenn er in der Region tagen wollte. Daß dies ein äußerst problematischer Engpaß für die Entwicklung bürgerlicher Geselligkeit und lokaler politischer Aktivitäten ist, wird sowohl von seiten des Pfarrers wie auch von seiten der befragten Einwohner betont. Überdies ist der religiöse Rahmen, innerhalb dessen die Räumlichkeiten der Kirche zugänglich sind, eine große Tabuschwelle für viele der potentiellen Besucher. Der Pfarrer umgekehrt ist nicht bereit, den Pfarrsaal in einen öffentlichen Gemeindesaal zu verwandeln, d. h. auf christliche Bekehrungsarbeit zu verzichten. Folglich stehen die Räume den größen Teil der Zeit leer, ein Faktum, das allgemein – vor allem bei den Jugendlichen – auf Unverständnis stößt.

Die Mehrzahl (37 %) der erwachsenen Bewohner der Siedlung befindet sich im Alter zwischen 36 und 59 Jahren; absolut ist dabei die Altersgruppe zwischen 36 und 40 Jahren am stärksten vertreten (gefolgt von den Jahrgängen zwischen 46 und 59). Ihr entstammen wohl auch die meisten Eltern der Hauptschulabgänger des Jahres 1976. Daß die Wohnbevölkerung einkommensmäßig eher zu den Unterprivilegierten gehört, läßt sich aus der starken Verbreitung von Sozialwohnungen schließen. Vom beruflichen Status her betrachtet sind es überwiegend kleine Angestellte und Arbeiter (darunter auch zahlreiche Kommunalbedienstete), die dort mit ihren Familien leben. Da sie zum größten Teil recht jung in die neu errichteten Wohnblöcke eingezogen sind, befinden sie sich gegenwärtig, sowohl unter dem Gesichtspunkt ihres Lebenszyklus wie auch ihrer sozialen Verwobenheit mit der Region, in einer ‚Übergangsphase'. Die erste Zeit des ‚Fußfassens' und Eingewöhnens ist vorbei; man hat die nötigen Möbel und Haushaltsgegenstände angeschafft, sich einige ‚Extras' der Innenausstattung geleistet, die Vor- und Nachteile des Wohnungszuschnitts und der Wohnlage kennengelernt und sich mit den Nachbarn ‚auf Distanz' arrangiert. Engere Bekanntschaften oder Freundschaften haben sich kaum entwickelt und werden offenbar auch nicht gewünscht. Da die meisten erwachsenen Einwohner der Region aus älteren innerstädtischen Bezirken übergesiedelt sind, wo noch heute ihre Verwandten und ‚alten' Freunde wohnen, sind sie nicht darauf angewiesen, anderweitig ‚Ersatz' zu suchen.

Für die Jugendlichen im Alter von 14 bis 17 Jahren stellt sich die Situation dagegen so dar: An die ‚alten' Quartiere, in denen sie meist zur Welt kamen, bestehen kaum irgendwelche Erinnerungen, die Region S1 aber ist für sie die ‚Umwelt', in der sie als Kinder gespielt haben, in der sie ihre ersten Freundschaften gefunden haben, in der sie eingeschult worden sind, in der sie also ihr ganzes bewußtes Leben – mit allen erfreulichen und ärgerlichen Ereignissen – verbracht haben und in der sie nicht zuletzt auch ‚hier und heute' den Schritt aus der Schule in die Arbeitswelt zu vollziehen haben. Bei ihnen ist die Einschätzung des Quartiers daher prinzipiell widersprüchlicher als bei ihren Eltern: da in ihm alle ihre Freunde, ‚Spezln' und Cliquen wohnen, fühlen sie sich einerseits sozial gut integriert, andererseits beklagen sie im einzelnen durchaus, daß es zu wenig Möglichkeiten für interessante Aktivitäten gibt. Die Bedeutung des persönlichen Akzeptiertseins durch Gleichaltrige in Zweier- und Gruppenbeziehungen überwiegt dabei diejenige der ökologischen Anregungsqualität der Region. – Bei Jugendlichen, die erst seit wenigen Jahren dort wohnen – die also die Besonderheiten ihrer früheren Umwelt bewußt mitreflektieren können – fallen die Urteile über die ‚Lebensqualität' dieses Stadtteils normalerweise kritischer aus als bei all denjenigen, für die sie bereits zu etwas Selbstverständlichem und quasi ‚Natürlichem' geworden ist.
Aufgrund der nach historischen Entwicklungsmaßstäben sehr kurzen Bestandsdauer der Region S1 hat sich eine spezifische ‚Regionalkultur' oder gar ‚Tradition' noch nicht entwickeln können. Sowohl die Aussagen der Eltern der Hauptschüler als auch die Einschätzungen der ‚Experten' machen dies deutlich. Aus der Sicht der Kirche, der Schule, der Familienfürsorge und des ‚Bezirksausschusses' wird beispielsweise die ‚Passivität' der Bewohner beklagt. Es wird gesagt, es sei schwierig, überhaupt einige Leute für Veranstaltungen und soziale Aktivitäten in der Region zu interessieren. Es bestehe kein Gemeinsamkeitsgefühl, und nur bei ganz besonderen Anlässen seien Bewohner für Initiativen zu mobilisieren, die nach kurzer Zeit rasch wieder ‚erlahmen' würden. Vor allem auch der Vertreter des Elternbeirats, eines Gremiums, das einzig auf ehrenamtliche Arbeit seiner gewählten Mitglieder angewiesen ist, hat dieses Urteil bestätigt.

Seitens der *Bevölkerung* allerdings stellt sich die kritisierte ,Passivität' als besondere Wertschätzung eines ungestörten ,Privatlebens' und als schlechtes oder schlecht gemanagtes Angebot der Institutionen dar. Die Auskünfte der verschiedenen ,Experten' zeigen, daß dieser Vorwurf nicht unberechtigt ist, denn in den meisten Fällen agieren die ,zuständigen' Institutionen unverbunden nebeneinander her, wenn sie sich nicht gar mit Mißtrauen begegnen. Im Hinblick auf die Gruppe der Jugendlichen sieht das so aus: Schule und Kirche sind nur durch den Religionsunterricht des Pfarrers miteinander in Kontakt, Schule und Berufsberatung oder Schule und Jugendpolizei höchstens durch einzelne ,verordnete' Vorträge ihrer Repräsentanten, Schule und Freizeitheim stehen in gar keiner Beziehung zueinander, Kirche und Freizeitheim konkurrieren um Jugendliche und Erziehungsziele, Polizei und Freizeitheim sind sozusagen ein ,zwanghaftes Kompromißverhältnis' eingegangen.
Insgesamt stellt sich die Untersuchungsregion – nach Aussagen aller Befragten – als ein Neubauquartier dar, das keine so ernsthaften Probleme hat, daß ihm dauerhaftes kommunalpolitisches Interesse zuteil würde. Die Region liegt nicht nur geographisch am Stadtrand Münchens, sondern nimmt auch stadtentwicklungspolitisch eine Randstellung ein. Mit ihren 13 000 Einwohnern fordert sie nicht zu den gleichen Integrationsanstrengungen heraus, wie neuere Siedlungsgebiete es tun: Man gibt ihr mehr Chancen, sich sozusagen ,von selbst' zu konsolidieren. Erste Anzeichen einer Identifikation nicht nur der jugendlichen Bewohner mit dem Quartier lassen vermuten, daß dies auch langfristig gelingen wird.

3.3.2. *Die Jugendlichen*

Von den 87 Hauptschulabgängern der im Mittelpunkt der Region S1 gelegenen Volksschule haben, wie bereits früher erwähnt, 52 an den Interviews der ,Erkundungsphase' teilgenommen, und zwar 25 Mädchen und 27 Jungen. Bezogen auf die jeweiligen Teilgesamtheiten von Schülern der 9. Klassen war der Erfolg der Befragungsaktion bemerkenswert unterschiedlich: 71% der weiblichen, doch nur 52% der männlichen Jugendlichen fanden sich zu einem Gespräch bereit. Wie immer man auch diese knapp 20% Differenz interpretieren mag, die Tatsache, daß sie sich in den 6 Monate später angesetzten Gruppendiskussionen geradezu umgekehrt hat – 16 von 25 Teilnehmern waren Jungen, nur 9 waren Mädchen –, zeigt, wie situationsabhängig solche Teilnahmequoten sind.
Bereits in den noch während der Schulzeit mit den Jugendlichen geführten Einzelinterviews zeichneten sich die *Auswirkungen der Geschlechtsrolle* der Befragten auf Berufsfindung und Peerkontakte deutlich ab:

- Die Mädchen bewarben sich überwiegend bei Dienstleistungs-, Büro- und sozialpflegerischen Berufen, die Jungen bei handwerklichen und technisch-industriellen Ausbildungsgängen. Obwohl keiner der Interviewten – weder Junge noch Mädchen – angab, *ohne* eine Lehre berufstätig werden zu wollen, hatten doch kurz vor ihrem Schulabschluß von den 25 befragten weiblichen Hauptschülern immerhin 6 (24%) noch nicht einmal eine Lehrstelle ‚in Aussicht'. Bemerkenswert ist, daß in diesen Fällen übertrieben große Hoffnungen auf die vermittelnde Tätigkeit des Arbeitsamtes gesetzt worden waren und Eigeninitiativen daher erst spät begonnen hatten.

– Die Schülerinnen der 9. Hauptschulklassen gaben auf Fragen nach ihren sozialen Beziehungen ebenso wie ihre männlichen Klassenkameraden an erster Stelle gemischtgeschlechtliche Cliquen an, nannten an zweiter Stelle jedoch häufiger Zweierfreundschaften mit gleichaltrigen Mädchen oder älteren Jungen, während die Schüler hier Cliquen gleichgeschlechtlicher Zusammensetzung erwähnten. Von seiten der Mädchen wurden die gleichaltrigen Jungen ihrer Klassen auch überwiegend als ‚nicht ernst zu nehmend' (‚Spielbubis') abqualifiziert und Jungen höherer Schulzweige als ‚hochnäsig' kritisiert. Auch die Jungen zeigten wenig Interesse für die Mädchen ihres Jahrgangs, doch fällten sie seltener negative Urteile über sie; ihre Kontakte zu Schülern von Realschulen oder Gymnasien schienen gleichfalls eher unproblematisch ‚kumpelhaft' als verkrampft.

Auch hinsichtlich der *Schulbiografien* lassen sich klare geschlechtspezifische Unterschiede erkennen: Ein Drittel aller befragten Mädchen (8 von 25), aber nur 14% (5 von 27) aller befragten Jungen, gaben an, ein oder mehrmals den Versuch gemacht zu haben, in Realschulen oder Gymnasien überzuwechseln. Hierunter wurden sowohl die Teilnahme an Aufnahmeprüfungen als auch der probeweise Übergang und der nach mehreren Mißerfolgen beschlossene ‚Rücklauf' zur Volksschule erfaßt. Bei den meisten dieser Mädchen lag die Schwelle des Scheiterns bereits bei den Aufnahmeprüfungen, während die Jungen eher ‚echte' Rückläufer waren. Die Jahresstatistiken der fraglichen Volksschule zeigen, daß die angesprochenen individuellen ‚Schulschicksale' erst vor dem Hintergrund der jeweiligen geschlechtsspezifischen *Gesamtquoten* der ‚Abgänge' zu und der ‚Zugänge' von weiterführenden Schulen Bedeutung gewinnen. Aus ihnen geht hervor, daß zwischen dem 5. und dem 8. Schuljahr nahezu *doppelt* so viele Mädchen wie Jungen auf Realschulen und Gymnasien übergewechselt sind, daß sich jedoch die *Zahl* der Rückkehrer in beiden Gruppen ungefähr die Waage hält. Somit läßt sich schließen, daß wesentlich mehr Mädchen als Jungen auf Realschulen und Gymnasien verblieben, was wiederum die zahlenmäßige Dominanz der Jungen in den drei Abschlußklassen der Hauptschule erklärt.

Im Hinblick auf das angestrebte *Niveau ihrer Abschlußzeugnisse* unterscheiden sich die interviewten Schüler und Schülerinnen wenig: In beiden Gruppen gaben gut 60% an, den ‚qualifizierenden' Hauptschulabschluß machen zu wollen, der einen bestimmten Leistungsdurchschnitt voraussetzt und nur bei Bestehen spezieller Prüfungen erreicht werden kann. (Die Möglichkeit, einen ‚qualifizierenden' Hauptschulabschluß abzulegen, gibt es in Bayern seit dem Schuljahr 1969/70. Diese Prüfung soll den Absolventen der Hauptschule den Weg zur Fachschulreife und zur mittleren Reife eröffnen. *Vgl. Nowey* 1973, 16 f). Der mit den Vorbereitungen verbundene Streß wurde von den meisten Betroffenen als ärgerlich empfunden, weil er in den letzten Wochen der Schulzeit die verbleibende Freizeit stark einschränkte. Diejenigen Jugendlichen hingegen, die die Schule lediglich mit dem gewöhnlichen Hauptschulabschluß beendeten, sprachen von dem Unterricht als einem relativ langweiligen Zeitvertreib. Sie fühlten sich gegenüber ihren Klassenkameraden, die auf die Prüfungen hinarbeiteten, von den Lehrern vernachlässigt. So wurde in beiden Fällen – wenn auch aus unterschiedlichen Gründen – der herannahende Abschluß der Schulzeit heiß ersehnt. Irgendein Anflug wehmütiger Gefühle gegenüber der zu Ende gehenden Lebensphase ließ sich kaum erkennen. Auch der nach einer nur 3- bis 4wöchigen Ferienzeit beginnenden Berufsausbildung sahen die Jugendlichen mit ‚nüchternem Realismus' entgegen. Obwohl die inhaltlichen Vorstellungen über die beruflichen Anforderungen selten sehr ausgeprägt waren, antizipierten die meisten der Befragten die Veränderungen ihres Tagesablaufes und die Folgen für ihre sozialen Kontakte und Freizeitaktivitäten recht gut. Bei älteren Geschwistern, Verwandten oder Freunden hatten sie diese Auswirkungen des Überganges in die Arbeitswelt bereits beobachten können. Die Aussicht auf eigenes Geld und somit auf verbesserte Konsumchancen schien allerdings ein gewisses positives Äquivalent zu den verminderten Freiräumen darzustellen. Konkrete Wünsche richteten sich bei den Mädchen vor allem auf den Kauf von Kleidung, bei den Jungen auf den baldigen Erwerb eines Mofas bzw. Motorrads und Führerscheines. Daß zu Hause ein Teil der Ausbildungsbeihilfe als ‚Kostgeld' abzugeben sein würde, wurde relativ selten erwartet. Doch wurde von fast allen Jugendlichen behauptet, man werde mit regelmäßigem Sparen (zumindest dem staatlich geförderten) gleich nach Aufnahme der Berufsausbildung beginnen.

Nur ein *gutes Gesamtnotenbild* im qualifizierenden Abschlußexamen erlaubt den Übergang von der 9. Hauptschulklasse in einen bis zur Mittleren Reife weiterführenden Schulzweig. Diese Möglichkeit wurde vor allem von einigen Jugendlichen wahrgenommen, die bereits früher einmal einen schulischen Aufstieg versucht hatten. Die anderen Hauptschulabgänger mit ‚qualifizierendem' Abschluß hatten je nach Anspruchsniveau und elterlichen Unterstützungsmöglichkeiten mehr oder weniger große Schwierigkeiten bei ihrer beruflichen Plazierung. Auf den Erfolg bei der Suche nach einer den Vorstellungen entsprechenden Lehrstelle hatte der angestrebte qualifizierende Schulabschluß allem Anschein nach nicht den überragenden Einfluß, den ihm Schule und Arbeitsamt gern zuschreiben. Insbesondere Mädchen mit den Berufsvorstellungen Arzt- oder Zahnarzthelferin und Rechtsanwaltsgehilfin schienen einer starken Konkurrenz von Realschülerinnen ausgesetzt; bei der Suche nach Lehrstellen in etwas anspruchsvolleren technischen Berufen – so etwa Feinmechaniker, Werkzeugmacher, Fernmeldetechniker – trafen auch die Jungen auf zahlreiche Konkurrenten mit besseren schulischen Abschlüssen. Im Bereich der ‚männlichen Berufe' wurden jedoch öfter als bei den ‚weiblichen Berufen' zusätzliche betriebsspezifische Zulassungsprüfungen durchgeführt, die prinzipiell auch Hauptschülern ohne qualifizierenden Abschluß den Zugang zur Lehre ermöglichten.

Die *Berufsberatung des Arbeitsamtes,* die von der Mehrzahl der Jugendlichen im Rahmen ihres Berufsfindungsprozesses konsultiert worden ist, hat nur bei knapp einem Fünftel der Befragten unmittelbar zur Vermittlung von Lehrstellen und zum Abschluß von Lehrverträgen beigetragen. In allen anderen Fällen hat sie zwar lenkend – durch Interpretation der Ergebnisse des Qualifikationstests – und beratend Einfluß genommen, doch eher zu Verwirrung, Ärger und Frustration als zu konstruktiven Problemlösungen geführt. Das Vertrauen, das die Hauptschulabgänger und ihre Eltern dieser Institution zunächst entgegenbrachten, ist offenbar in besonders hohem Maße enttäuscht worden. Beispielsweise waren die Ergebnisse der Tests, die die Jugendlichen z. T. dann absolvieren mußten, wenn sie keine ausgeprägten Berufsvorstellungen besaßen, nach mehr als 6 Wochen noch nicht verfügbar (6 kostbaren Wochen, in denen die Jugendlichen nicht auf weitere Stellensuche gegangen sind); oder in einem Sinne interpretiert worden, der weniger die Interessen und Fähigkeiten der Jugendlichen als die Angebotsstruktur der im Arbeitsamt vorliegenden Lehrstellen widerspiegelte. Einige der befragten Jungen hatten sich so etwa auf den Beruf des Kochs, einige der Mädchen auf den Beruf der Verkäuferin umorientieren lassen, ohne mit diesen Berufen irgendeine konkrete Vorstellung oder gar einen Wunsch zu verbinden. Am besten und am schnellsten sind dagegen diejenigen Hauptschulabgänger zu der von ihnen angestrebten Ausbildungsstelle gelangt, die sich sozusagen ‚auf eigene Faust' aktiv darum bemüht haben, so z. B. über persönliche Beziehungen, regelmäßiges Studium von Stellenangeboten in Tageszeitungen und Fachblättern, telefonische oder schriftliche Anfragen bei potentiellen Arbeitgebern und über Annoncen in Zeitschriften von Berufsverbänden.

In vielen Fällen haben dabei die *Eltern* ihren Kindern freie Hand gelassen, sich zurechtzufinden und ‚durchzuschlagen'; gelegentlich – so vor allem bei den Söhnen – haben sie das Auftreten ihrer Kinder vor den Institutionen des Arbeitsmarktes sogar als gleichsam erzieherischen Beitrag zum Erwachsenwerden begriffen. Dies gilt sowohl für die Inhalte als auch für die Strategien der Berufswahl. Zum Teil begründeten die Eltern ihr Verhalten damit, daß ihre Kinder schließlich selbst wissen müßten, was ihnen Spaß mache; daß hier ja über deren eigenes Leben entschieden werde und daß sie (die Eltern), falls sie jetzt aktiv Einfluß nähmen, später auch die

Vorwürfe anzuhören hätten, wenn ihren Kindern der berufliche Alltag nicht mehr gefalle. Dabei spielte wohl die als mangelhaft empfundene eigene Beratungskompetenz der Eltern eine nicht unwichtige Rolle: Die meisten Mütter der Hauptschüler hatten selber nie eine berufliche Lehre – außer vielleicht im Haushalt – absolviert und waren zum Zeitpunkt der Befragung, wenn überhaupt, nur halbtags in relativ einfachen Berufen beschäftigt. Viele der Väter wiederum hatten infolge beruflich-struktureller Wandlungsprozesse Auf- und Abwärtsbewegungen ihrer Tätigkeiten erfahren und legten daher vor allem Wert darauf, daß ihre Söhne bzw. Töchter überhaupt einen ‚ordentlichen' Beruf erlernten, der es ihnen erlauben würde, eine gesicherte Existenz aufzubauen.
Der Beitrag der *Schule* zur Bewältigung des Statusübergangs der Hauptschulabgänger in den Beruf erwies sich nach den Aussagen der Jugendlichen und ihrer Eltern als nahezu unerheblich. Das Unterrichtsfach ‚Arbeitslehre', das an sich auf diesen Schritt vorbereiten soll – „Hinführung zur Wirtschafts- und Arbeitswelt" lautet sein Auftrag – erläuterte hauptsächlich abstrakte volkswirtschaftliche Begriffe, die zum Verständnis komplexerer Vorgänge der Gesamtwirtschaft, nicht aber des betrieblichen Alltags, notwendig sind. Betriebserkundungen hingegen, von denen nach den *Richtlinien für die bayerischen Volksschulen* (1976, 199) für den 9. Schülerjahrgang mindestens drei – in einem Fertigungs-, in einem Handels- und einem Dienstleistungsbetrieb – vorgeschrieben sind, hatten im letzten Schuljahr überhaupt nicht stattgefunden. (Die Gründe für dieses Versäumnis lagen wohl z. T. auch in der mangelnden Bereitschaft der Betriebe.) Nur in der 8. Klasse hatte der zuständige Fachlehrer mit den Jugendlichen eine Berufsmesse besucht.

In der Erinnerung der Befragten waren deren Eindrücke allerdings bereits stark verblaßt; auch gaben sie an, sich damals noch nicht so recht für das bevorstehende Problem der Berufsfindung interessiert zu haben, da ja noch ein ganzes Schuljahr vor ihnen gelegen habe.
Als ein möglicherweise für den Berufsfindungsprozeß der Jugendlichen noch relevantes Diskussionsforum bleibt daher schließlich der Kreis der *Peers* – Klassenkameraden und Freunde – übrig. In ihm wurden wohl vor allem die Prestigewerte der verschiedenen Berufe verhandelt und die Erfolgsbilanzen der einzelnen Schüler registriert. Von ausführlichen inhaltlichen Beratungen der befragten Hauptschüler mit Gleichaltrigen war selten die Rede; am häufigsten kamen sie zwischen befreundeten Mädchen vor, die gelegentlich auch Adressen von möglichen Arbeitgebern untereinander austauschten. Das Thema ‚Berufswahl' schien den Jugendlichen kollektiv keine Sorgen bereitet zu haben, vielmehr wurden die individuellen Probleme isoliert als besonderes Mißgeschick oder spezielles Versäumnis begriffen. Auch für die von den Medien berichtete Jugendarbeitslosigkeit brachten nur wenige der Befragten Verständnis auf, da ihre eigenen Erfahrungen ihnen

zeigten, daß derjenige, der sich selbst aktiv bemüht, der leistungsbereit und nicht völlig apathisch ist, durchaus in einer Ausbildung unterkommen kann.

Die skizzierten Formen der Auseinandersetzung der Jugendlichen mit den Anforderungen ihrer beruflichen Plazierung stellen kein isoliertes Geschehen dar, sondern stehen in Beziehung zu dem gesamten Feld ihrer Alltagsaktivitäten, die sich wiederum aus ihrer psycho-physischen Konstitution, ihren sozialen Bedürfnissen und ihren ökologischen Lebensbedingungen bestimmen. So ist beispielsweise zu berücksichtigen, daß sich die meisten der Jugendlichen zum Zeitpunkt ihres Schulabschlusses mitten in der *pubertären Entwicklung* befinden. Die raschen Veränderungen ihres äußeren Erscheinungsbildes und die in vielen Fällen damit einhergehenden Disproportionalitäten führen leicht zu Verunsicherungen, die sich etwa in einer erhöhten Neigung zu Stimmungsschwankungen und Aggressionen ausdrücken. Auswirkungen dieser Gefühlslagen tangieren sowohl das ‚Klima' in den Abschlußklassen als auch die außerschulischen Kommunikationsverläufe mit relevanten Erwachsenen: daß die Jugendlichen als ‚undiszipliniert' und ‚aufsässig' wahrgenommen werden, geht meist mit verstärktem Sanktionsverhalten von seiten der Lehrer, Eltern und Nachbarn einher, und dies wiederum solidarisiert die Jugendlichen miteinander. – Unter dem besonderen Gesichtspunkt der Entwicklung adoleszenzspezifischer *sozialer* Verhaltensweisen spielen bei den Jugendlichen die beginnenden Ablösungsprozesse vom Elternhaus eine ständig wichtiger werdende Rolle. Deren Verlauf, der weitgehend durch die innerfamiliale Beziehungsstruktur determiniert wird, erhält z. B. durch die Hinwendung zu gegengeschlechtlichen Partnern außerhalb der Familie einen manifesten ‚Auslöser'. An den Auseinandersetzungen, die zwischen Eltern und heranwachsenden Kindern geführt werden, entscheidet sich u. a. die Richtung, in die sich die Ich-Identität der Jugendlichen (inklusive der Geschlechtsrollenidentität) weiterzuentwikkeln vermag. – *Daß* solche Ablösungsvorgänge einerseits von den jeweiligen familiären Wohnverhältnissen und andererseits von den Angeboten der Region für ungestörte Zusammenkünfte Jugendlicher mitgeprägt werden, ist nicht zu bestreiten; *wie* dies jedoch im einzelnen geschieht, d. h. auf welche Weise die Jugendlichen ihre Bedürfnisse nach Zusammensein mit gemischtgeschlechtlichen Gruppen durchsetzen, soll am Beispiel der Erfahrungen der ‚Erkundungsphase' nachfolgend kurz rekonstruiert werden.

58 % der befragten Jugendlichen leben in *Sozialwohnungen*, die in 3- bis 8geschossigen Wohnblöcken liegen. Je nach Zahl und Geschlecht der Geschwister, die zum Zeitpunkt des Bezugs der Wohnungen vorhanden waren – Kriterien, auf die sich die Zuweisungspraxis des Wohnungsamtes stützt –, handelt es sich um Drei- bis Vierzimmerwohnungen (mit 70 bis 80 qm Fläche). Angesichts der Tatsache, daß die ‚Kinderzimmer' in der Regel selten mehr als 8 qm umfassen, d. h. für Säuglinge und Kleinkinder konzipiert sind, ist die Wohnsituation für die Hauptschul-

abgänger recht beengend. Gelegentlich kommt es sogar vor, daß sie zusammen mit jüngeren Geschwistern ein solches Kämmerchen teilen müssen. Das Mitbringen von Freunden in die eigene Wohnung wird durch diese Gegebenheiten sozusagen ‚von selbst' verhindert; zu Tageszeiten, in denen ihnen etwa die ganze Wohnung allein zur Verfügung stehen würde – wenn die Mütter z. B. nachmittags arbeiten –, sorgen elterliche Verbote dafür, daß keine unbeaufsichtigten Treffen zustandekommen. Mißtrauische Augen der Nachbarn kontrollieren die Einhaltung dieser Auflagen.

Infolgedessen müssen die Jugendlichen ihre Treffpunkte aus der Privatsphäre hinaus ‚ins Freie' verlagern, sich also irgendeinen einigermaßen geschützten Ort suchen, in dem sie sich ohne allzu rigide Kontrolle von Erwachsenen treffen können. Ein Freizeitheim, in dem dies am problemlosesten möglich wäre, fehlt in der Region S1 bislang; die nächstliegenden Freizeitheime befinden sich ca. 15 Busminuten entfernt. Die Jugendarbeit der im Einzugsbereich gelegenen katholischen Kirche wird als zu einseitig und als nicht genügend ‚offen' empfunden; die entsprechenden Angebote der am Rande des Quartiers liegenden zweiten katholischen Kirche finden vergleichsweise mehr Anklang. Dennoch hat die Mehrzahl der befragten Jugendlichen kein dauerhaftes Interesse an institutionell organisierten Veranstaltungen. Sie würden private Clubräume und Partykeller als Treffpunkte bevorzugen. Vereinzelt wußten sie von entsprechenden Initiativen zur Gründung und Einrichtung ungenutzter Kellerräume zu berichten. Meist sind diese jedoch nach kurzer Zeit aufgrund der Intervention mißtrauischer Erwachsener von den zuständigen Hausverwaltungen wieder geschlossen worden; der einzige zum Zeitpunkt der Befragung ‚funktionsfähige' Kellerraum wird regelmäßig von dem zuständigen Beamten der Jugendpolizei besucht. Kommerziell betriebene Diskotheken gibt es in der Untersuchungsregion nicht; einige der Jugendlichen sagten aus, daß sie hin und wieder zu Diskotheken in angrenzenden Stadtgebieten fahren. Offiziell ist der Zugang zwar erst ab 16 Jahren erlaubt, doch riskieren gelegentlich auch jüngere Hauptschüler – vor allem weiblichen Geschlechts in Begleitung älterer Freunde – den Besuch.

An diesen *‚organisierten' Geselligkeiten* interessiert die Jugendlichen offensichtlich primär das vergnügte Beisammensein mit ihresgleichen: Tanzen, Diskutieren, Musikhören, Bier- oder Cola-Trinken. Vor allem die sogenannten ‚Parties', die die Freizeitheime und Kirchen an den Wochenenden veranstalten, sind eine große Attraktion. Zu ihnen gehen allem Anschein nach auch diejenigen Jugendlichen, die sonst an gelenkten Freizeitaktivitäten kein Interesse haben. Allerdings tun sie es nur, wenn sie entweder von Freunden und ‚Spezln' mitgenommen werden oder wenn sie damit rechnen, dort viele vertraute Gesichter zu treffen. Anderenfalls ist auch hier die Schwelle der Fremdheit hoch, d. h. das Gefühl des Nicht-Integriertseins zu stark, als daß sie sich dabei wohlfühlen würden. Insgesamt rangiert das ‚Auf-eine-Party-Gehen' in der Präferenzskala der befragten Jugendlichen an erster Stelle: Es steht sozusagen als ‚Kürzel' für die erhoffte Möglichkeit, unabhängig und frei von Reglementierungen durch die Eltern mit Freunden und Freundinnen zusammenzusein, Zärtlichkeiten auszutauschen und auch neue Partner zu finden.

Vom *normalen Alltag* zwischen den Wochenenden wußten die Hauptschüler weit weniger ‚Attraktives' oder ‚Aufregendes' zu berichten. Hier spielen sich ihre Zusammenkünfte vornehmlich im Freien ab, entweder – eher zweckgerichtet – auf Bolz- oder Abenteuerspielplätzen oder – tendenziell ziellos – an irgendwelchen markanten Punkten ihrer Nachbarschaft: etwa vor einem bestimmten Wohnblock, an dem ‚Bushäusl' vor ihrer Schule, an einem zum Sitzen geeigneten Mäuerchen eines Parkplatzes, an einem ‚Mülltonnenhäusl', auf Bänken einer Grünfläche zwischen den Wohnblocks. Wenn sie nicht gerade Hand- oder Fußball miteinander spielen, stehen oder sitzen sie herum, unterhalten sich, trinken etwas, rauchen, lachen und witzeln miteinander, erzählen die neuesten Vorkommnisse aus der Schule oder beraten, was sie zusammen unternehmen könnten. Dieses Beieinanderstehen der Jugendlichen in Gruppen erregt häufig das Mißfallen älterer Einwohner, die sich durch die Lautstärke der Gespräche oder allein durch die Anwesenheit der Jugendlichen auf ‚ihrem' Wohngebiet belästigt fühlen. Meist machen die Erwachsenen zunächst selbst die Jugendlichen darauf aufmerksam, daß sie als störend empfunden werden, oft wenden sie sich jedoch auch an die ‚zuständigen' Hausmeister oder sogar an das nächstliegende Polizeirevier. Von deren Seite erwarten sie im allgemeinen dauerhafte Abhilfe. Das Eingreifen der offiziellen Kontrollpersonen wiederum erzeugt Unwillen und Ärger bei den Jugendlichen, die sich zu Recht darauf berufen, daß es nicht verboten ist, sich auf öffentlicher Straße zu treffen und miteinander zu unterhalten. Sie sehen in dem Verhalten der Nachbarn eine bewußte Bösartigkeit, verstehen jedoch die Zurechtweisungen von seiten der Hausmeister und Polizisten durchaus als deren Auftrag, der mit ihrer persönlichen Einstellung nicht unbedingt übereinstimmen muß. – Insofern ist die Sicht der Erwachsenen durch die Jugendlichen recht differenziert, jedenfalls weniger generalisierend als die Art und Weise, in der die Erwachsenen der Region ‚die Jugendlichen' wahrnehmen. Die Bereitschaft von Erwachsenen, vorschnelle Urteile zuungunsten der Jugendlichen zu fällen, ist nicht nur von den Jugendlichen selbst, sondern z. T. auch von befragten ‚Experten' (vor allem dem Jugendbeamten der Polizei und den Mitarbeitern des Freizeitheims) beklagt worden.

Trotz der unangenehmen Begleiterscheinungen ihres Verweilens in ihrer Wohnregion sind die Jugendlichen in der Regel ausgesprochen ‚seßhaft'. Benachbarte Quartiere werden recht selten und auch dann nur zu bestimmen Zwecken aufgesucht: etwa um einen Einkaufsbummel zu machen, ins Kino oder Freizeitheim zu gehen, in einer Gaststätte zu ‚kickern', schwimmen zu gehen, ein Eis zu essen oder einen vereinsmäßig organisierten Sport zu treiben. Weiter abgelegene Stadtteile – so auch die City – werden nur zu besonderen Anlässen aufgesucht, beispielsweise um Verwandte zu treffen oder größere Einkäufe, zusammen mit der Familie, zu tätigen. Die spontanen und ungeplanten Unternehmungen der Jugendlichen beschränken sich dagegen – mit Ausnahme vielleicht an heißen Sommertagen – auf das ‚Heimatquartier' und die unmittelbar angrenzenden Regionen, selbst dann, wenn Fahrrad oder Mofa vorhanden sind.

3.4. *Schlußbetrachtung*

Aus den vielfältigen Aussagen der befragten Jugendlichen über ihre alltäglichen Interessen, Treffpunkte und Handlungsweisen wird sich bei exakter Analyse ein Bild gewinnen lassen, das zu veranschaulichen vermag, wo und wie *‚außerschulische Sozialisation'* real geschieht. In Verbindung mit der *Art*, in der die Jugendlichen ihr *Berufsfindungsproblem* zu lösen suchen, wird es einen anschaulichen Querschnitt durch die intersubjektive ‚Lebenswelt' von Hauptschulabgängern eines bestimmten ökologischen Siedlungstyps ergeben. Der gegenwärtige Entwicklungsstand des Projekts ‚Sozialisation und Umwelt' muß es dem Leser überlassen, erste Hypothesen zu entwickeln, die die *biografische* mit der *geografischen* Lebenssituation der Jugendlichen vermitteln können. Wenn deren Wechselbeziehungen nicht sofort ‚ins Auge springen', so liegt dies u. E. nicht daran, daß sie etwa nicht vorhanden wären, sondern vielmehr daran, daß das Auge des soziologisch, psychologisch oder erziehungswissenschaftlich arbeitenden Jugendforschers für die Wahrnehmung solcher Zusammenhänge wenig geschult ist. Der Versuch, fast vergessene ‚Selbstverständlichkeiten' des Sozialisationsgeschehens – zu denen zweifellos die konkreten Umweltbedingungen gehören, unter denen junge Menschen aufwachsen (vgl. dazu *Kruse* 1974, 9) – aufzudecken, ist eine der Leitideen des vorstehend dargelegten Forschungsansatzes. Einen Hinweis darauf, daß es sich lohnt, sie zu erforschen, lieferte schon der amerikanische ‚Gründungsvater' der ökologisch orientierten Sozialforschung, Louis *Wirth*, der in einer seiner frühen Schriften (1938) einmal bemerkt: „Am relevantesten sind die Tatbestände einer Gesellschaft, die selten diskutiert werden und die gemeinhin als nicht weiter hinterfragungswürdig gelten."

Literatur

Arbeitsgruppe „Umwelttaxonomie"
1973. Bildungschancen und Umwelt I. Eine Studie zur sozialen Evaluation im Elementarbereich. Braunschweig: Westermann.

Arbeitskreis „Umwelttaxonomie/Soziale Evaluation“
1974. Projektantrag: Umwelt, Kind und Elementarbereich. Konstanz: Zentrum I Bildungsforschung.
1975. Projekt Umwelt, Kind und Elementarbereich. Praxisorientierte Grundlagenforschung zur Sozialisation von Kindern in Areal, Familie und Kindergarten. Konstanz: Zentrum I Bildungsforschung.
Arbeitsgruppe Vorschulerziehung
1976. Anregungen III: Didaktische Einheiten im Kindergarten. München: Juventa.

Bargel, T./Kute, M./Mundt, J. W.
1976. Zur Bestimmung sozialisationsrelevanter Areale (Soziotope) – Modelle, Verfahren, Probleme. In H.-J. Hoffmann-Nowotny (Hrg.), Politisches Klima und Planung (Soziale Indikatoren V). Frankfurt/M.: Campus 1977, 119–154
Berger, P. L./Luckmann, T.
1969. Die gesellschaftliche Konstruktion der Wirklichkeit. Eine Theorie der Wissenssoziologie. Stuttgart: S. Fischer.
Bertram, H.
1976. Probleme einer sozialstrukturell orientierten Sozialisationsforschung. Zeitschrift für Soziologie, 5, 103–117.
Bronfenbrenner, U.
1976. Ökologische Sozialisationsforschung. Stuttgart: Klett.

Caesar, B.
1975. Ein neuer Ansatz zur Erforschung von Sozialisationsprozessen in vorschulischen Erziehungseinrichtungen: der Beitrag der ökologischen Psychologie. In A. Baumgartner/D. Geulen (Hrg.), Vorschulische Erziehung. Bd. 2: Curriculare und methodische Ansätze. Weinheim: Beltz, 283–323.
Cicourel, A. V.
1970. Methode und Messung in der Soziologie. Frankfurt/M.: Suhrkamp.

Dahrendorf, R.
1961. Homo Sociologicus. Ein Versuch zur Geschichte, Bedeutung und Kritik der Kategorie der sozialen Rolle. Köln: Westdeutscher Verlag.
Dann, H.-D./Helmreich, R./Müller-Fohrbrodt, G./Pfeifer, H./Cloetta, B.
1975. Ist Umwelt meßbar? Ein Versuch zur Erfassung von Ausbildungsbedingungen für den innovativen Lehrer. In H. Walter (Hrg.), Sozialisationsforschung, Bd. 3: Sozialökologie – neue Wege der Sozialisationsforschung, Stuttgart: Frommann-Holzboog, 1–36.
Deutsches Jugendinstitut
1974. Zur Reform der Jugendhilfe. Analysen und Alternativen. München: Juventa.
DFG-Kommission für Erziehungswissenschaft
1974. Erziehungswissenschaftliche Schwerpunktprogramme der Deutschen Forschungsgemeinschaft. Zeitschrift für Pädagogik, 20, 967–972.
1976. Empfehlungen zur Förderung erziehungswissenschaftlicher Forschung. Zeitschrift für Pädagogik, 22, 9–34.
Diery, A./Hübner, S./Müller, H.-U.
1976. Sozialisation und Umwelt. Jugendliche im sozial-ökologischen Kontext. Zwischenbericht 1975. München: Deutsches Jugendinstitut.
Dion, M.
1975. Soziologie und Ideologie. Frankfurt/M.: Marxistische Blätter.

Engfer, A.
1976. Sozio-ökologische Determinanten von elterlichem Erziehungsverhalten (unveröff. Ms.)

Glaser, B. G./Strauss, A. L.
1968. The Discovery of Grounded Theory. Strategies for Qualitative Research. London: Weidenfeld.
1971. Status Passage. Chicago: Aldine.
Gottschalch, W./Neumann-Schönwetter, M./Soukup, G.
1971. Sozialisationsforschung. Materialien, Probleme, Kritik. Frankfurt/M.: Fischer.

Habermas, J.
1966. Zur Logik der Sozialwissenschaften. Tübingen: Mohr.
Holzkamp, K.
1973. Sinnliche Erkenntnis. Historischer Ursprung und gesellschaftliche Funktion der Wahrnehmung. Frankfurt/M.: Athenäum.

König, R.
1958. Die Gemeinde. Grundformen der Gesellschaft. Reinbek: Rowohlt.
Kreutz, H./Nier-Fischer, F./Wuggenig, U.
1974. Sozialisation in der Großstadt. Wien: Institut für Stadtforschung.
Kruse, L.
1974. Räumliche Umwelt. Die Phänomenologie des räumlichen Verhaltens als Beitrag zu einer psychologischen Umwelttheorie. Berlin: de Gruyter.

Laatz, W.
1974. Berufswahl und Berufszufriedenheit der Lehrlinge. München: Deutsches Jugendinstitut.
Lange, E./Büschges, G.
1975. Aspekte der Berufswahl in der modernen Gesellschaft. Frankfurt/M.: Aspekte
Lewin, K.
1969. Grundzüge der topologischen Psychologie. Bern: Huber.

Mundt, J. W.
1975. Perspektiven ökologischer Sozialisationsforschung (unveröff. Ms.).

Nowey, W.
1973. Zwischen Schule und Beruf. Bildungswege der Hauptschüler. München: Ehrenwirth.

Projektgruppe Jugendbüro und Hauptschülerarbeit
1975. Die Lebenswelt von Hauptschülern. Ergebnisse einer Untersuchung. München: Juventa.
1976. Straßensozialisation. Lehrlingssozialisation. Wiesbaden: Projektbericht.

Reiss, A. J. (Hrg.)
1964. Wirth, Louis: On Cities and Social Life. Selected Papers. Chicago: Univ. of Chicago Press.
Richtlinien für die bayerischen Volksschulen

1976. [11] München: Maiss.
Roth, H.
1962. Die realistische Wende in der pädagogischen Forschung. In H. Thiersch/H. Tütken (Hrg.), Erziehungswissenschaft, Erziehungsfeld, Lehrerbildung. Hannover: Schroedel, 113–126.

Schütz, A.
1974. Der sinnhafte Aufbau der sozialen Welt. Eine Einleitung in die verstehende Soziologie. Frankfurt/M.: Suhrkamp.
Schütz, A./Luckmann, T.
1975. Strukturen der Lebenswelt. Neuwied: Luchterhand.
Schwarz, U./Stooss, F.
1973. Zur regionalen Ungleichheit der beruflichen Bildungschancen und Vorschläge zum Abbau des Gefälles. Mitteilungen aus der Arbeitsmarkt- und Berufsforschung, 6, 121–176.
Stein, M. R.
1960. The Eclipse of Community. An Interpretation of American Studies. Princeton: Princeton Univ. Press.
Strasser, S.
1964. Phänomenologie und Erfahrungswissenschaft vom Menschen. Grundgedanken zu einem neuen Ideal der Wissenschaftlichkeit. Berlin: de Gruyter.

Thomae, H.
1974. Introduction. In H. Thomae/T. Endo (Eds.), The Adolescent and His Environment. Contributions to an Ecology of Teen-Age Behavior. Basel: Karger, 1–11.
Trudewind, C.
1975. Häusliche Umwelt und Motiventwicklung. Göttingen: Hogrefe.

Walter, H. (Hrg.)
1973/1975. Sozialisationsforschung, Bd. 1–3. Stuttgart: Frommann-Holzboog.

Überleben in der Stadt. Ein Vorschlag zur Nutzung der Sozialökologie

Jörg Bourgett, Norbert Preusser und Rainer Völkel

1. Über das Verhältnis von Sozialökologie und sozialer Wirklichkeit

1.1. *Sozialwissenschaft und Sozialpolitik*

Ökonomische Krisen führen zur Verminderung des Bruttosozialprodukts und verringern damit die absolute Höhe der Staatseinnahmen. Versuche, dies durch Erhöhung des relativen Anteils am Bruttosozialprodukt zu kompensieren, verschärfen die Auseinandersetzungen um die Verteilung desselben. Gleichzeitig lösen ökonomische Krisen durch Senkung des Lebensstandards breiter Bevölkerungsgruppen sozialdesintegrative Wirkungen aus, die nur durch eine Erweiterung staatlicher Steuerungskapazitäten wieder ins Lot gebracht werden können. Soziale Kontrolle geht also zu einem Zeitpunkt verloren, wo der Staat nur über eingeschränkte materielle Ressourcen verfügt, seine Steuerungskapazität zu erweitern: er gerät in eine Legitimationsklemme. „Ökonomische Krisen sind ihrer Funktion nach Zeiten der Umverteilung. Sie bewirken einerseits, aufgrund der Freisetzung von Arbeitskräften und des Drucks auf die Löhne, eine Steigerung der Gewinneinkommen zu Lasten der Lohneinkommen, andererseits, aufgrund von Konkursen und Konzentrationsbewegungen, eine Bereicherung der großen Kapitale zu Lasten der kleinen. Die sozialen Folgen dieser ‚Umverteilungsprozesse' wenigstens zum Teil aufzufangen, ist laut Sozialstaatsdeklaration Aufgabe des Staates. Dazu bedarf er in erhöhtem Umfange finanzieller Mittel. Diese muß er sich in einer Situation zu beschaffen suchen, in der der Druck von Lohneinkommen und Gewinneinkommen auf das BSP (Bruttosozialprodukt) verstärkt ist. Der Staat ist also in dem Bemühen, sich die Grundlagen seiner Funktionstüchtigkeit in der Krise zu sichern, erhöhtem Druck von zwei Seiten ausgesetzt: Einerseits aktualisieren sich in der Krise seine Sozialstaatsgarantien, er hat höhere Sozialleistungen zu tragen. Andererseits wird gerade in der Krise die Sicherung der Finanzierung seiner Leistungen problematisch. Denn die Krise bedeutet für den Staat Ausfälle an Steueraufkommen." (*Vobruba* 1978, 141f.).

Die klassische Verlaufsform zyklischer Krisen war geprägt von weitgehender Zurückhaltung des Staates und dem Vertrauen auf die Selbststeuerungskräfte des Marktes. Diese wurden nach Abklingen der Krise unweigerlich wirksam, indes die Krise selbst voll auf das Reproduktionsniveau der Arbeiterklasse durchschlug und einzelne Gruppen derselben absoluter Verelendung unterwarf. Nachdem die historische Entwicklung zur Erweiterung staatlicher Interventionsbereiche geführt hat, die sich insbesondere in einer umfassenden Garantie materieller Reproduktion (‚Sozialstaat') niederschlägt, ist der Rückgriff auf die klassischen Verlaufsformen der Krise verbaut, da dieser von der explosiven Verschärfung sozialdesintegrativer Entwicklungen begleitet wäre und so die Legitimationsprobleme des Staates nur noch vermehren würde.
Folglich kommen zur Aufrechterhaltung von Massenloyalität nur noch Strategien in Frage, die entweder Krisenphänomene schlicht verleugnen oder die Erweiterung staatlicher Steuerungskapazität über die Mobilisierung nicht unmittelbar und ausschließlich materieller Ressourcen zu erreichen versuchen.

Verleugnungsstrategien finden ihren angemessenen Ausdruck in Umdeutungsversuchen: Arbeitslosigkeit wird dann nicht begriffen als notwendige Begleiterscheinung zyklischer Akkumulationskrisen, sondern den Subjekten als individueller Defekt (‚Arbeitsscheu') aufgeprägt. Interventionen zur Überwindung solcher Defekte entsprechen diesem Deutungsmuster: Erweiterung der repressiven Momente sozialer Kontrolle, personelle Vermehrung und verbesserte Bewaffnung der Polizei, Verschärfung des Strafrechts, Kürzung der Sozialhilfe und der Arbeitslosenunterstützung. Dies bezeichnen wir als kumulative Strategien sozialer Kontrolle, da sie die Notwendigkeit tendenziell endloser Eskalation begründen: sobald Individuen der ständigen Verschlechterung ihrer Reproduktionsbedingungen unterworfen werden, stellen sich nicht die erwünschten Lernprozesse ein, statt dessen findet Anpassung an ein niedrigeres Lebensniveau statt; die Peitsche der Armut treibt die Individuen nicht vorwärts, sondern schlägt sie im Gegenteil immer weiter zurück; die Fähigkeit, in gesellschaftlich legitimierten Formen das Überleben zu sichern, wird progressiv abgebaut.
Im Gegensatz dazu stehen kompensatorische Strategien sozialer Kontrolle. Diese können in Zeiten, da der erweiterte Rückgriff auf materielle Ressourcen für den Staat weitgehend ausgeschlossen ist, nur noch dann seine Steuerungskapazitäten erweitern, wenn es gelingt, sozialstaatliche Interventionen qualitativ zu verbessern, ohne sie zugleich entscheidend zu verteuern: wo der Staat Legitimationsverluste nicht durch zunehmende Mobilisierung materieller Ressourcen abwenden kann, führt dies im Kontext kompensatorischer Strategien unweigerlich zur Mobilisierung der Produktivkraft Wissenschaft, womit es zugleich gelingt, Legitimationsschwierigkeiten teilweise auf diese abzuwälzen (was sich nicht notwendig

nachteilig auf wissenschaftliche Erkenntnis auswirkt, sondern mitunter deren Produktivität nachhaltig fördert).
Unter genau diesem Legitimationsdruck befinden sich gegenwärtig die positivistischen Spielarten empirischer Sozialforschung, die – bisher weitgehend befreit von der Notwendigkeit, Erkenntnisse zutage zu fördern, die auch außerhalb der Gelehrtenrepublik verwertbar blieben – Forschungsziele und deren Handlungsrelevanz nicht inhaltlich bestimmen mußte, sondern durch das Austüfteln kostspieliger Forschungsdesigns ersetzen konnte.
Die Kritik an positivistischer Sozialforschung ist inzwischen hinreichend geleistet worden (*Habermas* 1967, *Berger* 1974), so daß es überflüssig ist, sie um ein weiteres Lamento zu ergänzen (wenn auch der Gegenstand der Kritik sich bisher durch Zählebigkeit auszuzeichnen wußte. Stattdessen wird im folgenden die historische Qualität jener Lebenszusammenhänge zu bestimmen versucht, die sich gegenüber positivistischer Sozialforschung als durchaus resistent erweisen.
Die Anwendung mathematisch ausgeklügelter Forschungsdesigns hat sich im Rahmen von Marktforschung und Demoskopie weitgehend bewährt, ihre Anwendung auf den gesamten Gegenstandsbereich sozialer Phänomene setzt freilich voraus, daß Lebenszusammenhänge schon zu jener universalen Gleichzeitigkeit entleert wurden, die die Anwendung geschichtsloser Untersuchungsmethoden erst künstlich erzeugt. Zwanglos sind diese Verfahren nur anwendbar, wo Geschichtslosigkeit bereits die konkreten Lebenszusammenhänge durchsetzt und der ständigen Wiederholung des Äquivalententauschs unterwirft; hier läßt sich der Kontakt des Sozialforschers mit den zu erforschenden Gegenständen auf ein einfaches Reiz-Reaktions-Schema reduzieren.
Positivistische Methoden empirischer Sozialforschung erbringen nichtssagende oder falsche Ergebnisse, wenn mit ihrer Hilfe Gesellschaftsformationen untersucht werden, die von der Verallgemeinerung des Tauschverhältnisses nur unzureichend erfaßt sind; sie verleugnen in dem Maße die historische Qualität konkreter Lebenszusammenhänge, wie in diesen historisch vergangene, ungleichzeitige Strukturmerkmale virulent geblieben sind. Am deutlichsten kommt dies zum Vorschein, wenn mittels positivistischer Verfahren ethnische Gruppen untersucht werden, die sich noch weitgehend nach dem Prinzip der Selbstversorgung reproduzieren, deren Lebensbedingungen also weder von der Verallgemeinerung der Lohnarbeit noch von Produktionsweisen geprägt sind, die es erlauben, über die Subsistenzerhaltung hinaus ein nennenswertes Surplus an Tauschwerten herzustellen. Wird dieser Versuch dennoch unternommen, erzeugt dies bei Sozialforschern, die mit den Lebensbedingungen ungleichzeitiger ethnischer Gruppen unmittelbar vertraut sind, gelinde Belustigung. ,,Einige Kritiker haben mich getadelt, daß ich mich in meinen Studien nicht an die allgemein gebräuchliche, statistische Methode gehalten habe, die in Amerika und anderen ‚fortschrittlichen' Län-

dern befolgt wird. Mit dieser Kritik bin ich trotz ihrer äußeren Stichhaltigkeit keineswegs einverstanden. Die iraqische Gesellschaft ist nämlich anders als die amerikanische Gesellschaft, dort kann der Interviewer an die Haustüren klopfen und den Hausfrauen irgendwelche x-beliebige Fragen stellen, und die Frauen sind unbefangen und werden ihm in den meisten Fällen auch eine richtige Antwort geben. Bei uns aber ist das ganz anders" (*Al-Wardi* 1972, 25).

Selbst dort, wo die Entfaltung kapitalistischer Produktions- und Distributionsweisen die Lebenszusammenhänge der Individuen allgemein prägt, bedeutet dies noch nicht die reale Subsumtion der gesamten Totalität des Alltagslebens unter verallgemeinerte Tauschwertrelationen. Auch innerhalb kapitalistischer Gesellschaften sind Inseln vorkapitalistischer Orientierungen und Produktionsweisen bis heute erhalten geblieben; in diesen Nischen der Ungleichzeitigkeit wurde die ursprüngliche Akkumulation zwar ökonomisch vollzogen, steht jedoch bezüglich der Kulturtraditionen der Bevölkerung noch aus: hier wirkt noch jene Renitenz, die zu Beginn der kapitalistischen Entwicklung durch Anwendung physischer Gewalt zu brechen versucht wurde und die Ausbreitung der großen Industrie entscheidend verzögerte. „Wir finden in Brandenburg-Preußen im 17. und noch weit ins 18. Jahrhundert hinein den ‚mittelalterlichen' Menschen als allgemeinen Typus, d. h. den Menschen, der noch immer und zwar vollauf von der ‚*Idee der Nahrung*' beherrscht wurde, der noch nicht vom Erwerbsstreben, wie es der heutigen Zeit des ausgehenden Hochkapitalismus eigen ist, ergriffen war. Das nahrungsmäßige Auskommen im Kreise seiner Familie, jenes handwerkerliche Ideal, bezeichnete die Grenzen für das Maß seiner Unterhaltsfürsorge. Erst allmählich begann der neue Geist des Erwerbsstrebens einzudringen, und zwar zunächst bei den Wirtschaftsführern. Wo diese aber antraten und sich zu betätigen suchten, fanden sie jenes selbstgenügsame, expansionsfeindliche Menschentum, das ihren Bestrebungen nicht entsprach" (*Hinze* 1927, 42).

Da die Verallgemeinerung des Tauschverhältnisses durch das Fortleben ungleichzeitiger Kulturtraditionen gegenwärtig nicht mehr gefährdet erscheint, kann auf die Anwendung physischer Gewalt weitgehend verzichtet werden. Dennoch bleibt Gewaltförmigkeit in den ideologischen Verhärtungen positivistischer Sozialforschung weiterhin wirksam, dort nämlich, wo die Nischen der Ungleichzeitigkeit mit Methoden erforscht werden, die die geschichtliche Qualität sozialer Phänomene ignorieren und sie einer erzwungenen Gleichzeitigkeit unterwerfen. Auch die Untersuchung großstädtischer Lebenszusammenhänge hat von möglicher Ungleichzeitigkeit auszugehen. Obwohl in den großen Städten die Verallgemeinerung des Tauschverhältnisses am weitesten fortgeschritten ist, existiert die Einheitlichkeit urbaner Gemeinwesen allenfalls in der abstrakten Zentralität kommunaler Verwaltungen, bestimmt jedoch keineswegs die Lebensbedingungen sämtlicher Stadtbewohner. In verschiedenen Epochen entstanden, besiedelt von

Bevölkerungsgruppen unterschiedlicher Herkunft, sind die einzelnen Wohnquartiere deutlich voneinander unterschieden. Eine mitunter sprunghaft verlaufene Entwicklung schlägt sich im großstädtischen Raum nieder und erscheint als dessen räumliche Zersplitterung in differenzierte Lebenswelten; diese markieren einen jeweils verschiedenen Ort im komplexen, noch immer unabgeschlossenen Prozeß der Verstädterung. ,,In großstädtischen Arealen neigen die verschiedenen Bevölkerungsgruppen dazu, ihre überkommenen Kulturtraditionen so weit zu erhalten, wie es die neue Umgebung zuläßt. Dieses Beharrungsvermögen ist die Ursache für die plötzlichen Übergänge im Lokalkolorit einzelner Stadtviertel, die wir manchmal bemerken, wenn wir von einer Straße zur anderen wechseln: ein System kleiner Ghettos bestimmt die Einwandererquartiere unserer großen Städte" *(Wirth* 1928, 283).

Der Bereich sozialer Kontrolle, der durch Interventionen kommunaler Sozialverwaltung begrenzt ist, umfaßt zumindest jene Bevölkerungsgruppen, deren materielle Lebensbedingungen nicht nur ökonomisch weit hinter das durchschnittliche Reproduktionsniveau zurückfallen, sondern auch geprägt sind vom Nachhall vergangener Produktionsweisen und Kulturtraditionen; diese Bevölkerungsgruppen leben hart am Rande des historisch vermittelten Existenzminimums und können ihr physisches Überleben nur sichern auf der Basis ungleichzeitiger, bisweilen vorindustrieller Verhaltensorientierungen – zu Zeiten ökonomischer Krisen wachsen diese Bevölkerungsgruppen stetig, wenn nicht sprunghaft an, wobei der Umfang dieses Prozesses sowohl von wirtschaftlichen als auch von lebensgeschichtlichen Faktoren beeinflußt wird: er hängt einerseits davon ab, wieviele Individuen aus dem Produktionsprozeß ausgeschieden und anhaltender Arbeitslosigkeit unterworfen werden, andererseits davon, ob diese Individuen in unmittelbaren Kontakt mit den noch existierenden Enklaven der Ungleichzeitigkeit geraten.

Damit muß die sozialstaatliche Steuerungskapazität genau dort erweitert werden, wo die Anwendung positivistischer Methoden der empirischen Sozialforschung unzureichende, wenn nicht falsche Resultate erbringt und die daraus abgeleiteten Interventionen der Gefahr aussetzt, jene Bevölkerungsgruppen nicht zu erreichen, auf deren Lebenszusammenhänge sie doch gerade abzielen. Positivistische Sozialforschung erweist sich hier als untauglich und verkommt auf dem Hintergrund knapper materieller Ressourcen zur luxuriösen Veranstaltung.

Zur Sicherung der eigenen materiellen Existenz sind Sozialwissenschaftler folglich genötigt, ein Forschungsinstrumentarium zu erarbeiten, dessen methodisches Werkzeug nicht nur die detaillierte Erfassung ungleichzeitiger Lebenszusammenhänge erlaubt, sondern zugleich geeignet ist, Interventionen zu begründen, die die staatliche Steuerungskapazität faktisch erweitern. Dabei werden Widersprüche wirksam, die sowohl auf der Ebene des politischen als auch des akademischen Verwertungszusammenhangs von Sozialwissenschaft zur Geltung kommen.

Auf der politischen Ebene sind uns solche Widersprüche leicht beschreibbar, da sie durch Erfahrung vermittelt wurden. Versucht Sozialforschung möglichst dicht an die Lebenszusammenhänge verelendeter Bevölkerungsgruppen heranzukommen, fördert sie zwar einerseits Erkenntnisse von hoher Verwertbarkeit ans Licht, unterläuft jedoch andererseits die Ideologie funktionierender Sozialstaatlichkeit; die Verwertungsinteressen staatlicher Institutionen richten sich ausschließlich auf den ersten Aspekt und versuchen, den zweiten davon abzukoppeln: als wir im ‚Jugendbericht' (*Bourgett/Preusser/Völkel* 1978) die Konzentration von Armutsphänomenen und den Verlust sozialer Kontrolle in bestimmten Arealen der Stadt Wiesbaden nachgewiesen hatten, bezweifelte kaum jemand unsere empirischen Resultate. Die Auseinandersetzungen um den Jugendbericht eskalierten erst, als daraus politische Folgerungen abgeleitet werden sollten.
Widersprüche, die innerhalb des akademischen Wissenschaftsbetriebs durchschlagen, sind uns nicht sinnlich erfahrbar; wir sind folglich auf Vermutungen angewiesen. Unter dem Zwang, für staatliche Institutionen verwertbare Ergebnisse vorlegen zu müssen, die zudem mit Erfolgsgarantien bezüglich der daraus abzuleitenden Interventionen verbunden sind, reagierten Sozialforscher – in der Einsicht, daß dieser Anspruch durch positivistische Verfahren nicht eingelöst werden kann – mit dem Rückgriff auf eine vergessene Unterströmung der empirischen Sozialforschung: sozialökologische Methoden wurden als brauchbar reklamiert, Lebenszusammenhänge zu erfassen. Eine systematische Aufarbeitung einschlägiger Forschungstraditionen wurde jedoch nicht unternommen; damit blieben Gegenstand und Methode gegenwärtiger Sozialökologie weitgehend unbestimmt (einzige, uns bekannte Ausnahme: *Hamm* 1977 – hier werden zwar einige Ansätze der Chicagoer Schule vorgestellt, die Beschränkung auf stadtsoziologische Forschungsresultate läßt jedoch die kriminologischen und politologischen Arbeiten nahezu unberücksichtigt). Sozialökologie ist also kein Begriff für etwas bereits Vorhandenes, sondern eine normative Setzung, die allenfalls berechtigte Ansprüche formuliert.

1.2. *Verirrungen der Sozialökologie: Eulenauge und die Fliege im Bernstein*

Wir versuchen nun, anhand zweier Beispiele nachzuprüfen, wo Sozialökologie ihren Gegenstand zu finden hätte, und wie weit sie imstande ist, die genannten Ansprüche einzulösen.

1.2.1. *Warenkorb zur Ermittlung der Sozialhilfesätze*

Im Jahre 1972 veröffentlichte der Deutsche Verein für öffentliche und private Fürsorge eine Schrift, in der der notwendige Regelbedarf zur materiellen Existenzsicherung von Personen verschiedenen Alters exakt quantifiziert wurde *(Petersen* 1972). Der sozialpolitische Verwertungszusammenhang war eindeutig: die Berechnungen bildeten die Grundlage für die Bemessung der monatlichen Sozialhilfesätze.

Die Wissenschaftler des Deutschen Vereins zergliederten zunächst den zum Überleben notwendigen Bedarf an Gütern und Dienstleistungen in verschiedene Güterklassen (Ernährung, Energie, Kleidung, Hausrat, Körperpflege, Genußmittel) und sahen sich danach gezwungen, unter jeder dieser verschiedenen Güterklassen genau ermittelte Mengen verschiedener Gebrauchswerte zu rubrizieren. Die Addition der für die jeweiligen Gütermengen zugrundegelegten Durchschnittspreise führte zur Festlegung der Regelsätze, die als Geldbetrag ausgewiesen wurden. Sozialhilfeempfänger erhalten zwar diesen Geldbetrag, aber keine Informationen darüber, zur Aneignung welcher Güter und Dienstleistungen in welcher Menge sich dieser als hinreichend erweisen soll. Zur Ermittlung der Sozialhilferegelsätze werden also Verbrauchsgewohnheiten zugrundegelegt, deren empirische Qualität zumindest zweifelhaft ist. So werden Sozialhilfeempfängern drei Flaschen Bier pro Woche zugestanden; diese Menge wurde gegenüber früheren Berechnungen erhöht, weil – wie der Deutsche Verein wohlwollend bemerkt – auch Sozialhilfeempfängern „in bescheidenem Maße die Möglichkeit für die Bewirtung eines Gastes gegeben werden" (S. 45) soll. Drei Flaschen Bier für eine Geburtstagsfeier: das Gelächter sämtlicher Sozialhilfeempfänger sollte den Wissenschaftlern des Deutschen Vereins in den Ohren dröhnen.

Kein Sozialhilfeempfänger verbraucht exakt die Gütermengen, die der Deutsche Verein zur Sicherung der materiellen Existenz für notwendig hält. Damit bleibt die Frage unbeantwortet, wie die Individuen dennoch ihr Überleben sichern: die Erhöhung einer Güterposition muß zwangsläufig andere Positionen verringern, was am Rande des Existenzminimums lebensbedrohende Defizite erzeugen müßte. Das Verfahren des Deutschen Vereins ist ein eindrucksvolles Beispiel für die Verwechslung von mathematischer Exaktheit und empirischer Genauigkeit, für die mögliche Identität von logischer Stringenz und monströsem Irrtum, eine Identität, die sich auch durch noch aufwendigere mathematische Verfahren nicht aufsprengen läßt, sondern nur durch unmittelbare Vertrautheit mit den konkreten Lebenszusammenhängen verarmter Bevölkerungsgruppen. Im Rahmen sozialökologisch orientierter Erkenntnisinteressen wären folgende Fragen bezüglich der Sozialhilferegelsätze zu beantworten: an welchen Punkten der Haushaltsführung schlagen gravierende Defizite durch und – wenn solche sich nicht auffinden lassen – wie sehen die einschlägigen Kompensationsstrategien der Haushalte aus (dazu sei verwiesen auf die Anmerkungen zur subversiven Lebensführung im dritten Teil dieses Aufsatzes).

1.2.2. *,Soziotopen'-Ansatz*

Der Anspruch der Sozialökologie, konkrete Lebenszusammenhänge empirisch zu erfassen, Fragestellungen analog den oben genannten also nicht unbeantwortet zu lassen, sei nun anhand des ,Soziotopen'-Ansatzes überprüft. Für die Konstanzer Forschungsgruppe, die diesen Ansatz kreierte, war der sozialpolitische Verwertungszusammenhang ähnlich eindeutig wie für die Wissenschaftler des Deutschen Vereins: Ihr Auftrag bestand darin, Methoden zur Lokalisierung von Modellkindergärten zu entwickeln. Die Konstanzer ließen es freilich nicht bei einer Fragestellung bewenden, die ausschließlich auf den Ausgleich vorhandener Infrastrukturdisparitäten abzielte, sondern dehnten ihren Forschungsansatz inhaltlich aus: sie beruhigten sich nicht bei einer Festlegung von Standorten, sondern versuchten zugleich, die innere Struktur der verschiedenen Sozialräume zu erforschen und differenzierte, lebenswelt-orientierte Curricula zu entwerfen *(Bargel et al.* 1973). Derart konkrete sozialökologische Zielsetzungen werden im Text jedoch sogleich anspruchsvoll vernebelt: die Curricula dienen nicht der Vermittlung nützlicher Kenntnisse und Fertigkeiten, sondern: zum Abbau von Herrschaft (S. 63). Man mag solche Zielsetzung für löblich halten oder auch nicht – durch verblasene Begriffe werden Erfolgskontrollen nicht gerade erleichtert.
Der ,Soziotopen'-Ansatz entfaltete seine Produktivität folglich auch weniger in der Entwicklung von Vorschul-Curricula als in dem Versuch, die ,Sozialisationsrelevanz von Umwelten' – Voraussetzung differenzierter Curricula – zu bestimmen. Dazu wurde mit einigen sozialwissenschaftlichen Banalitäten aufgeräumt, die die Sozialisationsforschung als Ballast und Denkverbot mit sich herumschleppte: etwa dem unmittelbaren Zusammenhang von sozialer Schicht der Eltern und kindlicher Sozialisation, ein Theorem, in dessen Kontext statistische Korrelationen umstandslos zu Kausalbeziehungen verklärt werden (etwa: *Vinnai* 1973) „Weil es in der empirischen Sozialforschung zum ,guten Ton' gehört, die Probanden nach ,sozialen Schichtindizes' zu gruppieren, ist es angezeigt, solche Vorgehensweise auf ihre Brauchbarkeit für die soziale Evaluation hin zu prüfen. Weil die Gefahr nicht von der Hand zu weisen ist, daß dieses Vorgehen in der sozialen Evaluation Erkenntnisse für curriculare Entwicklungen eher verdeckt als erschließt, wird dafür plädiert, die bloße ,Schichtzuschreibung' aufzulösen zugunsten einer differenzierten Betrachtungsweise konkreter Sozialisationsverhältnisse" *(Bargel et al.* 1973, 59).
Im weiteren Verlauf gelingt den Autoren mit Hilfe von Indikatoren-Bündeln eine empirisch gehaltvolle Differenzierung städtischer Lebenswelten, deren Sozialisationsrelevanz allerdings nicht weiter untersucht wird; zudem wird es unterlassen,

die räumlich nebeneinander existierenden Lebenswelten im Kontinuum des Verstädterungsprozesses historisch zu bestimmen. Erst dies könnte die Autoren davor behüten, in der schlechten Unendlichkeit möglicher Daten zu ertrinken, würde sie statt dessen in die Lage versetzen, in unterschiedlichen Lebenszusammenhängen jene innere Ordnung zu entdecken, die erst den wissenschaftlichen Begriff ausmacht.

Solcher Verzicht rächt sich. Wo noch 1973 gespannte Erwartungen genährt wurden, wie denn die sozialwissenschaftliche Produktivität des ‚Soziotopen'-Ansatzes zu theoretisch begründeten Maßnahmen weiterentwickelt werden könnte, macht sich 1977 nur noch Enttäuschung breit (*Bargel et al.* 1977): die Handlungsrelevanz der Forschungsresultate verkümmert zur Randbedingung, statt dessen wird das Instrumentarium mathematischer Konstrukte zu Datenaggregaten weitergetrieben, die berechtigte Zweifel entstehen lassen, ob die Kapazität automatischer Rechenanlagen noch ausreicht (S. 23). Die Mauer zwischen sozialwissenschaftlichem Denken und sozialpolitischem Handeln bleibt so nicht nur unangetastet, sondern wird mühsam verschnörkelt und ornamentiert, so daß schließlich nichts anderes übrigbleibt als sie unter Denkmalschutz zu stellen und ihr einen gebührenden Platz im Museum erstarrter Legitimationsruinen zuzuweisen.

Eingeholt und aufgefressen vom akademischen Verwertungs- und Verfremdungszusammenhang sozialwissenschaftlicher Forschung, verlieren sich die Autoren im verwirrenden Chaos möglicher Daten und sitzen damit genau jener Verdinglichung auf, der auch die Wissenschaftler des Deutschen Vereins nicht entgingen: statt sich differenzierten Lebenszusammenhängen mittels direkter Beobachtung zu nähern, beschränkt man sich darauf, das Fehlen kleinräumiger Datenstöcke zu beklagen (S. 42f.).

Die erwähnten ungleichzeitigen Lebenszusammenhänge existieren auf den Nachtseiten industrieller Gesellschaften, sind geprägt von hoher Interaktionsdichte und zudem außerordentlich licht- und geräuschempfindlich; sie ähneln damit den schwarzen Löchern des Universums oder der Fliege im Bernstein, die auch erst durch direkte Bearbeitung sichtbar wird. Die Kamera positivistischer Sozialforschung wird solche Lebenszusammenhänge auch dann nicht widerspiegeln können, wenn der Fortschritt der optischen Technik die Anwendung immer genauerer Teleobjektive gestattet; dies dürfte allenfalls dazu führen, daß die Gegenstände der empirischen Sozialforschung ihre Konturen vollends verlieren und zu bloßen Aggregaten einer endlosen Zahl möglicher Faktoren degenerieren: das Eulenauge der Sozialökologie ist durch die perfekteste Kamera positivistischer Empirie nicht zu ersetzen.

Damit wird ein Forschungsinstrumentarium notwendig, das zwar quantifizierende Methoden nicht völlig vernachlässigt, sich darüber hinaus jedoch eher an ethnologischen Verfahren als an solchen der traditionellen empirischen Sozialforschung orientiert. „Ich las Lynd's Middletown und Carolyn Ware's Greenwich Village durchaus mit Spannung und Gewinn, und dennoch: je mehr ich darüber nachdachte, desto sicherer wurde ich mir, daß ein solches Vorgehen mich nicht zum Ziel führte. Viele soziologische Texte neigen dazu, Lebenszusammenhänge ausschließlich unter dem Blickwinkel sozialer Probleme zu betrachten, so daß sie als geordnetes soziales System einfach nicht mehr existieren. (. . .) Danach las ich ethnologische Literatur (. . .), und sie schien mir meinen Zielsetzungen weitaus mehr entgegenzukommen, obwohl die Forscher sich mit primitiven Kulturen beschäftigten, indes ich mich inmitten einer Großstadt befand" (*Whyte* 1955, 286).

1.3. *Methoden und Traditionen der Sozialökologie*

1.3.1. *Methoden*

Für politische Gruppierungen, die den drohenden Verlust sozialer Kontrolle als Folgewirkung ökonomischer Krisen und nicht nur als Einschränkung des staatlichen Gewaltmonopols begreifen, ist die Militarisierung staatlicher Institutionen kein taugliches Mittel, die begrenzten Steuerungskapazitäten des Staates zu erweitern; diese Einsicht führt unweigerlich zur Forderung nach einer handlungsorientierten, prognostischen Sozialplanung.

Planungsverfahren, deren Resultate in historisch vermittelten, ungleichzeitigen Lebenszusammenhängen wirksam werden sollen, müssen zumindest die folgenden theoretischen und methodischen Voraussetzungen erfüllen:

– Da keine Sozialplanung imstande ist, Krisentendenzen zu brechen, kann sich ihre Aufgabe nur auf den Versuch beschränken, negative Effekte möglichst gering zu halten. Dazu müssen Untersuchungs- und Prognoseverfahren entwickelt werden, die Aussagen darüber erlauben, auf welche Bevölkerungsgruppen und in welchen gesellschaftlichen Teilbereichen Krisentendenzen am nachhaltigsten durchschlagen.

– Die Definition krisenbedrohter Bevölkerungsgruppen und gesellschaftlicher Teilbereiche impliziert die Erkenntnis, daß krisensteuernde Globalstrategien kaum ausreichen, den drohenden Verlust sozialer Kontrolle abzuwenden. Die kleinräumige Orientierung von Sozialplanung wird damit notwendig.

– Damit Resultate von Sozialplanung innerhalb der verschiedenen, ungleichzeitigen Lebenszusammenhänge nicht spurlos versickern, müssen Forschungsmethoden gewählt werden, die – neben den traditionell quantifizierenden Verfahren – die unmittelbare sinnliche Vertrautheit des Sozialforschers mit den Lebenszusammenhängen verschiedener Gruppen der Bevölkerung voraussetzen.

– Soll die Liebe zum Detail nicht den wissenschaftlichen Begriff erschlagen, müssen ungleichzeitige Lebenszusammenhänge im historischen Kontinuum des Ver-

städterungsprozesses verortet werden; dies erfordert eine verstärkte Historisierung sozialwissenschaftlicher Kategorienbildung (Überlegungen zu diesem Thema finden sich im zweiten Teil dieses Aufsatzes).
Die notwendigen inhaltlichen und methodischen Elemente einer Planungstheorie zur Erweiterung staatlicher Steuerungskapazität – Erforschung historischer Gesetzmäßigkeiten des Verstädterungsprozesses, kleinräumiger Anwendungsbereich, Unmittelbarkeit sinnlicher Erfahrungen – werden von uns zu dem Begriff ‚Sozialökologie' zusammengefaßt.

1.3.2. *Traditionen*

Gegenwärtig eilt die vorgenommene inhaltliche und methodische Bestimmung von Sozialökologie ihrer praktischen Realisierbarkeit deutlich voraus. Die Sozialwissenschaft kann folglich dem herrschenden politischen Verwertungsdruck nur nachkommen, wenn ihr der Rückgriff auf einschlägige Forschungstraditionen gelingt. So werden seit Anfang der 60er Jahre in den USA die bis dahin verschollenen Texte der Chicagoer Schule neu aufgelegt und seit wenigen Jahren auch in der BRD vereinzelt rezipiert. Im Kontext der Chicagoer Schule wird Sozialforschung weitgehend betrieben unter Gesichtspunkten sozialer Kontrolle, was durch den historischen Hintergrund der Großen Depression hinreichend begründet ist (etwa: *Cavan/Ranck* 1938). Das Verhältnis von administrativem Handeln und den Lebensbedingungen der Bevölkerung wird zum dominierenden Gegenstandskomplex: „Die Untersuchungen von *Burgess* und seinen Mitarbeitern über Delinquenz, Verbrechen, Geisteskrankheit, Selbstmord und Prozesse familiärer Desorganisation, die Untersuchungen von *Douglas* über Arbeitslosigkeit, die politikwissenschaftlichen Studien über Schmiergelder, Nepotismus und Korruption und die zahlreichen Beiträge der sozialwissenschaftlichen Fakultät an der Hochschule für Verwaltungswissenschaften über die Erscheinungsformen von Verwahrlosung, die in den noch unerschlossenen Randzonen unserer Städte vorherrschen, haben unsere Methoden zur Bewältigung sozialer Probleme von der Magie zur Wissenschaft vorangetrieben" (*Wirth* 1940, 62).
Angesichts der Methodenartistik positivistischer Sozialforschung bedienen sich die Autoren der Chicagoer Schule überraschend simpler Verfahren, die weniger auf der mathematischen Korrelation statistischer Daten beruhen als auf der langfristigen Anwendung direkter Beobachtung, deren Ergebnisse mit gesellschaftlichen Strukturdaten theoretisch vermittelt werden: Lebenszusammenhänge werden konkret beschrieben und zugleich im Kontinuum des Verstädterungsprozesses verortet. „Sie (die Autoren der Chicagoer Schule) richteten ein Auge auf die traditionelle sozialwissenschaftliche Theoriebildung, während das andere damit beschäftigt war, städtisches Leben in ihrer unmittelbaren Umgebung zu beobachten" (*Wirth* 1940, 53).

Die inhaltliche Bedeutung sozialökologischer Studien wird innerhalb der Chicagoer Schule also gewährleistet durch die sinnliche Vertrautheit des Sozialforschers mit seinem Forschungsgegenstand und die Vermittlung von dessen empirischen Momenten mit gesellschaftlichen Entwicklungstendenzen. Sozialökologie formuliert sich so in polemischem Gegensatz zur positivistischen Konstruktion exakt kontrollierbarer Ersatzrealität.

Eine ähnliche Revitalisierung anscheinend abgelebter Forschungstraditionen ist auch in der BRD zu beobachten; zwar kann von einer systematischen Rezeption der Chicagoer Schule noch nicht die Rede sein, aber immerhin werden inzwischen Texte nachgedruckt, die in ihren methodischen und inhaltlichen Zielsetzungen der Chicagoer Schule durchaus vergleichbar sind, etwa einzelne Bände aus *W. H. Riehls* ‚Naturgeschichte des Volkes als Grundlage einer deutschen Sozial-Politik'. Hier kommen Intentionen zum Tragen, die auch die gegenwärtige sozialökologische Forschung bestimmen: Wissenschaft soll nicht nachträglich zur Legitimation beliebiger sozialpolitischer Absichtserklärungen herhalten, sondern wird ausdrücklich im Kontext politischer Verwertungszusammenhänge betrieben. Es ist daher nicht verwunderlich, wenn *Riehl*, dem der Begriff ‚Sozialökologie' noch durchaus fremd ist, methodisch auf genau jener Vermittlung von sinnlicher Wahrnehmung und gesellschaftlichen Strukturdaten insistiert, die erst die Handlungsrelevanz sozialökologischer Forschung begründet: „Wenn man auch nicht mehr wandert, um Zahlen zu suchen, so soll der Statistiker doch wandern, um seine amtlichen Zahlen zu verstehen, um jene Motive, jenen Faden des inneren Zusammenhangs der Ziffernreihen im Volksleben zu finden, welcher in den Akten nicht geschrieben steht. Wer wanderte, um Statistik zu machen, wäre lächerlich; wer aber Statistik macht, ohne zu wandern oder zumindest andere für sich wandern zu lassen, der ist einseitig und oberflächlich. Durchs Wandern können uns Bücher und Akten nicht entbehrlich werden, aber wir lernen Bücher und Akten lesen durch Wandern" (*Riehl* 1903, 21).

Riehl bestimmt hier – im vorweggenommenen Einverständnis mit den Autoren der Chicagoer Schule – eine der notwendigen Voraussetzungen sozialökologischer Forschung. Damit die Wandernden sich jedoch im Unterholz einer endlosen Faktenwelt nicht verirren, können sie sich bei der Borniertheit sinnlicher Wahrnehmung nicht beruhigen und vor der ‚ärgerlichen Tatsache der Gesellschaft' kapitulieren. Sozialökologie ist – um dieser Falle zu entgehen – angewiesen auf gesellschaftstheoretische und historische Reflexion.

Da sich der Verlust sozialer Kontrolle vorwiegend in den Metropolen niederschlägt, kann Sozialökologie auf eine historisch entfaltete Theorie der Verstädterung nicht verzichten. Sie wird damit zum tauglichen Instrument zur Erforschung sozialer Evolution, deren Ergebnisse erst eine prognostisch orientierte Sozialplanung ermöglichen.

2. Immigration und Verstädterung

2.1. *Der Gegenstand der Sozialökologie*

Löst sich der so geknüpfte Kranz ‚Sozialökologie' aus den Bedingungen positivistischer Forschungsdesigns, beschreibt er also den unmittelbaren, sinnlichen Kontakt des Sozialforschers mit den historisch entfalteten Lebenszusammenhängen, muß er sich an den die ‚soziale Evolution' bedingenden Merkmalen gesellschaftlicher Entwicklung orientieren. Untersuchungsgegenstand ist dann nicht mehr ‚die Gesellschaft', sondern sind die Reproduktionsbedingungen, die sich in den Formationen von Gesellschaft als Äußerungen realer Lebenszusammenhänge niederschlagen. In den Reproduktionsbedingungen vermitteln sich Gesellschaftsformationen und Anpassungsleistungen der Subjekte, die Reproduktion sichern und auf phylogenetische Lernprozesse verweisen, die als Folge evolutionärer Schritte sich in der Geschichte verankern.

Sozialökologie kann demnach beschrieben werden als Methode zur Erforschung sowohl der Bedingungen als auch der Auswirkungen sozialer Evolution. Allerdings muß sich sozialökologische Forschung, um operationalisierbare Erkenntnisse zu erhalten, dabei an der Feinstruktur von Anpassungsprozessen orientieren. Sie untersucht die aus evolutionärem Geschehen entwickelten Organisationsprinzipien und die damit verbundenen Interaktions- und Kommunikationsformen, also das alltägliche Handlungssystem, die Formen der Daseinssicherung, die Sozialverfassungen. Sozialökologie muß sich dabei auf die ‚fundamentale Innovation' (*Eder* 1976, 138), auf die Familie beziehen und sie zum Zentrum ihrer Untersuchungen machen. Familie wird gedacht als ursprüngliche Reproduktionsmöglichkeit von Gesellschaften und umfaßt deren historisch gewandelte und wandelbare Formen.

Das historisch entwickelte Ist, also der Zustand der Familien als Teil kultureller Gegebenheiten, soll erklärt werden, „als beständiger materieller Ausdruck einer funktionellen Anpassung an die Umwelt" (*Childe* 1975, 27). Variation, Selektion und Stabilisierung sind die evolutionären Mechanismen, denen die Anpassungsleistungen unterliegen, die die Familie in der Geschichte erbracht hat (*Eder* 1976). Die Anpassungsleistungen stellen innerhalb des beschriebenen theoretischen Rahmens Lernprozesse dar. Über das Erreichen neuer Lernniveaus werden strukturell auftretende Steuerungsprobleme von Gesellschaften kompensiert. Sozialökologie hat, wenn sie bei der Familie als ‚fundamentaler Innovation' ansetzt, die einzelnen Lernniveaus zu qualifizieren und ihren Standort im Prozeß der sozialen Evolution zu benennen. Wenn diese Lernniveaus als Ergebnis eines Austauschprozesses zwischen Persönlichkeitssystem und Gesellschaftssystem begriffen werden, ist es möglich, gesellschaftlichen Wandel zu beschreiben.

2.2. *Verstädterung als Prozeßbeschreibung der Austauschbeziehungen*

Wenn die Familie – wesentlicher Gegenstand sozialökologischer Forschung – als Organisationsprinzip begriffen wird, über das Gesellschaften ihre begrenzte Steuerungskapazität zu erweitern suchen, so sind die in der Vergangenheit erbrachten und heute wirksamen Anpassungsleistungen näher zu untersuchen.
Wir beschränken uns dabei auf jene Zeitspanne, in der die Anpassungsleistungen des Systems Familie notwendig wurden und sich als mehr oder weniger vollständig entwickelte Problemlösungskapazitäten beschreiben lassen. Im Begriff ‚Verstädterung' erscheinen damit sowohl die sozialstrukturellen Bedingungen der Industrialisierung als auch die unterschiedlichen Strategien von Familien, diesen Bedingungen zu entgehen oder sich ihnen zu unterwerfen.
Die Stadt ist ein Produkt dieser Anpassungsleistungen, ein Produkt historisch veränderter und sich verändernder Reproduktionsformen, ihre mannigfaltigen Strukturen entsprechen den Lernniveaus, die das Organisationsprinzip Familie im geschichtlichen Prozeß unterschiedlicher sozialstruktureller Bedingungen durchlaufen hat. Verstädterung meint die Auflösung feudaler und ständischer Sozialverfassungen; in ihr sind jene Anpassungsleistungen enthalten, die das Organisationsprinzip Familie zum Ersatz dieser Formen der Daseinssicherung bis heute erreicht hat.
Die Gesellschaftsformation, in der der Verstädterungsprozeß große Teile der agrarischen Bevölkerung erfaßte, ist der Feudalismus. Die strukturellen Gegebenheiten, die den sozialen Raum der Städte ausmachen, sind das Ergebnis dieses Prozesses. Die Sozialökologie erhebt die Ausgangslage und deren prozessuale Folgerungen zu ihrem Gegenstand. Er bildet den Hintergrund, vor dem die Familien leben. Eingeschmolzen in den ‚Block wirklichen Lebens' (*Negt/Kluge* 1972) ist er der Ballast oder die Chance heutiger Existenz der durch die Verstädterung erfaßten Gruppen.
Die Ausgangssituation ist darstellbar über die Einbindung der Familie in die ständische Ordnung (Zunftverfassung) der Stadt; und über die feudale Abhängigkeit (Erbuntertänigkeit) auf dem Land. Die feudale Gesellschaftsformation garantiert über die ihr eigenen Organisationsprinzipien und formalen Stabilisierungsleistungen (Religion, Recht) die Daseinssicherung. In den Städten erhielten Stadtrecht und Zunftverfassungen ein labiles Gleichgewicht, in dem die Reproduktion des einzelnen über Formen, wie ‚das ganze Haus', Lehrlings- und Gesellenordnung gesichert war. Armut trat in diesem geschichtlichen Zusammenhang entweder als überindividuelles Schicksal oder als über die üblichen Integrationsmöglichkeiten (Bettelbriefe, Speisungen, Ausweisungen) zu bewältigende Problematik auf. Diese Integrationsversuche gingen in einzelnen Städten bis zur zünftlerischen Organisation der Armen (Straßburg). Entweder erhielten die Armen Einwohnersta-

tus, als Stadtarme, oder sie wurden über Ausschluß- bzw. Verdrängungsprozesse zu Landarmen, die in der Stadt zeitweise ein Bettelrecht erhielten. Armut war so nicht begreifbar als Produkt kollektiver Abhängigkeit und Ausbeutung, sondern vermittelte sich als Individualschicksal, das in der Regel durch Krankheit verursacht schien.

Die funktionierende Daseinssicherung im städtischen Raum wurde gewährleistet über einen differenzierten rechtlichen Rahmen, der das ‚freie Spiel der Kräfte' ausschloß. Kapitalbildung und Akkumulation waren unter Zunftbedingungen nur begrenzt möglich. Und wenn es trotz alledem, ,,trotz allen Rechtsbeschränkungen, die dem industriellen Produzenten inbezug auf Beschaffung der Rohstoffe, Auswahl seiner Arbeiter, Preise usw. im Wege standen, ihm gelungen war, mehr zu verdienen, als sein Nachbarmeister, – was konnte er mit diesem Ertrage anfangen? – *Er konnte ihn in seiner Produktion nicht werbend anlegen,* da er seine Arbeitskräfte, die statutarisch für alle Meister bestimmte Gesellenzahl nicht vermehren, seinen Geschäftsbetrieb somit nicht vergrößern durfte. Aus demselben Grunde konnte er ihn aber auch dem Meister Nachbar und den anderen Meistern in den verschiedenen Gewerben nicht leihen, da sie aus den gleichen Ursachen ihren Produktionsbetrieb in Schranken halten mußten. D. h., wurde geliehen, so geschah das nur bei Notlage, bei Rückgang, nicht behufs Erweiterung. – Hierdurch war innerhalb der industriellen Produktion *die kapitalisierende Kraft des Produktionsertrages gebrochen*" (*Eccardus* 1907, 580f.).

Der Rahmen, der diese Situation umspannte, waren die zwar unterschiedlichen, aber allgemein die Kapitalakkumulation hemmenden Zunftverfassungen. *Neuburg* (1966) verweist auf die Hamburger Schmiede, die in ihrer Zunftverfassung den Normalarbeitstag festlegte und auf die Schweidtnitzer Weber, die schon 1395 die Zahl der Webstühle pro Meister festschrieben. Die Wirtschaftspolitik der Zünfte war orientiert an der Norm der Nahrung. Sie hatte das Auskommen der einzelnen Zunftmitglieder zum Ziel (*Kriedte et al.* 1977). Produktion hatte der Nahrungssicherung zu dienen. Arbeit und Lebensformen entsprachen dieser grundlegenden Gegebenheit. Aus dieser Einstellung erklären sich Verweigerungsformen der Arbeiter während der Proto-Industrialisierung und der beginnenden Industrialisierung. Ihr Arbeitsengagement – auf Nahrungssicherung bedacht – erlosch, wenn das Ziel erreicht war. Der Nachhall dieser Einstellung klang im Kampf um den ‚blauen Montag' bis ins 20. Jahrhundert.

Insgesamt kann gefolgert werden, daß das in den Städten erwirtschaftete Kapital dort nur begrenzt wieder eingesetzt werden konnte. Es wurde zum Handelskapital, das exportiert werden mußte. Kapitalexport konnte in einer Zeit, in der überwiegend das ursprüngliche Produktionsmittel, die menschliche Arbeitskraft, eingesetzt wurde, nur dorthin geschehen, wo diese Produktionsmittel ausreichend

vorhanden und nicht den Restriktionen der Zunftverfassungen unterworfen waren. Es kam zum Kapitalexport von der Stadt auf das Land.
Auf dem Lande hatte die feudale Abhängigkeit zu einer zunehmenden Verarmung der Bevölkerung geführt. Nach *Kriedte et al.* war zu dieser Zeit nicht der Vollbauer die dominierende ländliche Erwerbsform. „Nicht mehr die über eine ausreichende Ackernahrung verfügenden Vollbauern, sondern eine landarme und zuweilen auch landlose Unterschicht stellte im 18. Jahrhundert in vielen Fällen die Mehrzahl der Landbevölkerung" (*Kriedte et al.* 1977, 42). Diese Verarmung war verursacht worden durch den extensiven Ausbau der Weidewirtschaft, die Abschaffung der Allmende, die Einhegungsbewegung und die damit verbundene Vertreibung von Grund und Boden. Die ländliche Sozialverfassung wurde im Prozeß der ursprünglichen Akkumulation ebenso aufgelöst wie die genossenschaftliche Form der Realgemeinde.
Der Verlust der Reproduktionsmöglichkeit, der Produktionsmittel Acker- und Weideland, verwies die Landbevölkerung auf Reproduktionsformen, die als Zuerwerbs- und Nebenerwerbstätigkeit in feudaler Abhängigkeit begründet wurden. Handwerkliche Kompetenzen, über die der Bauer schon immer verfügte, wurden zur alleinigen Möglichkeit, die familiale Reproduktion zu sichern. Der Wegfall der mit Grund und Boden verbundenen Formen der Lebensgestaltung löste eine neue Dynamik aus. Die ‚soziale Wachstumskontrolle' wurde außer Kraft gesetzt. „Die spezifische Reproduktionsdynamik proto-industrieller Bevölkerungen war (wurde; d. V.) aus der Notwendigkeit geboren, das Überleben der gewerbetreibenden Familien mithilfe derjenigen Ressource zu sichern, die ihr bei zunehmendem Verlust der agrarischen Basis noch vergleichsweise reichlich zur Verfügung stand: ihrer eigenen Arbeitskraft. Die hausindustrielle Familie reproduzierte sich zahlreich, um durch ihre Arbeit zu substituieren, nicht primär um ‚Überschüsse' zu konsumieren, oder gar zu akkumulieren" (*Kriedte et al.* 1977, 169). So entstand die Surpluspopulation, die anfänglich durch die Proto-Industrialisierung, also durch Hausindustrie und Verlagswesen, auf dem Land gebunden wurde. „Die erhöhte Nachfrage nach Arbeitskraft in proto-industriellen Regionen machte die Abwanderung ihres natürlichen Bevölkerungsüberschusses in die Städte, sei es in oder außerhalb der betreffenden Region, überflüssig" (*Kriedte et al.* 1977, 175). Parallel zu diesem auf die ländliche Struktur bezogenen Industrialisierungsprozeß ist kein vergleichbarer Vorgang in den Städten zu verzeichnen. Die Zünfte bildeten auch weiterhin den zentralen Angelpunkt der städtischen Wirtschaftsorganisation. Das Handwerk war 1850 „rund dreimal so stark in der Zahl der beschäftigten Personen wie alle Fabriken und zentralen Manufakturen zusammen" (*Kuczynski* 1963, 45).
Die Zunftorganisation als dominierende städtische Wirtschaftsform konnte den Industrialisierungsprozeß für kurze Zeit blockieren, verstärkte damit aber gleich-

zeitig den Verelendungsprozeß großer Teile der städtischen Bevölkerung, da ihre restriktiven Rahmenbedingungen (Limitierung der Zahl der Meister an einem Ort, Heiratsverbot von Gesellen u. a.) keine ausreichende Reproduktionsbasis für eben diese Bevölkerung schufen. Zeitweise lebten in einzelnen Städten bis zu 50 % der ‚Insassen' unterhalb der ökonomischen Schwelle, die die vollen Bürgerrechte ermöglichte.

Die ansonsten noch intakte Sozialverfassung hielt im Gegensatz zum ländlichen Raum das demographische Wachstum unter Kontrolle. Das Wachstum der Städte stagnierte. „Im Vergleich zum Gesamtwachstum einer Region oder zum Wachstum proto-industrieller Dörfer erscheint dementsprechend das relative Zurückbleiben oder gar die Stagnation des städtischen Bevölkerungsanteils als ein typischer Grundzug in der Entwicklung proto-industrieller Populationen" (*Kriedte et al.* 1977, 175). Dieser demographische Entwicklungsgang stellt den prozessualen Rahmen dar, in dem sich das erste industrielle Proletariat herausbildete. Es ist die Zeit, als in den Städten die Zünfte noch für eine interventionistische Wirtschaftspolitik des Staates fochten. Kennzeichnend für dieses Proletariat ist, daß es – seiner ursprünglichen Reproduktionsmöglichkeit beraubt – noch keine neue Organisationsform gefunden hat.

Wenn gesichert ist, daß die Städte im Ablauf der Proto-Industrialisierung keinen ausschlaggebenden demographischen Bewegungen ausgesetzt waren, dann muß die mit der Industrialisierung verbundene Bevölkerungsbewegung und der Zustand der Sozialverfassungen der von der Bewegung erfaßten Gruppen auf Faktoren zurückgehen, die mit der ursprünglichen ständischen Sozialstruktur nichts zu tun haben. Es ist sogar zu erwarten, daß diese Sozialstrukturen als konkurrierende Prinzipien auftreten.

Verstädterung ist damit keine der Stadtentwicklung immanente Struktur, sondern sie ist, bei Beachtung der fehlenden demographischen Dynamik in den Städten und der vorhandenen Dynamik auf dem Land, in der spezifischen Reproduktionsdynamik der Proto-Industrialisierung begründet. Die Proto-Industrialisierung ‚befreit' den Arbeiter von den Bindungen an Boden und an das ‚ganze Haus'. Erst als ‚freier Arbeiter' wird er für den Zunftarbeiter zur billigen Konkurrenz. Hier liegt der Grund, daß die von der Verstädterung erfaßten Gruppen der Stadt äußerlich bleiben. Sie werden ihr angepaßt, aber nicht in sie aufgenommen. Wortschöpfungen wie Vorstädte, Lager können dafür als Beleg dienen.

Der unterschiedliche Konstituierungsprozeß der Bevölkerungsgruppen auf dem Land und in der Stadt mußte notwendigerweise zu unterschiedlich entwickelten Anpassungsleistungen im Organisationsprinzip Familie führen.

Die städtische Zunftordnung war ein formaler Rahmen, den sich Handwerker erstritten und geschaffen hatten. Sie war ein Instrument, das über den Gewerbebereich hinaus politische Wirkung hatte. Die Zunftordnung regelte nicht nur hand-

werkliche Fragen, sondern formte rechtliche Strukturen, die zur Regelung des gesamten Gemeinwesens dienten.
Dieser differenzierten Struktur stand die von ihrem Land vertriebene, in die Abhängigkeit des Verlegers und Fabrikanten gezwungene Landbevölkerung gegenüber. Diese Arbeiter des frühen Kapitalismus waren ihrem Ursprung nach Bauern, mit all den Verhaltensmustern, die die Reproduktionsfähigkeit der Bauern sicherstellten. „Der Weber gehört noch Mitte des neunzehnten Jahrhunderts dem Kreise der bäurischen Kultur an. Er selbst hat sich nicht von ihr losgesagt . . . Das tritt erst ein, als die Handweberei zur Industrie, zu der Erzeugung von Leinwand in den Fabriken wird“ (*Peuckert* 1931, 83).
Der Arbeiter in der Hausindustrie ist also seinem ganzen Habitus nach Bauer. Seine Interaktions- und Kommunikationsmuster sind die der Bauern, allerdings verstümmelt, losgelöst von Grund und Boden. „Wir lernten den Weber kennen, der aus dem Bauerntum gekommen ist und der sich seine bäurische Eigenart recht gut bewahrte. Wir sahen, wie hie und da Einflüsse aus handwerklichen Kreisen ihn streiften, ohne den Grundcharakter entscheidend zu verändern. Erst mit dem Augenblick, der die Maschine bringt, der aus dem Weber einen Fabrikarbeiter macht, wird dieses Leben durchaus anders . . . Er ist kein Bauer mehr, . . . Er ist kein Handwerker geworden, kaum ein Moment handwerklicher Lebenshaltung, handwerkerlichen Geistes wird sichtbar“ (*Peuckert* 1931, 113).
Dieser Manufakturarbeiter ist geprägt durch sein Leben in der ‚Zwischenzeit‘: auf der einen Seite die abgelebte feudale Agrargesellschaft und auf der anderen Seite die historisch noch nicht entfaltete kapitalistische Produktionsweise. Lebensformen, in denen Elemente beider Gesellschaftsformationen noch bzw. schon enthalten sind, werden ausgebildet. Charakteristisch für diesen Entwicklungsgang ist die unterschiedlich ausgebildete Art der Entlohnung. Entlohnung in Geldform war die Errungenschaft der Zunft- und Stadtarbeiter und ihrer Verbände. Dagegen weist *Sombart* für den Manufakturarbeiter die Entlohnung auch in Form der Gewährung von Acker- und Weideland nach (*Sombart* 1902, 803). *Peuckert* verweist auf die Eisenwerker: „Im Hüttenwerk zu Thiergarten (Hohenzollern-Sigmaringen) erhalten die Blechwalzmeister noch im neunzehnten Jahrhundert neben ihrem Geldlohn vier Klafter hartes Holz, einen halben Morgen Ackernutzung und freie Wohnung, ebenso die Vorwalzer, die Schweißofenarbeiter usw.“ (*Peuckert* 1931, 28).
Zusammenfassend ist diese Lebensform als ‚familienwirtschaftlicher Funktionszusammenhang‘ (*Kriedte et al.* 1977) zu bezeichnen. Die Familie wird neuen strukturbildenden Bedingungen unterworfen, sie orientiert sich an der Verwertung der gesamten familialen Arbeitskraft, aller zum Zusammenhang der Familie gehörenden Personen wie Kinder, Alte und Untermieter. Sie ist kein Instrument zur Erhaltung von Besitz und Wohlstand, dient nicht der Versorgung von Alten-

teilen, sondern ist eine hauptsächlich über das Familien- und Verwandtschaftssystem gesteuerte Instanz zur Umverteilung von Armut in der Kernfamilie (*Weber* 1924).

Die Produktionsbedingungen des ländlichen Gewerbes führten zu kulturellen Ausformungen, die eine Überwindung der bäuerlichen Kultur und eine Alternative zur bürgerlichen Kultur darstellen. *Medick* beschreibt diese Form als ‚plebejische Kultur'. Er skizziert sie folgendermaßen: „Die ‚Dürftigkeit' ihrer materiellen Existenz implizierte keineswegs auch Bedürfnislosigkeit und die Unfähigkeit zur konkreten Bedürfnisartikulation und Bedürfnisentfaltung über die Befriedigung der physischen Subsistenzerfordernisse hinaus . . . Sie artikulierten diese Bedürfnisse in den Interaktionsritualen der Feiertage, Feste und Spiele, der sportlichen Vergnügungen und Wettkämpfe ebenso wie in einer mehr muße- als einkommensorientierten Gestaltung des Verhältnisses von Arbeit und ‚freier Zeit', vor allem auch in den Eigentümlichkeiten des Konsumverhaltens" (*Kriedte et al.* 1977, 139). Diese plebejische Kultur wirkt sich unmittelbar im Arbeitsverhalten aus. Die gemeinschaftlich produzierende Familie beurteilt „den Arbeitsaufwand primär nach den Bedürfnissen familiärer Subsistenz. Sie arbeitete so lange, bis der Unterhalt gesichert war" (*Kriedte et al.* 1977, 142).

Der Akkumulationsprozeß des Kapitals, für den manufakturelle Produktion nur ein Zwischenstadium war, erweiterte seinen Spielraum durch den Aufbau fabrikmäßiger Produktionsweisen, durch den Einsatz von Maschinen. Standortvorteile, wie Arbeitskräftepotentiale und feudale Bindung der Arbeitskraft an den Boden, die in der Proto-Industrialisierung zur Bevorzugung des ländlichen Raumes führten, verloren ihre Geltung. Die Städte boten zusammen mit der Veränderung der administrativen Rahmenbedingungen (Auflösung des Zunftgebotes, Freizügigkeit, Gewerbefreiheit) eine der angestrebten industriellen Produktionsweise entsprechende Infrastruktur. „Die Arbeit verlor an standortbildender Kraft, nachdem ihre rechtliche Freisetzung erzwungen war" (*Kriedte et al.* 1977, 302).

Weite ländliche Regionen wurden von einem Devolutionsprozeß erfaßt, während die Städte einem Evolutionsprozeß unterworfen waren. Diese demographische Bewegung setzte eine evolutionäre Entwicklung in Gang, die die Städte erfaßte, wobei diese Entwicklung den Städten von außen aufgezwungen wurde. „So kam es, daß um 1900 viele Landgebiete sehr viel ländlicher waren als noch ein Jahrhundert zuvor, selbst wenn sie in Regionen lagen, in die der Industriekapitalismus Eingang gefunden hatte" (*Kriedte et al.* 1977, 320).

Die Proto-Industrialisierung schafft nicht nur die Surpluspopulationen, die als industrielle Reservearmeen Ende des 19. Jahrhunderts und Anfang des 20. Jahrhunderts in die Städte zogen, sondern sie bildet auch die Lebensformen aus, die in der mit der demographischen Bewegung einsetzenden Verstädterung als unterschiedliche, oft gegensätzliche Sozialstrukturen in Erscheinung traten. Verstädterung löst über den Immigrationsprozeß die einheitlichen Sozialverfassungen sowohl auf dem Land als auch in der Stadt auf. Sie entwickelt sich aus der Ausgangslage, die auf dem Land durch die Proto-Industrialisierung und den danach einsetzenden Devolutionsprozeß entstanden war. Verstädterung heißt dann: Veränderung der sozio-kulturellen Bedingungen, heißt Auflösung tradierter Sozialverfassungen und deren Ersatz durch neue, über Evolution entwickelte. Verstädterung ist somit die Verallgemeinerung der kapitalistischen Produktionsweise im sozio-kulturellen Bereich.

2.3. *Die proletarische Immigration*

Die zentralen gesellschaftlichen Entwicklungen innerhalb des sich herausbildenden Kapitalismus fanden auf dem Lande statt. Dort hatten die proto-industriellen Veränderungen der Produktionsverhältnisse und die darauf bezogenen Reaktionen im sozio-kulturellen Bereich zu einer neuen Kulturform geführt. Diese deutlich von der bürgerlichen Kultur abgegrenzte Form ist die ‚plebejische Kultur'. *Medick* verweist auf das unterschiedliche Verhältnis zu Geld, zur Arbeit. Unterschiedliche Motive bildeten die Grundlage des Arbeitsverhaltens und des Ausmaßes der erbrachten Arbeitsleistung. So ist in der ‚plebejischen Kulturform' die Nahrung das handlungsleitende Motiv für die Arbeiter.
Die Beschreibung des Verstädterungsprozesses als lineare Weiterentwicklung der ständisch-städtischen Struktur würde die Momente außerhalb der Betrachtung lassen, die weite Bereiche der städtischen Kultur heute bestimmen. Verstädterung verläuft quer zu den sozialstrukturellen Gegebenheiten der Stadt. Sie ist ein den Städten aufgezwungener Prozeß, in dem plebejische, dann proletarische Kultur gegen die bürgerliche Kultur gesetzt wird. Die Verhinderung von Industrieansiedlungen, Ortssatzungen, die das Betreten von Kurbezirken in Arbeitskleidung untersagen (eine spezielle Arbeitskleidung, wie den ‚Blauen' gab es um die Jahrhundertwende noch nicht; Arbeitskleidung war abgetragene Normalkleidung) sprechen Bände von der ablehnenden Haltung, die die Stadtbevölkerung den zuströmenden Massen entgegensetzte. Industriereviere wurden ausgewiesen, Arbeiter wurden in Quartieren untergebracht. Handwerker grenzten sich von Arbeitern ab, Innungen, die über Eigentum konstituiert waren, formierten sich gegen Gewerkschaften, die den freien Zusammenschluß der Arbeiter darstellten. Unterscheidungen wie Handwerksmeister und Industriemeister haben sich als Reste dieser Situation bis heute gehalten und geben Aufschluß über den Konflikt, der in den Städten ausgetragen wurde. Der Industriemeister war Aufseher, der Handwerksmeister war Fachmann, er durfte ausbilden.

Der Immigrationsprozeß und die Bevölkerungsdynamik nahmen unkontrollierbare Ausmaße an. „Zwischen 1880 und 1900 stieg die Bevölkerung (in Bochum; d. V.) von 32 798 auf 64 702 an – ein Zuwachs von 31 904 Personen. Die natürliche Bevölkerungszunahme machte 21 097 Personen aus. Daraus könnte der Eindruck entstehen, daß ca. 10 000 Zuwanderer in diesen 20 Jahren neu in der Stadt eintrafen. Aus den lokalen Polizeiberichten geht jedoch hervor, daß das tatsächliche Ausmaß der Einwanderung sehr viel größer war, nämlich insgesamt 232 092 Menschen betrug. Die augenfällige Diskrepanz zwischen diesen beiden Zahlen läßt sich dadurch erklären, daß in demselben Zeitabschnitt auch mindestens 194 836 Menschen die Stadt verließen" (*Crew* 1976, 100).
Die Immigration stellt den ‚sozialstrukturellen Streß' dar, der zur Auflösung der bürgerlichen Stadt und der ihr verbundenen Sozialverfassungen führte. Neue Stadtteile wurden gegründet, die Wohnformen wandelten sich, das Bürgerhaus wurde durch die Mietskaserne ergänzt. Die Ausnutzungsgrade der Grundstücke wurde gesteigert, die Hinterhofbebauung ermöglicht und die Geschoßflächenzahl verändert.
Das sind die Bedingungen, unter denen sich ‚proletarische Wohnformen' herausbildeten. Wobei diese Wohnformen in sich differenziert sind, sie unterscheiden sich nach dem Immigrationszeitpunkt und der damit verbundenen Grundrentenmaximierung, die sich in der Wohndichte ausdrückt. Ein Ablaufschema dieses Prozesses sieht folgendermaßen aus: 1. Überdichtung der Kernstädte; 2. Neubebauung in Form von Arbeiterquartieren oder Vorstädten; 3. Überdichtung dieser Quartiere und Auszug der bürgerlichen Bewohner aus den Kernstädten. Als Beleg für diesen Prozeß können die bei *Peuckert* abgedruckten Berichte der Breslauer Armenärzte dienen: „Die genannten Klassen wohnen meistens in tiefliegenden feuchten Parterrewohnungen, in Hinterhäusern, in engen Höfen und Straßen . . . Die Wohnungen sind womöglich noch schlechter in der Stadt als die in den Vorstädten" (*Peuckert* 1931, 124f.). Mit Vorstädten sind wahrscheinlich die neuerrichteten Arbeiterquartiere gemeint. Am deutlichsten ist das hier beschriebene Ablaufschema an der Wohnungsentwicklung der Stadt Berlin nachzuvollziehen. In Berlin haben sich, bedingt durch den Umfang des Prozesses, die Stadien bis heute deutlich erhalten (*Fassbinder* 1975).
Die zweite Besiedlung der Städte (die erste war die Gründung der Städte), die wir hier analog der Definition der ‚Chicagoer Schule' ‚Immigration' (*Wirth* 1928) nennen, ist nur als differenzierter Prozeß im evolutionären Geschehen vorstellbar. Immigration läuft in Schüben ab, die in zeitlich wie räumlich unterschiedlichen Strukturen ihren Ausgang nehmen. Die Städte werden gefüllt mit ungleichzeitigen Lebensformen, die ihre Genese in den ungleichzeitigen Entwicklungsstadien der Ursprungsregionen haben. Die Stadt wird somit zum Gebinde ungleichzeitiger Strukturen. Der Begriff Ungleichzeitigkeit – von *Bloch* entlehnt – ist nicht ersetz-

bar durch Rückständigkeit, sondern thematisiert den „prozessierenden Widerspruch zwischen gesellschaftlichem Sein und Bewußtsein" (*Negt* 1976, 267). Das, was sich im Verstädterungsprozeß widersprüchlich niederschlägt, was als ‚soziale Position', ‚sozialstrukturelles Milieu' gemessen und beschrieben wird, ist gefüllt mit Material, das auf vorstädtische Erfahrungen verweist, Material als Sediment von Entwicklungsläufen, das im Verstädterungsprozeß zu neuen Ausformungen gelangt. Eine der Ausformungen ursprünglichen ‚Materials', die im Prozeß zu neuen Strukturmerkmalen gelangt ist, ist die Familie. Als Reproduktionsgefüge muß sie unter veränderten Bedingungen Reproduktion sicherstellen. Die Lernleistungen, die unter diesen Bedingungen Reproduktion ermöglichen, werden erbracht auf der Basis phylogenetisch gemachter und tradierter Erfahrung. Unterschiedliche Erfahrungen ermöglichen unterschiedliche Lernleistungen bzw. Adaptionsleistungen. Diese Leistungen werden zur Feinstruktur gesellschaftlicher Reproduktion. Die Existenz unterschiedlicher, zum Teil ‚nicht auf der Höhe der Zeit' befindlicher Reproduktionssysteme belegt ihre aus ungleichzeitiger Entwicklung gewonnene Berechtigung. Erst der Verlust von Reproduktion zwingt dem familialen System neue Lernleistungen ab.
Im Verlust der Reproduktion verändern sich die Interaktions- und Kommunikationsformen der Familien, neue Adaptionsleistungen werden versucht. Die Versuche können allerdings nur gelingen, wenn für sie alternative kulturelle Möglichkeiten bereitgestellt werden. Ist das gesellschaftliche System dazu nicht fähig, so ist dieser Sachverhalt mit einem Legitimationsverlust verbunden. Die mißlingenden Adaptionsleistungen gewinnen Krisencharakter und erzwingen Legitimationen zur Loyalitätssicherung.

2.4. *Gesellschaftliche Stabilisierungsleistungen und kommunale Sozialpolitik*

Alternative kulturelle Modelle der Reproduktion bereitzustellen, ist für eine Gesellschaft nicht unbegrenzt möglich. Produktions- und Reproduktionssituation bedingen sich. Die möglichen soziokulturellen Varianten unterliegen diesen Bedingungen, d. h. die Tendenz soziokultureller Systeme, sich über Lernleistungen neue (auch alternative) Reproduktionsformen zu eröffnen, muß entweder in den gesamtgesellschaftlichen Rahmen integrierbar sein oder findet ihren Ausdruck in illegalen Formen der Reproduktion.
Alternative Modelle der Reproduktion werden immer dann notwendig, wenn gesellschaftlich verallgemeinerte Reproduktionsformen die materielle Existenz sämtlicher Individuen nicht mehr dauerhaft gewährleisten. Alternative Reproduktionsformen erstrecken sich sowohl auf gesellschaftlich legitimierte als auch auf solche, die mit manifesten Rechtsverletzungen einhergehen. Ihr verbindendes

Moment besteht darin, daß staatliche Daseinssicherung durch Selbstorganisation ersetzt wird.
Der Ersatz alternativer Modelle der Reproduktionssicherung wird über gesellschaftliche Stabilisierungsleistungen betrieben. Für den allgemeinen Evolutionsprozeß beschreibt *Eder* Stabilisierung folgendermaßen: ,,Die Stabilisierungsmechanismen lassen sich von den Mechanismen der Selbstorganisation trennen, wenn sie mögliche Selbstorganisation unterlaufen und Entwicklung verhindern können. Solche Mechanismen sind als Mechanismen des Gleichen anzusehen; der Bezugspunkt ist die Erhaltung der Kontinuität eines Systems in seiner Geschichte" (*Eder* 1977, 508).
Für uns ist es interessant, die Stabilisierungsmechanismen, die das Handeln kommunaler Sozialverwaltungen bestimmen, zu untersuchen: kommunale Sozialpolitik als Vollzug von Leistungen gesetzlicher oder intentionaler Natur mit Wirkungen im Reproduktionsbereich von Bewohnern einer Stadt. Allerdings sind dabei Stabilisierungsmechanismen auch als Möglichkeitsspielräume begriffen, die den Handlungsrahmen von Institutionen nicht nur in einer Richtung bestimmen.

Stabilisierungsmechanismen sind danach in ihrer Wirkung an der verbliebenen oder erreichten Reproduktionsfähigkeit der Handlungssysteme (Familien, Nachbarschaften etc.) zu orientieren. Entsprechend der sich durch die Verstädterung verändernden Reproduktionssituation und der dadurch sich in Auflösung befindlichen Sozialverfassungen, begleiten diese Stabilisierungsmechanismen in Form von kommunaler Sozialpolitik diesen Prozeß.
Im fortgeschrittenen Verstädterungsprozeß treten neben die naturwüchsig entwickelten Sozialverfassungen handlungsleitende Motive von Sozialadministrationen. Diese Motive sollen hier als Handlungsimperative der Sozialarbeit beschrieben werden. Sie sind der administrative Versuch, außerhalb selbstorganisierter Systeme der Daseinssicherung Reproduktion sicherzustellen. Man könnte sie auch als vergesellschaftete Formen der Sozialverfassungen bezeichnen, deren Materialisation im Planen und Handeln der Sozialadministrationen vollzogen wird. Ihr Aufbau entwickelt sich reziprok zum Abbau bzw. zur Auflösung traditioneller Formen der Daseinssicherung. Ihre Struktur kann komplementär zu den noch vorhandenen Formen der Daseinssicherung entwickelt werden, in der Regel bewegt sich dieser administrative Prozeß jedoch kumulativ und damit aufhebend zu den naturwüchsigen Sozialverfassungen. Dies tritt dann ein, wenn die administrativen Handlungen zur Auflösung der Lebensformen und nicht zur komplementären Unterstützung einer Entwicklung zu neuen Lebensformen dienen.
Handlungsimperative äußern sich in sozialer Infrastrukturpolitik, in geduldeten disparitären Entwicklungen und administrativen Dominanzen als Gegenpol sowie in generativen Themen der kommunalen Sozialverwaltungen.

Aufgabe der Imperative ist es, krisenkompensierend zu wirken, die allgemeine Loyalität zu erhöhen und neue Steuerungskapazitäten zu gewinnen. Handlungsimperative stellen die Verbindungslinie zwischen politisch-administrativem und sozio-kulturellem Bereich dar. Strukturwandlungen, die mit der sich verändernden Reproduktionssituation zusammenhängen, sind beschreibbar über die Analyse der Handlungsimperative kommunaler Sozialverwaltungen. Ihre Kennzeichnung als Reaktion auf auftretende sozialstrukturelle Krisen eröffnet die Dimension dieser Imperative als krisenintendiert. Die Verknüpfung von gesellschaftlich formulierten Handlungsimperativen und den zugrunde liegenden Reproduktionsbedingungen offenbart deren Charakter und läßt auf vorhandene Instabilität schließen. Instabile Systeme sind dabei zu beschreiben durch ihre fehlende selbstorganisierte Problemlösungskapazität und deren Ersatz durch administratives Handeln.
Die Historisierung der Handlungsimperative ermöglicht eine Darstellung gesellschaftlicher Interventionen zur Sicherung der Systemloyalität im geschichtlichen Abriß. Sie gibt aber auch Aufschluß über die sie bedingenden Reproduktionsverhältnisse der Surpluspopulationen, die mit dem Verstädterungsprozeß in die Städte geschwemmt wurden. Ihre Verankerung im Raum qualifiziert die Quartiere von Surpluspopulationen als Quartiere von Immigranten, deren sozial-strukturelle Situation instabil ist.
Die Verschränkung von Raum, Zeit und Handlungsimperativen kann Aufschluß geben über den evolutionären Prozeß, der sich heute als Ergebnis von Verstädterung darstellen läßt. Dabei sind die Handlungsimperative quartierbezogen, als Reaktion auf die räumliche Darstellung sozialer Probleme und zeitbezogen auf den Zustand der durch Immigration eingebrachten Sozialverfassungen.
In einer Entwicklung, in der die Notwendigkeit besteht, ehemals kulturelle Selbstverständlichkeiten über kommunale Sozialpolitik bereitzustellen, überwiegt der kumulative Gehalt administrativer Interventionen. Nicht der Aufbau neuer Organisationsprinzipien und die Erhöhung der Interaktionsdichte sind die Zielsetzungen, sondern die Tendenz, sich von Mechanismen der Selbstorganisation zu lösen, schlägt durch. Kommunale Sozialpolitik betreibt so die permante Wiedergeburt des Gleichen, sie erhält Pauperismusdynastien und beraubt die Subjekte ihrer geschichtlichen Möglichkeiten. Die Bezugsgruppen werden zu Objekten, zu Fällen denaturiert, womit gleichzeitig ihre Tradition abreißt, ihre Lernfähigkeit verloren geht. Überlebensfähige Reste naturwüchsiger Sozialverfassungen, Kräfte der Selbstorganisation, das soziale Netzwerk, Familie, Verwandtschaft und Nachbarschaft werden geschwächt, wenn nicht aufgelöst.

3. Überlebensstrategien

3.1. *Lebensfähigkeit produziert Lebensverhältnisse – die Entdeckung der unsichtbaren Stadtviertel*

Die Anpassung der Immigranten an städtische Lebensbedingungen war an den Ort und an den Prozeß der Industrialisierung gebunden; sie ist gekennzeichnet durch eine dauernde Veränderung der Produktionsbedingungen und Produktivkräfte. Der Veränderungsprozeß war Beschränkungen unterworfen, die auf drei Ebenen zur Geltung kamen: erstens den natürlichen Voraussetzungen industrieller Produktion (Energie, Rohstoffe, Märkte), zweitens den rechtlichen Rahmenbedingungen (Zunftverfassung), und drittens den fehlenden Arbeitskräftepotentialen und fehlenden Qualifikationen.
Staatliche Interventionen beseitigten zunächst die rechtlichen Schranken der Zunftverfassung (Entwicklung zur Gewerbefreiheit) und betrieben den Aufbau der Infrastruktur zur weiteren Entfaltung der Produktivkräfte (Verkehrswesen, Post); damit wurden diese weitgehend von rechtlichen und natürlichen Beschränkungen unabhängig.
Menge und Qualität der Arbeitskräfte erwiesen sich als weitaus resistenter gegenüber staatlichen Interventionen, da hier Anpassungsleistungen zum Erreichen des Arbeiterstatus notwendig waren: industrielle Disziplin mußte erlernt, kollektive Lebensformen aufgebaut werden.
Dieser Anpassungsdruck führte zunächst zur Ausschöpfung innerfamiliärer Ressourcen: tendenziell sämtliche Mitglieder der Familie wurden der Lohnarbeit unterworfen. Wir bezeichnen dies als defensive Zukunftssicherung, die unmittelbar an vorindustrielle, ländliche Produktionsbedingungen anknüpfte. Da auf diese Weise die materielle Reproduktion der Arbeiter nur unzureichend gewährleistet werden konnte, mußten gleichzeitig Formen produktiver Zukunftssicherung entwickelt werden: Gründung von Genossenschaften und Gewerkschaften.
Beide Formen der Zukunftssicherung sind nach wie vor aktuell, unterscheiden sich jedoch in ihrem Verhältnis zur bürgerlichen Öffentlichkeit: während produktive Formen der Zukunftssicherung über Tarifauseinandersetzungen in diese Öffentlichkeit hineinragen und nach kodifizierten Regeln ablaufen, markiert der alltägliche Rückgriff auf unmittelbare Ressourcen einen Bereich von Selbstorganisation, der durch die Maschen bürgerlicher Öffentlichkeit beständig hindurchrieselt. Unter unmittelbaren Ressourcen fassen wir Dienstleistungen und Gegenstände zusammen, die produziert und angeeignet werden, ohne daß es dazu der Vermittlung durch das allgemeine Warenäquivalent (Geld) bedarf.

„Im Unterschied zur bürgerlichen Klasse, in der sich die Interessen der ihr zugehörigen Individuen abwechselnd privat und öffentlich organisieren und durchsetzen, sind die Interessen der Arbeiter als nicht realisierte nur zu organisieren, wenn sie in einem Lebenszusammenhang, d. h. in eine ihnen spezifische Öffentlichkeit, eingehen" (*Negt/Kluge* 1972, 106f.).

Wird akzeptiert, daß es eine Form von Öffentlichkeit gibt, die nur in Selbstorganisation bestehen kann, kollektiv und unmittelbar tradiert wird, dann ist es Aufgabe ökologischer Forschung, durch die Ermittlung räumlich-sozialer Organisationen diese Formen der Existenzsicherung aufzudecken und damit den Bereich proletarischen Lebenszusammenhangs begrifflich zu entfalten, den *Negt* als „Block wirklichen Lebens" bezeichnet: „Die Tatsache, daß diese Interessen sich als gesellschaftliche nur durch das Nadelöhr der Verwertung der Ware Arbeitskraft realisieren können, macht sie zunächst zu bloßen Objekten anderer Interessen. Werden sie indes unmittelbar unterdrückt, d. h., werden sie nicht gesellschaftlich verwertet, so erhalten sie sich als lebendige Arbeitskraft, als Rohstoff. In dieser Eigenschaft als außerökonomische Interessen sind sie gerade in den verbotenen Zonen der Phantasie, unterhalb der Tabus, als Stereotypen eines sich nur rudimentär organisierenden proletarischen Lebenszusammenhangs nicht zusätzlich unterdrückbar. Sie sind damit auch nicht assimilierbar. *Sie haben in dieser Hinsicht zwei Eigenschaften: sie sind in ihrer defensiven Einstellung gegenüber der Gesellschaft, in ihrem Konservatismus und in ihrer subkulturellen Ausprägung wiederum bloße Objekte, gleichzeitig aber der Block wirklichen Lebens, das gegen das Verwertungsinteresse steht*" (*Negt/Kluge* 1972, 107).

Die verborgenen Momente des proletarischen Lebenszusammenhangs werden in dieser Deutung des Blocks wirklichen Lebens zugleich entdeckt und verflüchtigt: die verbotene Zone der Phantasie wäre nicht tradierbar, wenn ihr kein materielles Substrat entspräche. Diesem kommt ökonomische Qualität durchaus zu, wenn auch eine, die im kapitalistischen Verwertungsprozeß nicht restlos aufgeht.

Zwischen produktiven und defensiven Formen der Zukunftssicherung besteht ein komplementäres Verhältnis: Wo produktive Formen abgebaut werden, zwingt dies die Subjekte zur Mobilisierung unmittelbarer Ressourcen, zu defensiver Zukunftssicherung; wo diese überwiegt, sprechen wir von subversiver Lebensführung.

Wir sind gegenwärtig noch nicht imstande, den Begriff der subversiven Lebensführung erschöpfend zu entfalten, sondern vorerst genötigt, ihn als assoziative Chiffre zu verwenden. Unter subversiver Lebensführung verstehen wir Versuche der unmittelbaren Erschließung materieller Ressourcen, soweit sie sich nicht auf gesellschaftlich verallgemeinerte Formen der Reproduktionssicherung – Lohnarbeit oder staatliche Unterstützung – beschränken: etwa wenn durch Wiederver-

heiratung bestimmte Versorgungsansprüche verloren gingen und es daher bei Rentnern oder Kriegerwitwen zu Onkelehen kommt.
Gerät subversive Lebensführung in Kontakt zur Sozialverwaltung, werden folgende Verlaufsformen administrativer Intervention wahrscheinlich: während das Abdrängen subversiver Lebensformen in manifeste Kriminalität ein Ausdruck kumulativer Strategien ist, ermöglichen kompensatorische Strategien eine öffentliche Interessenartikulation – defensive Formen der Zukunftssicherung werden zu produktiven weiterentwickelt.
Sowohl die Erschließung unmittelbarer Ressourcen als auch deren Umwandlung in produktive Formen der Zukunftssicherung setzen kontinuierliche Lernprozesse voraus, ohne die die historische Aneignung von Lebenswelt versperrt wird. Wenn also Individuen zu plötzlichen Veränderungen in ihrer Lebensgeschichte gezwungen werden, kann diese Kontinuität verkehrt werden: das bedeutet, sie müssen auf einem niedrigerem historischen Niveau ihre Anpassungsprozesse neu organisieren. Folgende Bedingungen machen eine solche Entwicklung wahrscheinlich:

- In dem Maße, wie die historische Distanz zwischen verlassenen und erreichten Lebensformen erweitert wird, vermindert sich die Fähigkeit, vorhandene unmittelbare Ressourcen wahrzunehmen und zu mobilisieren.

Beispiel: Immigration von Ausländern aus agrarisch strukturierten Gebieten in die westeuropäischen Industriestädte.

- Ähnliche Wirkungen schlagen sich in lebensgeschichtlichen Brüchen nieder, wenn Individuen in Gebiete verschlagen werden, wo die Mobilisierung unmittelbarer Ressourcen deshalb nicht möglich ist, weil diese nur unzureichend vorhanden, oder durch umfassende Reglementierung der Besitzverhältnisse, oder durch institutionell geregelte Lebensformen bereits enteignet sind.

Beispiel: Immigration von Teilen der städtischen Bevölkerung in die Großsiedlungen des sozialen Wohnungsbaus.
Der Bruch der lebensgeschichtlichen Kontinuität verschärft die Tendenz zu historischer Regression, wenn von Immigrationswellen Bevölkerungsgruppen erfaßt werden, die bereits in ihren gewohnten Lebenszusammenhängen ihre materielle Reproduktion nur knapp oberhalb der Armutsgrenze organisieren konnten. Erstens haben die bisherigen Untersuchungen, die wir im Rahmen der Sozialverwaltung in Wiesbaden durchgeführt haben, erwiesen, daß sämtliche Neubaugebiete des sozialen Wohnungsbaus durch Eingriffe der Sozialverwaltung (Interventionen und materielle Leistungen) in hohem Maße geprägt sind, was für uns darauf hindeutet, daß in diesen Gebieten unmittelbare materielle Ressourcen nicht genutzt werden können oder nicht vorhanden sind (*Bourgett et al.* 1978). Zweitens erfolgt die Besiedlung von Neubaugebieten unter Bedingungen, die die Aktualisierung historisch vergangener Lebensformen erzwingen:

- Neubausiedlungen des sozialen Wohnungsbaus werden auf weite Strecken von Familien mit niedrigem Einkommen besiedelt;
- die Nutzung unmittelbarer Ressourcen ist nahezu ausgeschlossen, weil in derart reglementierten Lebenszusammenhängen Gebrauchswerte nur in Warenform angeeignet werden können;
- der historische Lernprozeß zum Aufbau produktiver Zukunftssicherung kann noch nicht stattgefunden haben.

Der Zwang zur Ausbildung subversiver Lebensformen wird damit in Neubaugebieten akut verstärkt. Der Versuch der Individuen, diesem Zwang zu entsprechen, schlägt sich in Erscheinungsformen nieder, die sich als ungleichzeitige oder historisch regredierte Phänomene beschreiben lassen. Ein typisches Regressionsphänomen ist die Reduzierung von Konflikten auf Unterscheidungsmerkmale, die in der Auseinandersetzung verschiedener Bevölkerungsgruppen als denunziatorische Abgrenzungen eingesetzt werden, gleichzeitig aber von dem Versuch bestimmt sind, sich die Fremdheit des neuen Lebenszusammenhangs begrifflich anzueignen. Entscheidend dabei ist, daß etwa in der Auseinandersetzung zwischen Jugendlichen und Alten lebensgeschichtliche Momente unvermittelt bleiben und durch biologische Tatsachen ersetzt werden. Dies entspricht einer Frühform kollektiver Orientierungen, die die Geschichte der Industrialisierung begleitet hat: Gruppenbildung Gleichaltriger bei den arbeitenden Männern als Betriebsgemeinschaft oder als Feierabendgruppe, bei den Frauen meist verwandschaftlich ausgerichtet, bei den Jugendlichen als Bandenbildung im Wohngebiet. Zu den Aneignungsprozessen räumlicher Umwelt zählt eine genaue Reviereinteilung, die als räumliches Organisationsmuster soziale Verhältnisse unmittelbar widerspiegelt. Wo Rentabilitätsgesichtspunkte und Bauvorschriften die Lebensbedingungen kodifizieren, verweigert dies den Individuen die Organisation autonomer Lebensgeschichte. Versuche, sich in dieser unwirtlichen Umwelt einzurichten, beschränken sich darauf, diese für unmittelbare Gruppeninteressen umzurüsten: Erscheinungen wie Sandkastenrocker, Eckenstehergangs und Kaffeeklatschgemeinschaften der Frauen gehören dazu.

Bildung von Gleichaltrigen-Gruppen, Reviereinteilungen, Einrichtung und Absicherung von Treffpunkten – meist als Umrüstung von Funktionsorten – korrespondieren mit Formen der Veröffentlichung von individuellen Synchronisationsschwierigkeiten. Hohe Beschwerdequoten bei der Wohnungsgesellschaft, der Polizei und diversen Ämtern sind Niederschlag dieser Tendenz.

Solche Reaktionsformen können sich in ihrer Unmittelbarkeit verfestigen und ein System von Nachbarschaftsterror etablieren. Es lassen sich empirisch Verlaufsformen der Gruppensolidarisierung aufzeigen, die andeuten, daß subversive Lebensformen im Zuge der sozialen Reorganisation überlagert werden von Formen, die sich zu den Bereichen der Öffentlichkeit hin entwickeln, durch die Interessen-

artikulation auf abgestuften Ebenen – mit unterschiedlicher Reichweite – möglich wird.
Subversive Lebensführung beinhaltet Interessenwahrnehmung als Akt des unmittelbaren Zugriffs. Sie ist – wenn auch im Rollensystem exakt gegliedert und hierarchisch geordnet – dennoch situationsoffen, in einer latenten Handlungsbereitschaft.
Die aus der Subversivität aufsteigenden Formen zeichnen sich durch öffentliche Regelungen des Zugangs auf. Dazu gehört die Bildung von Clubs, Vereinen und Bürgerinitiativen, für die in allen Neubaugebieten eine hohe Bereitschaft besteht; dazu gehört eine Strategie der Gemeinwesenarbeit, die gezielt solche Organisationsformen anzuregen und zu stabilisieren versucht. Dieser Vorgang kann auch als Übergang zu gleichzeitigen Formen der Interessenorganisation bezeichnet werden. Dem Verharren in subversiven Lebensformen liegt der Zwang zugrunde, Überleben auch dort zu sichern, wo die lebensgeschichtliche Kontinuität durchbrochen wurde. Soll dieser Vorgang familiengeschichtlich nicht in der Zerschlagung des familiären Zusammenhangs enden, müssen Formen der administrativen Intervention entwickelt werden, die – an den Momenten subversiver Lebensführung orientiert – die Selbstorganisation der Bevölkerung ermöglichen.

3.2. *Das statistisch Greifbare, das lebensgeschichtlich Dokumentierte: ein Ansatz zu kleinräumigen ökologischen Analysen*

Es gilt, die sozialräumlichen Erscheinungen der Verstädterung auf den Begriff zu bringen und zur Erfassung ihres natürwüchsigen Verlaufs ein reflektiertes Instrumentarium zu entwickeln. Damit soll ein sozialökologisch orientiertes Programm zur Untersuchung von Neubaugebieten des sozialen Wohnungsbaus erstellt werden.
Eine Sozialverwaltung, die auf Prozesse sozialer Desorganisation kumulativ reagiert, kann sich darauf beschränken, sämtliche Register des Ordnungsrechts zu ziehen. Läßt sich eine Sozialverwaltung einmal darauf ein, ist sie zu fortlaufender Eskalation gezwungen, da jede kumulative Reaktion das Selbstorganisationsvermögen der Bewohner schwächt. Dies schlägt sich räumlich nieder als Verdrängungsprozeß und setzt jene Bevölkerungsgruppe im Gebiet in Bewegung, die die Sozialverwaltung als ihre gerade nächste Bezugsgruppe definiert. Derart erzwungene Mobilität ist kein Ausdruck sich entwickelnder selbstorganisierter Verhältnisse, deren Beziehungen tragfähig sind, sondern eine reglementierte Flucht im Vorfeld drohender Intervention. Um den Druck auf die Haushalte nicht zu erhöhen, um Ansätze zur Selbstorganisation entwickeln zu können, muß die Grenztragfähigkeit eines Siedlungsgebietes in sozialer und wirtschaftlicher Hinsicht bestimmt werden.

Für eine Sozialverwaltung, die kompensatorische Reaktionsweisen bevorzugt, stellt sich die Aufgabe, soziale Beziehungssysteme zu entfalten und zu Formen produktiver Zukunftssicherung weiter zu entwickeln. Die Fähigkeit zum Überleben in einem Gebiet setzt das Vorhandensein einer kleinräumigen Infrastruktur voraus.

Materielle Ressourcen in der vermarkteten Umwelt neuer Siedlungen sind auf den ersten Blick kaum auszumachen. Herr des Siedlungsgebiets sind die jeweiligen Wohngesellschaften. Die Aneignung der neuen Umwelt durch die hinzuziehenden Bewohner kann nur stattfinden als Anpassung an vorhandene Eigentumsverhältnisse. Diese besitzen in ihrer zur Nutzung freigegebenen Form die Qualität bereits vergesellschafteter Natur.

Deren Aneignung kann nicht über produktive Bearbeitung stattfinden; womit jeder Versuch, sich die enteignete Umwelt dinglich verfügbar zu machen, als Zerstörung erscheinen muß. Dies ist am Zustand der Hausflure, Fahrstühle, Hauswände, Zäune, Beete und Wege ablesbar.

Die städtische Umwelt neuer Siedlungen bietet allenfalls an ihren Rändern Möglichkeiten der produktiven Bearbeitung. Innerhalb der Siedlungen herrscht die schroffe Trennung des Drinnen und Draußen, des Privaten und Öffentlichen, des Erlaubten und Verbotenen. Der Aufbau subversiver Lebensführung wird damit zum Versuch, private Eigentumsverhältnisse sozial urbar zu machen.

Die ökonomischen Momente dieses Prozesses schlagen sich nieder in den Versuch, das Erschließen lebenssichernder Ressourcen an jedem Lebensort fortzusetzen. Die ökologische Qualität dieses Prozesses wird einerseits deutlich im Austausch von Gebrauchsgegenständen und Dienstleistungen, andererseits in der Angleichung der verschiedenen Verhaltenserwartungen.

Versuche der Aneignung von räumlichen und gegenständlichen Ressourcen schließen Lernprozesse auf verschiedenen Ebenen ein:

- Gelingt es, die Eigentümer zur Bereitstellung sozialer Infrastruktur zu bewegen, Mieterhöhungen zu verhindern, Freiflächen für den Gemeinbedarf zu erhalten?
- Aktivitäten einer zweiten Stufe versuchen in Form von kollektiv organisierten Angeboten Versorgungslücken auszufüllen. Dazu gehört die Einrichtung eines Konsumvereins zur kostengünstigen Belieferung mit Lebensmitteln, als Kompensation für Fehlendes, als Gegenmacht für einen Wucherladen. Komplementäre Maßnahmen zur Sicherung von Lebensmöglichkeiten haben in Neubaugebieten die Aufgabe, selbstorganisierte Alternativen zu entwickeln.
- Weitere Maßnahmen zur Absicherung und Entwicklung von Lebensmöglichkeiten liegen in den Hilfen zur Rekonstruktion von Beziehungssystemen wie Nachbarschaften.

– Die Substituierung von familialen Strukturen – etwa im Erziehungsbereich –, ohne diese als familiale zu wiederholen, fällt ebenfalls in diesen Zusammenhang: die in den Familien zu leistenden Anstrengungen zur materiellen Daseinssicherung lassen im alltagspraktischen Bereich, in der emotionalen Entwicklung und bei Prozessen kognitiver Erfahrungen und Lernleistungen Lücken und Rückentwicklungen entstehen, die ohne Hilfe von „außen" nicht aufgefangen werden können.

Kompensatorische Formen administrativer Intervention verstehen sich als Sicherung von Lebenszusammenhängen dort, wo Lohnarbeit dies nicht hinreichend gewährleistet.

Die Besiedelung eines Neubaugebietes ist von typischen Formen der sozialen Auseinandersetzung begleitet. Ein Neubaugebiet ist ein Immigrationsgebiet: Hunderte von Haushalten werden innerhalb kurzer Zeit in ein neuerschlossenes Gebiet umgesiedelt, Gruppen verschiedener Kulturtraditionen werden dadurch in neue Lebenszusammenhänge gezwungen. Die Vereinzelung der Immigranten verdeckt jedoch nicht, daß die Immigration in Schüben stattfindet, die zeitlich und räumlich unterschiedliche Strukturen zum Ausgangspunkt haben. Die innerhalb einer Siedlung vorfindbaren Reproduktionsformen unterscheiden sich nach der Herkunft der Bewohner. Erworbene Verhaltensweisen müssen ihre Nützlichkeit unter Beweis stellen. Sind Kenntnisse über den Umgang mit Institutionen und Normen vorhanden, ist ihre Aneignung vorbereitet, oder führt das Fehlen derselben zu dauernden Konflikten?

Kulturtraditionen sind konstituierende Momente menschlichen Zusammenlebens und werden über die Organisationsprinzipien Familie, Verwandtschaft und Nachbarschaft vermittelt. Damit sie zur Herausbildung sozialer Identität führen, müssen sie sich in den jeweiligen Lebenszusammenhängen entweder ungebrochen durchsetzen oder verändern. In allen Kulturtraditionen sind Momente der Klassengeschichte eingelagert, die über Sozialisations- und Berufserfahrungen vermittelt werden.

Jede Neubausiedlung ist als erzwungenes Nebeneinander unterschiedlicher Kulturtraditionen anzusehen: der Versuch, sich an die räumlich-materiellen Bedingungen im Neubaugebiet anzupassen, kommt zum Ausdruck in der Konkurrenz der verschiedenen Bevölkerungsgruppen.

Kulturtraditionen lassen sich zu Typen verdichten. Über diese versuchen wir, die Grenztragfähigkeit von Familien in einem Gebiet zu bestimmen: welche bleiben, welche ziehen aus.

Auf der Synchronisierung von Kulturtraditionen, die an verschiedenen Orten entstanden sind, sich in einer Siedlung, einem Block, einem Haus treffen, basiert das Zustandekommen von Beziehungssystemen. Mobilitätsbewegungen in Neubaugebieten haben daher die Analyse zweier Aspekte zur Grundlage: die der wirtschaftlichen Leistungsfähigkeit und die der sozialen Verträglichkeit. Sozialökologische Analysen als Haushaltsuntersuchungen müssen die Frage einschließen, welche Haushaltstypen sich in einem Wohngebiet als überlebensfähig erweisen, welche Lernleistungen und Ressourcen notwendig sind, um Familien reproduktionsfähig zu erhalten.

3.3. *Exkurs: Nachbarschaft*

Uns sind keine Untersuchungen von Nachbarschaftssystemen bekannt, die den Angleichungsprozeß unterschiedlicher Kulturtraditionen nachvollziehen.
Caplow (357ff.) beispielsweise beschreibt das nachbarschaftliche Beziehungssystem in einer Universitätssiedlung studentischer Veteranen. Selektion sorgt bereits beim Einzug für eine Auswahl der Bewohner. Der Aufenthalt ist auf die Studienzeit beschränkt. Solche Entstehungsbedingungen finden wir bei der sekundären Immigration in Neubausiedlungen nicht vor. Dazu ist die Anzahl der hinzuziehenden Haushalte zu groß, zum anderen bedeutet deren Einzug erst den Beginn einer Selektion, in deren Verlauf Seßhaftigkeit, Mobilität, Auszug und Haushaltsauflösungen sich ereignen können. Selektion und Entstehung von Nachbarschaft finden parallel statt. *König* bemerkt dazu, daß ,,die Großstadt ein ausgesprochener Vollzugsort für Nachbarschaft sei. Wir denken hier an die Parallele zur Familiensoziologie, welche deutlich das Fortbestehen weiterer Verwandtschaftskreise auch in großstädtischen Milieu zeigte, nur daß Verwandtschaft heute nicht mehr etwas quasi natürlich Zugefallenes darstellt, sondern das Ergebnis von Entscheidungsprozessen sei, in deren Verlauf ausgemacht wird, mit wem verwandtschaftliche Beziehungen gepflegt werden. Im gleichen Sinne ist Nachbarschaftsbeziehung Ergebnis eines Selektionsprozesses, der nach den verschiedensten Gesichtspunkten ausgerichtet sein kann" (*König* 1969).
Der zur Bildung von Nachbarschaften im städtischen Raum führende Entscheidungsprozeß weist also Strukturähnlichkeiten mit dem der Bildung und Aufrechterhaltung von verwandtschaftlichen Beziehungsmustern auf: Nachbarschaft als kleinste regionale Gruppe aus einer Anzahl Familien bestehend und als größte Primärgruppe, vergleichbar der Familie oder der Spielgruppe in ihrer Sozialisationsfunktion.
In der Bildung von Nachbarschaften müssen organisierende Momente wirksam werden, die sich auch im Rahmen von Verwandtschaftsbeziehungen entfalten. Räumliche Nähe ist eine zwar notwendige, aber keine hinreichende Bedingung von Nachbarschaftsbildung.
Wir finden in Neubaugebieten Familien, die zu einer Nachbarschaft gehören und räumlich eng beieinander wohnen. Bei diesen Familien ähnelt der kleinräumige

Lebenszusammenhang segregierten Inseln, die aber nicht unbegriffen in bloßer Ausgrenzung steckenbleiben. In ihnen wird ein systematischer Erfahrungszusammenhang ausgebreitet, der auch die sinnlich wahrnehmbaren Qualitäten ganzer Stadtviertel bestimmen kann.
Die Chinatowns amerikanischer Großstädte ebenso wie das Türkenviertel in Berlin-Kreuzberg richten nicht nur sichtbare Grenzen zu benachbarten Wohngebieten auf, sondern sind ebenso geprägt von charakteristischen Gerüchen und Geräuschen. Die Synchronisation von Kulturtraditionen schließt die einzelne Familie an ein soziales Leistungssystem an und stellt ein umfassendes, ganzheitliches Erfahrungsfeld lebensgeschichtlicher Zusammenhänge dar, bei dem der einzelne Haushalt notweniger Bestandteil eines organisierten Lebenszusammenhanges wird.
Davon lassen sich hochmobile Beziehungsgruppen abheben, für die räumliche Nähe keine Rolle spielt. Hier wird es wichtig, Beziehungen zu funktionalisieren, sie arbeitsteilig zu organisieren und das emotionale Moment von Erfahrungen auf die Familie oder auf eine der Familie beigeordnete Person zu reduzieren.
Über das nachbarschaftliche Netz werden Möglichkeiten erschlossen, sich in einer fremden Umgebung zurechtzufinden. Der einzelne Haushalt ist nicht mobil genug zu erfahren, wo günstige Einkaufsmöglichkeiten und Arbeitsgelegenheiten vorhanden sind. Soziale Organisation, die Haushalte unter schwierigen Bedingungen überlebensfähig hält, folgt einer doppelten Funktion: durch sie müssen ökonomische Ressourcen verfügbar gemacht werden und die Vermittlung muß über Kanäle erfolgen, die richtig angeschlossen sind.

3.4. *Bestimmungen von Haushaltstypen*

Untersuchungen zur Entstehung und zur inneren Struktur von Nachbarschaft dürfen sich nicht darauf beschränken, die Vermittlung verschiedener Kulturtraditionen und die Nutzung lebenserhaltender Ressourcen zu erforschen, sondern müssen die ökonomische Belastung der Haushalte miteinbeziehen. Zuzüge und Wegzüge in Neubaugebieten erscheinen nur dann als zufällig, wenn die Mietbelastung der einzelnen Haushalte nicht berücksichtigt wird.

Im folgenden werden Haushaltstypen beschrieben, die über Möglichkeiten verfügen, in Neubaugebieten seßhaft zu werden:
a. Haushalte, deren Einkommen nicht über Lohnarbeit sichergestellt wird. Wohnbaugesellschaften sind in der Regel leicht bereit, Wohnungen an Sozialhilfeempfänger zu vermieten, da so keinerlei Schwierigkeiten bei der Mietzahlung zu erwarten sind. Diese Haushalte – selber wenig beweglich – sind auf Kontakte zu mobilen Personen angewiesen. Dies führt zu hohen Besucherfrequenzen, die – ergänzt um zahlreiche Kinder – den Geräuschpegel im jeweiligen Haus entscheidend

ansteigen lassen: Ärger mit Nachbarn wird unausweichlich. Gelingt es diesem Haushaltstyp nicht, sich durchzusetzen – durch Einschüchterung der übrigen Bewohner, durch verstärktes Einziehen von befreundeten Familien in die nähere Umgebung, die dann den Kern einer Nachbarschaft bilden und die anderen Bewohner allmählich verdrängen – dann muß die Familie früher oder später ausziehen.
Wichtig: Auszugsgrund ist nicht die fehlende Mietzahlungsfähigkeit. Können diese Familien Ärger vermeiden, sind sie relativ dauerhafte und sichere Mieter.
b. Haushalte, die ihre materielle Reproduktion durch Lohnarbeit sicherstellen.
b.a Der lohnarbeitende Interaktionspendler
Familien, die diesem Typ zuzurechnen sind, kommen aus Wohngebieten, in denen ein wesentlich niedrigerer Wohnungsstandard vorherrscht als in Neubaugebieten des sozialen Wohnungsbaus. Wesentlicher Zuzugsgrund war die Wohnungsverbesserung. Diese Familien haben sich einen intensiven Kontakt zu Verwandten oder ehemaligen Nachbarn in ihrem alten Wohngebiet erhalten. Ihn zu stabilisieren, ist der Besitz eines Autos unumgänglich.
In ihrer kulturtraditionellen Ausrichtung ist der solidarische Aspekt stark vorhanden: Bewohner dieses Typs organisieren sich in Nachbarschaften, in Initiativen im Wohngebiet. Die Reproduktion ist zwar über den Arbeitslohn gesichert, aber ständig gefährdet, da in der Regel die Mietbelastung und Mietnebenkosten schneller steigen als der Lohn.
b.b Haushalte mit regional diffuser Mobilität
Solche Familien verfügen weder über Nachbarschaftsbindungen im Neubaugebiet, noch über traditionelle Kontakte zu den Herkunftsgebieten. Sie sind die Inkarnation des Mietvertrages, da sie außerdem über ein Einkommen verfügen, das auch gravierende Mieterhöhungen verkraftet. In ihrem Sozialverhalten entsprechen sie den Bestimmungen der Hausordnung. Aus dem Wohngebiet wird dieser Haushaltstyp nicht ausgeschieden, er scheidet freiwillig aus.

Aus dem Prozeß der Immigration und Verdrängung lassen sich also Haushaltstypen ableiten, die es erlauben, die Interventionspunkte der Sozialverwaltung genauer zu bestimmen:
- Interventionen, die das materielle Überleben einzelner Haushalte gewährleisten;
- Interventionen, die unmittelbare Ressourcen im Gebiet erschließen oder eine bereits vorhandene Nutzung derselben absichern helfen;
- Interventionen, die sozialpolitische Initiativen zur Verbesserung der Lebensbedingungen im Gebiet in Gang setzen und stabilisieren.

3.5. *Administrative Intervention – Methodische Überlegungen zu sozialökologisch orientierten Möglichkeiten des Verwaltungshandelns*

Bei unseren bisherigen Versuchen (*Bourgett et al.* 1978), die sozialräumliche Differenzierung innerstädtischer Lebenswelten empirisch zu erfassen, bedienten wir uns einer Methode, die im Kontext der Chicagoer Schule ihre wissenschaftliche Produktivität hinreichend erwiesen hat. Bei der Untersuchung Wiesbadens haben wir uns im wesentlichen an das von *Shevky* und *Bell* formulierte Forschungsinstrumentarium angelehnt (*Shevky/Bell* 1965). Abweichungen sind begründet in einer stärkeren Gewichtung der historischen Qualität empirischer Daten und in einer genaueren Zielgruppendefinition: Es war uns weniger darum zu tun, städtische Lebensbedingungen allgemein darzustellen, als die Lebensbedingungen der Bevölkerungsgruppen zu erfassen, aus denen sich die Klientel der Sozialverwaltung rekrutiert.

Dazu haben wir die Indikatoren ,,Soziale Position und ,,Segregation" übernommen, den Indikator ,,Verstädterung" durch ,,Administrative Intervention" ersetzt.

Die Konstruktion des Verstädterungs-Indikators ist bei *Shevky* und *Bell* forschungsmethodisch inkonsequent: während sie ,,Soziale Position" und ,,Segregation" allein aus gesellschaftlichen Strukturdaten zusammensetzen, werden diese zur Bestimmung des Verstädterungs-Indikators mit den Ergebnissen von Einstellungsuntersuchungen kombiniert. *Shevky* und *Bell* gehen also von der Annahme aus, daß die Anpassung an städtische Lebensbedingungen dadurch gemessen werden kann, daß die Subjekte befragt werden, wieweit sie sich angepaßt fühlen. Die Aussagen der Subjekte lassen jedoch keine sicheren Rückschlüsse zu, welche Potentiale sozialen Wandels faktisch vorhanden sind, da es forschungslogisch keine Möglichkeit gibt, subjektive Einstellungen zu gesellschaftlichen Strukturdaten fortzuentwickeln.

Demgegenüber haben wir versucht, das Ausmaß erfolgter Anpassung an städtische Lebensbedingungen negativ eindeutig zu bestimmen, um einen Indikator für den Verlust selbstorganisierter Lebensbereiche zu erhalten. Im Ausmaß der festgestellten ,,Administrativen Intervention" spiegeln sich unzureichende Anpassungsleistungen von Familien an großstädtische Lebensbedingungen wider. Diese aus der Jugend- und Sozialhilfe verwendeten Daten erlauben es jedoch noch nicht, die Ursache historischer Regression im Einzelfall herauszuarbeiten oder deren Erscheinungsformen zu differenzieren. Sie ermöglichen vorerst nur, die verschiedenen städtischen Wohnquartiere vier empirischen Kategorien zuzuordnen:

Indikatorenbereich I

Wohnquartiere mit deutlicher Häufung ,,Administrativer Intervention", die eine geringe ,,Grenztragfähigkeit" der einzelnen Haushalte signalisieren und Selbstorganisation tendenziell einschränken. Zudem sind diese Wohnquartiere gekennzeichnet durch hohe Wohndichte, schlechte Bausubstanz und eine Konzentration von alten Bewohnern und Ausländern.

Indikatorenbereich II
Wohnquartiere mit ebenfalls überdurchschnittlicher Anzahl von Fällen der Sozialverwaltung. Der Ausländeranteil ist gering, die Bausubstanz der Häuser und die Ausstattung der Wohnungen entspricht den Vorschriften des sozialen Wohnungsbaus. In diesen Gebieten scheinen die aktuellen Lebensumstände die Möglichkeiten der Haushalte ökonomisch und sozial so stark einzuschränken, daß Zukunftssicherung nur dann gewährleistet werden kann, wenn die Verfügungsmöglichkeiten über soziale und gegenständliche Ressourcen erweitert werden können.
Indikatorenbereich III
Darunter fallen Wohnquartiere mit relativ niedriger „Administrativer Intervention", veralteter Bausubstanz und zunehmendem Ausländeranteil. Da sich die soziale Position der Bewohner nur unwesentlich von der der Bewohner im Indikatorenbereich I und II unterscheidet, muß es der dort ansässigen Bevölkerungsgruppe gelungen sein, sich durch nachbarschaftliche Organisation unmittelbare Ressourcen verfügbar zu machen.
Wohngebiete dieses Bereichs bestehen aus alten Ortsteilen, die eingemeindet wurden, sich in ihrer sozialen Struktur aber nur langsam verändert haben. Wesentliche Erkenntnis aus der Analyse dieses lebensweltlichen Zusammenhangs: Armut und niedrige soziale Position müssen nicht in soziale Desorganisation umschlagen.
Indikatorenbereich IV
Wohnquartiere mit niedriger „Administrativer Intervention": ehemalige, eingemeindete Bauerndörfer und die angestammten Wohnsitze der städtischen Mittel- und Oberschicht.

Die Methode der Indikatorenerhebung nach dem Jugendbericht ermöglicht zwar eine Gliederung der Quartiere nach lebensweltlichen Gesichtspunkten, erfaßt die ökologische Qualität der einzelnen Wohnbereiche jedoch nur ungenügend. Das hat seine Gründe in der Einteilung der statistischen Bezirke und den zur Verfügung stehenden Zahlen der Volkszählung, des Mikrozensus und der Gebäude- und Wohnungszählung.
Immerhin erlauben die Indikatorenbereiche eine gezielte Forschung in den städtischen Bereichen, die durch ihre Interventionsschwerpunkte der Sozialverwaltung anzeigen, daß soziale Desorganisation dort nicht aufgefangen und selbstorganisierte Lebensverhältnisse nicht entwickelt werden konnten. Damit ist in erster Linie der Indikatorenbereich II angesprochen, in dem nahezu sämtliche Wohngebiete des sozialen Wohnungsbaus versammelt sind.

3.6. *Die Wohngebietsanalyse*

Innerhalb des Indikatorenbereichs II läßt die Siedlung Schelmengraben – in der etwa 6500 Personen wohnen – sämtliche anderen Neubaugebiete bezüglich des Indikators ‚Administrative Intervention' weit hinter sich. In dieser Siedlung sind

viele Haushalte aus Obdachlosenquartieren und der Innenstadt umgesiedelt worden. Dazu kamen Exilierte aus anderen Siedlungen des sozialen Wohnungsbaus. Im Zusammenhang gesamtstädtischer Wanderungsbewegungen fungiert die Siedlung Schelmengraben als Endstation. Familien, die hier nicht seßhaft werden, werden abgeschoben in Obdachlosensiedlungen, in Heime und andere Einrichtungen umfassender institutioneller Lebensführung.
Zur Untersuchung dieser Siedlung stehen uns nicht in dem Ausmaß statistische Daten zur Verfügung, wie sie beim Jugendbericht noch greifbar waren. Wenn es darum geht, festzustellen, welche Familien von Verdrängung und Rückzug bedroht sind, wo sich bereits Interventionsschwerpunkte, Zwangsgemeinschaften und Segregationen gebildet haben, müssen Untersuchungsmethoden gefunden werden, die es erlauben, den Umfang sozialer Desorganisation zu messen.

Zur Orientierung seien die problemerzeugenden Strukturmerkmale von Neubausiedlungen des sozialen Wohnungsbaus zusammengefaßt.

Erstens: anscheinend regellose Mischung verschiedener sozialer Schichten
Da Vermittlungsformen und Inhalte bei verschiedenen sozialen Schichten variieren, kann soziale Heterogenität dazu führen, daß Handlungsweisen und Interaktionsformen von Personen, die in unmittelbarer Nachbarschaft wohnen, füreinander unverständlich bleiben, Vermittlung also durch Konkurrenz ersetzt wird. „Für das Individuum spiegelt die soziale Heterogenität das Ausmaß an Konkurrenz wider, dem es ausgesetzt ist." (*Mayer* 1977, 186).

Da Nachbarschaft durchsetzt ist vom Austausch unbezahlter Dienstleistungen, steigt deren Bedeutung mit sinkender sozialer Schicht. Da sie zudem auf Gegenseitigkeit beruht, setzt dies voraus, daß die Partner annähernd gleichermaßen auf sie angewiesen sind. Damit wird soziale Homogenität zur notwendigen Voraussetzung von Nachbarschaft in Neubaugebieten.

Zweitens: Segregation der verschiedenen Altersgruppen
Mit der Trennung der verschiedenen Altersgruppen voneinander ist der Verlust genealogischen Wissens notwendig verbunden, womit entscheidende lebensgeschichtliche Erfahrungen unvermittelbar werden. Homogene Altersstrukturen sind also keineswegs günstige Voraussetzungen von Nachbarschaft, sondern eher ein Phänomen von Hospitalisierung, die ihrerseits zur Vernichtung von Geschichte beiträgt.

Drittens: Fehlen einer kleinräumigen Infrastruktur
Vermittlung ist nicht bloß eine erkenntnistheoretische Kategorie, sondern notwendiges Strukturelement des Alltagslebens. Damit sie stattfinden kann, bedarf es der elementaren räumlichen und zeitlichen Voraussetzungen, die für sämtliche Lebensvollzüge konstituierend sind. Das üblicherweise völlige Fehlen sozialer Infrastruktur sorgt dafür, daß lebensgeschichtliche Vermittlungen nicht stattfinden können, weil sie keinen Ort haben.

Viertens: Verhinderung selbstorganisierter Lebenswelt
Die Bedeutung funktionierender Nachbarschaftssysteme wird in Neubaugebieten noch dadurch gesteigert, daß sich durch die hohe Mietbelastung die finanzielle Situation von Familien mit niedrigem Einkommen dramatisch zuspitzt.

Dies erzeugt entweder eine zunehmende Orientierung einzelner Familienmitglieder auf nicht-legale Organisationsformen oder die Internalisierung von Konflikten im Binnenraum der Familie bis zur Pathologie einzelner Verhaltensmuster, wodurch deren Erziehungsleistung entscheidend geschwächt wird.

Die Lebensbedingungen in Neubausiedlungen sind bisher mit Hilfe standardisierter Fragebögen und Einstellungsuntersuchungen erforscht worden; dabei wurde angenommen, daß so verschiedene Formen individueller Erlebnisverarbeitung annähernd ungebrochen zum Vorschein kommen. Diese Methoden unterliegen jedoch einer zweifachen Verkürzung:
In der Annahme, durch unmittelbare Befragung der „Betroffenen" entginge man der Falle objektivistischer Verdinglichung, die – so wird unterstellt – immer dann unweigerlich zuschnappt, wenn allein sozialstatistische Daten zugrundegelegt werden, erliegt man desto gründlicher der Gefahr subjektivistischer Bedeutungslosigkeit.
Da Formen der Erlebnisverarbeitung abhängig sind vom Inhalt des Erlebten, müssen die objektiven, sozialstatistisch erfaßbaren Lebensbedingungen ebenso Gegenstand der Untersuchung sein wie die Reaktionen der Subjekte.
Die Beantwortung standardisierter Fragen läßt zwar Rückschlüsse auf bestimmte Formen der Erlebnisverarbeitung zu, jedoch nicht auf die Verarbeitung von Alltagserfahrungen, sondern allenfalls auf die Verarbeitung der Befragungssituation. Wenn empirische Sozialforschung versucht, den Gegenstand ihres Interesses so gezielt wie möglich anzugehen, um assoziierende Interventionen bei den Befragten auszuschließen, entfernt die Einengung der Problemstellung den Gegenstand der Befragung jedoch aus dem Kontext des Befragten.
„Traditionell bezeichnet Meinung im allgemeinen die Bewußtseinsinhalte eines Menschen, ohne daß dabei über deren Wahrheit oder Unwahrheit geurteilt würde . . . Beide Typen von Urteilen sind aber nicht nur nach einem vom Meinen Unabhängigen, dem objektiven Gehalt voneinander verschieden, sondern auch der inneren Struktur nach; in dem einen Urteil liegt eine adäquate Beziehung auf den Sachverhalt, in dem anderen nicht. Die Akte des Meinens selber variieren dementsprechend; im ersten Fall sind es echte Synthesen, logisch legitime Operationen der Erfahrung, im zweiten überwiegen psychologische, wenn nicht pathogene Determinanten . . . Der Meinungsbegriff der üblichen Meinungsforschung, der sich selbst wissenschaftlich voraussetzungslos dünkt, setzt in Wahrheit eine nominalistische Erkenntnistheorie voraus. Er operiert mit einem subjektiven Wahr-

heitsbegriff, ohne auch nur das Problem des objektiven zu visieren. Die Objektivität, auf die er sich soviel zugute tut, ist nichts anderes als ein aus solchen Subjektivitäten abstrahiertes Allgemeines, gleichsam der Generalnenner der Meinungen ohne Rücksicht auf ihre objektive Stimmigkeit." (*Pollock* 1955, 18)

Um das Spektrum lebensweltlicher Erfahrungen erfassen zu können, bieten sich uns drei verschiedene Zugangsmöglichkeiten:

1. Kleinräumige, gesellschaftliche Strukturdaten;
2. Entschlüsselung der gegenständlichen Spuren, die die Bewohner beim Versuch, sich ihre neue Umwelt anzueignen, hinterlassen haben;
3. Sammlung sämtlicher nebeneinander existierender Daten durch Expertenbefragung. Zu den Experten zählen Sozialarbeiter, Erzieher, Lehrer, kirchliche Mitarbeiter, Mitglieder von Initiativgruppen, im Gebiet arbeitende Therapeuten, Altenpfleger, Polizei, Wach- und Schließgesellschaft, Vertreter der Wohngesellschaft, organisierte Bewohner.

Das Untersuchungsprogramm soll folgende Erkenntnisse ermöglichen:

- Welche Veränderungen ergeben sich aus der ökonomischen Situation der Familien?
- In welchem Zustand sind die sozialen Beziehungssysteme?
- Welche familiären Strukturveränderungen lassen sich feststellen?
- Welche Haushaltstypen finden im Gebiet Lebensmöglichkeiten?
- Wie wirkt sich die Struktur des Neubaugebietes auf die Sozialisation der Kinder aus?

3.7. *Sozialisationsfähigkeit und Qualifikation*

Um Auswirkungen auf die Sozialisation von Kindern zu bestimmen, sind Erkenntnisse über die Struktur des Wohngebietes ebenso notwendig wie Einsichten in das Verhältnis von Familienform und Erziehungsleistung. Wir werden uns im Folgenden darauf beschränken, dieses Thema genauer zu entfalten, weil die Interventionen der Sozialverwaltung sich weitgehend unmittelbar auf Familien richten, Interventionsarten aber kaum begrifflich bestimmt werden konnten.

Familien sind soziale Einheiten zur Organisation elementarer Beziehungen. Ihre wesentlichen gesellschaftlichen Funktionen sind die der Sicherung der materiellen Lebensmöglichkeiten und die der Vergesellschaftung des familiären Individuums. Die ökonomischen Funktionen sind aufgespalten in Aufgaben der Einkommenssicherung – traditionell durch den Vater repräsentiert – und Aufgaben der produktiven Verwendung des Familieneinkommens, die von der Mutter wahrgenommen werden. Eine ähnliche Arbeitsteilung herrscht in der Übernahme von Erziehungsaufgaben: Während über die Väter Berufserfahrungen tradiert werden, sorgen Mütter für die Vermittlung normativer Orientierungen im Alltagshandeln.

Danach lassen sich Familien vorerst in zwei Gruppen unterteilen: Erstens in Familien, denen es gelingt, sowohl die Erziehungsaufgaben als auch die materielle Reproduktion so zu gewährleisten, daß öffentliche Unterstützung nicht über den Rahmen hinaus notwendig wird, der allen Familien zur Verfügung steht. Bezogen auf die materielle Reproduktion bedeutet dies die Verallgemeinerung von Lohnarbeit, bezogen auf die Erziehungsleistungen bedeutet dies die Einhaltung der allgemeinen Schulpflicht. – Zweitens Familien, die jenseits von Lohnarbeit und allgemeiner Schulpflicht beständiger Interventionen von außen bedürfen. Die folgende Darstellung (Abb. 1) geht davon aus, daß tendenziell selbstorganisierte Familien und Interventionsfamilien die beiden Extrempunkte eines Kontinuums darstellen, dessen einzelne Stufen sich nach dem Ausfall von innerfamiliären Funktionen und/oder ihrer personellen Repräsentation beschreiben lassen.

Abbildung 1: Übersichtschema Familienformen

	Beschreibung der Familienformen	Kriterium Rollenträger	Kriterium Funktion
Familien mit tendenzieller Selbstorganisation	Form 1: Komplementäre Familie	alle vorhanden	alle erfüllt
	Form 2: binnen-kompensierende Familie	nicht alle vorhanden	von anderen Familienmitgliedern wahrgenommen
	Form 3: Extern kompensierende Familie	nicht alle vorhanden	von außerfamiliären Rollenträgern anderer Haushalte wahrgenommen
Familien mit tendenzieller Desorganisation	Form 4: kumulierende Familie	alle vorhanden	teilweise ausgefallen
	Form 5: Interventions-familie	nicht alle vorhanden	teilweise ausgefallen; öffentlich ersetzt

Familienform 1: *die komplementäre Familie*
Die personellen Repräsentanten innerfamiliärer Funktionen sind vollständig vorhanden und erfüllen ihre Aufgabe in der traditionellen Form der Arbeitsteilung. Bezogen auf die Kinder bedeutet dies, daß sie den Anforderungen der allgemeinen Schulpflicht regelmäßig nachkommen. Für die Eltern ergeben sich vor allem die Aufgaben der Erziehung und Versorgung.

Familienform 2: *die binnen-kompensierende Familie*
Hier sind die personellen Repräsentanten bestimmter Funktionen teilweise ausgefallen; diese werden aber dennoch vollständig erfüllt, weil andere Familienmitglieder sie mitübernehmen. Dies kann bedeuten, daß die Mutter Vaterfunktionen übernimmt – oder umgekehrt. Oder daß elterliche Funktionen an Kinder delegiert werden.
Diese Familienform unterscheidet sich von der ersten durch ihre geringere Grenztragfähigkeit.

Familienform 3: *die extern kompensierende Familie*
Der einzige Unterschied zur Familienform 2 besteht darin, daß der Ausfall innerfamiliärer Funktionsträger nicht innerhalb der Familie kompensiert wird, sondern durch Personen aus Nachbarschaft oder Verwandschaft.
Diese Familie ist dann gefährdet, wenn ihre entscheidenden Ressourcen in der Nachbarschaft verankert sind und diese durch räumliche Mobilität zerstört wird.

Familienform 4: *die kumulierende Familie*
Hier sind sämtliche innerfamiliären Rollenträger vorhanden, nehmen jedoch ihre Aufgaben ganz oder teilweise nicht wahr, d. h. der ausfallende Teil verschärft durch sein Verhalten die zu kompensierenden Schwierigkeiten. Erscheinungsformen bei Arbeitslosigkeit des Mannes: Feudalisierung der Familienstruktur, exzessiver Alkoholismus.
Kumulierende Familien zeichnen sich aus durch drastisch sinkende Sozialisationsleistungen, die sich in der Sonderschulquote niederschlagen. (Dies ist allerdings ein sehr unscharfer Index: Hohe Sonderschulquoten müssen nicht verursacht sein durch defizitäre Familienformen, sondern können ebenso gut zurückzuführen sein auf den Zustand der materiellen Lebensbedingungen (Armutsphänomene), auf die Stigmatisierungsbereitschaft der jeweiligen Grundschulen, und auf historisch überlebte Verhaltensorientierungen der Bevölkerung. Außerdem werden in diesen Familien Ehescheidungen oder Trennungen der Ehepartner gehäuft auftreten.

Familienform 5: *die Interventionsfamilie*
Hier sind sowohl die Rollenträger als auch die Funktionen ganz oder teilweise ausgefallen. Damit wird es notwendig, durch administrative Maßnahmen Funktionen des familialen Kontextes dauerhaft zu ersetzen; dies bedeutet schließlich, die Überleitung der Kinder in familienersetzende Sozialisationsorte vorzubereiten und durchzuführen (Heimeinweisungen).

3.8. *Ökologische Gesichtspunkte bei der Arbeit des Bezirksfürsorgers*

Ist der Wiesbadener Jugendbericht dargestellt worden als eine Möglichkeit zur sozialräumlichen Analyse einer Stadt, wurde dies im weiteren ergänzt durch Erläuterungen des Zustandes und der Entwicklungsmöglichkeiten eines Wohnquartiers im sozialen Wohnungsbau, so soll als inhaltliche Weiterführung für die Arbeit eines Bezirksfürsorgers aufgezeigt werden, daß ökologische Vorgehensweisen eine bis zum Individuum reichende Methode der Problembehandlung im sozialen Bereich darstellen und es erlauben, verschiedene Ebenen der Problemintervention zu kennzeichnen.

Sind Organisationsgrundlagen sozialarbeiterischen Handelns nicht lebensweltorientiert aufgebaut, so werden Sozialarbeiter notwendig in defensive Positionen abgedrängt und im Rahmen kumulativer Strategien der Sozialverwaltung instrumentalisiert. Bürokratisch dominierte Organisationsformen der Sozialarbeit zwingen zur Abwehr von Problemen durch Vereinzelung, Schuldzuschreibung und letztlich anstaltsmäßiger Unterbringung.

Ökologisch gesehen (= lebensweltorientiert) müssen sozialarbeiterische Interventionen sich als Teil einer Interventionskette begreifen und einordnen lassen, die außerinstitutionell beginnt und danach in den Handlungsbereich von Sozialarbeitern fällt.

Ihre Interventionsmöglichkeiten erscheinen als eine hierarchische Ordnung von Interaktionen, die sich als Interaktionsgrade sozialarbeiterischen Handelns darstellen lassen. In Abb. 2 gehen wir von fünf Interventionsgraden aus, die sich inhaltlich voneinander abgrenzen lassen.

Unter sozialökologischen Gesichtspunkten ist es Aufgabe des Sozialarbeiters, den niedrigsten Interventionsgrad möglichst lange beizubehalten. Folglich sind Formen der Arbeitsorganisation zu entwickeln, die den Übergang zu höheren Interventionsgraden erschweren, aber auch die Flucht in die Interventionsvermeidung verhindern. Letzteres ist nur möglich, wenn Sozialarbeiter für ihre Klienten erreichbar sind, ohne daß diese zu nennenswerter räumlicher Mobilität gezwungen sind.

Der Übergang zu höheren Interventionsgraden wird dann erschwert, wenn es gelingt, ihn mit steigender Arbeitsbelastung zu verbinden. Die ‚Routineschwelle' begrenzt jene Maßnahmen, die vom jeweiligen Sozialarbeiter selbst durchgeführt werden können. Die ‚Diskussionsschwelle' – zwischen dem Interventionsgrad 3 und 4 angesetzt – bezeichnet den Punkt, an dem Sozialarbeiter nur tätig werden dürfen, wenn über die durchzuführenden Maßnahmen innerhalb von Arbeitsgruppen Konsens erzielt wurde.

3.9. *Schwierigkeiten bei der kommunalen Forschungsarbeit*

Sozialverwaltung im bürgerlichen Staat hat nicht nur Maßnahmen zur Erhaltung der Massenloyalität zu entwickeln und durchzuführen, sondern muß deren politische Verwertung stets mitreflektieren. Offensichtlich haben die Darstellungen, Analysen und Thesen des Jugendberichts Verhältnisse aufgedeckt, die besser verborgen geblieben wären.

Abbildung 2: Interventionsgrade sozialarbeiterischen Handelns

	Arbeitsschritt	Klasse der Maßnahmen	Zuordnungen
(1)	Erhebung der persönlichen Daten	Maßnahmen zur Einschaltung von Institutionen der unmittelbaren Lebenswelt	Nachbarschaft Verwandschaft Familie
(2)	Erhebung der persönlichen Daten	Maßnahmen zur Vermittlung von allgemeinen Bedingungen der materiellen und physischen Existenzsicherung	Kranken-, Renten- u. Arbeitslosenvers., ärztl. Untersuchung u. Behandlung Wohnungsvermittelung
	ROUTINE-SCHWELLE		
(3)	Erhebung zusätzlicher biografischer Daten	Maßnahmen der Vermittlung kompensatorischer Erziehungsprozesse Ebene der besonderen Maßnahmen	Therap. Maßnahmen f. Behinderte, Legastheniker usw. pädagog. Maßnahmen in Krippe, Kindergarten, Hort, Erziehungsberatung
	DISKUSSIONSSCHWELLE: EINSCHALTEN DER ARBEITSGRUPPE		
(4)	Falldiskussion	dauerhafte Einschränkung oder Ersatz von Einzelbereichen der Lebenswelt	Hilfe zum Lebensunterhalt, Obdachlosensiedlung, Sonderschule, Altenpflegeheim, Amtspflegeschaft, freiwillige Erziehungshilfe (FEH)
(5)	Falldiskussion	Institutionalisierung sämtlicher Lebensvollzüge, totale Auschaltung alternativer Lebensmöglichkeiten (Lebenswelt = Fallwelt)	Heim Haftanstalt psychiatrische Anstalt

Wurde der ‚Jugendbericht' noch 1976 von der Wiesbadener Stadtverordnetenversammlung als Grundlage für die weitere Arbeit im Bereich des Sozialdezernats zustimmend verabschiedet, so zeigte bereits damals ein nicht argumentativ geführter, sondern auf die Verfasser zielender Disqualifikationsprozeß, daß mit dem Bericht Interessen berührt wurden, die für einen Teil der Kommunalpolitiker nicht öffentlich dargestellt werden durften. Leider verfuhr die Kritik von einem Teil der akademischen Kollegen ebenso negatorisch. Der fruchtlose Streit um Formeln oder um Formen der Beteiligung von Jugendlichen ließ die aufklärende Funktion des Berichts weitgehend ungenutzt.
Ein Jahr später – inzwischen hatten die Kommunalwahlen die Mehrheitsverhältnisse in den politischen Körperschaften verändert – gab es einen erneuten Beschluß in Sachen Jugendbericht: der Bericht wurde mehrheitlich abgelehnt und darf seitdem nicht mehr als Grundlage der Weiterarbeit verwendet werden.

Fazit: Das Einbringen sozialwissenschaftlicher Erkenntnisse scheint für einen Teil der bürgerlichen Politiker gefährlich, weil es deren ideologische Positionen als empirisch haltlos entlarvt; indes linke Kritiker ihn für technokratisch halten, weil die Artikulation unmittelbarer Bedürfnisse nicht zur allein seligmachenden Richtschnur für das Handeln der Sozialverwaltung gekürt worden ist. Daß solche Berichte nicht das tatsächliche Verwaltungshandeln darstellen, sondern nur für eine bessere Praxis den Weg bahnen können, scheint immer noch eine weitgehend private Erkenntnis zu sein. Daran wird sich solange wenig ändern lassen, wie sich akademische Sozialwissenschaftler auf begriffliche Denunziationen der Sozialarbeit beschränken, ohne über Erfahrungen in deren Arbeitsfeldern zu verfügen.

Literatur

Al-Wardi, A.
1972. Soziologie des Nomadentums. Neuwied: Luchterhand.

Bargel, T./Gloy, K./Heinke, U./Presch, G./Walter, H.
1973. Beiträge zum Konzept sozialer Evaluation: Elemente und Probleme. In J. Zimmer (Hrg.), Curriculumsentwicklung im Vorschulbereich. Bd. 2, München: Piper, 56–134.

Bargel, T./Kuthe, M./Mundt, J. W.
1977. Die Indizierung von Soziotopen als Grundlage der Messung sozialer Disparitäten. In H.-J. Hoffmann-Novotny (Hrg.), Messung sozialer Disparitäten (Soziale Indikatoren, Bd. 6). Frankfurt: Campus, 1978, 43–92.

Berger, H.
1974. Untersuchungsmethode und soziale Wirklichkeit. Frankfurt: Suhrkamp.

Bloch, E.
1962. Erbschaft dieser Zeit. Gesamtausgabe Bd. 4. Frankfurt: Suhrkamp.

Bourgett, J./Preusser, N./Völkel, R.
1978. Jugendhilfe und kommunale Sozialplanung. Weinheim: Beltz.

Caplow, Th./Foreman, R.
1950. Neighborhood Interaction in a Homogeneous Community. American Sociological Review, 15, 357–366.

Cavan, R./Ranck, C.
1938. The Family and the Depression. Chicago.

Childe, G.
1975. Soziale Evolution. Frankfurt: Suhrkamp.

Crew, D.
1975. Regionale Mobilität und Arbeiterklasse. Geschichte und Gesellschaft, 1, 99–119.

Eccardus
1907. Geschichte des niederen Volkes in Deutschland. Berlin: Spemann.

Eder, K.
1976. Die Entstehung staatlich organisierter Gesellschaften. Frankfurt: Suhrkamp.
1977. Zum Problem der logischen Periodisierung von Produktionsweisen. In U. Jaeg-

gi/A. Honneth (Hrg.), Theorien des historischen Materialismus. Frankfurt: Suhrkamp, 501–523.
Fassbinder, H.
1975. Berliner Arbeiterviertel 1800–1918. Berlin: Verlag f. d. Studium der Arbeiterbewegung.
Hamm, B.
1977. Die Organisation der städtischen Umwelt. Frauenfeld: Huber.
Habermas, J.
1967. Zur Logik der Sozialwissenschaften. Philosophische Rundschau, Sonderheft.
1976. Zur Rekonstruktion des historischen Materialismus. Frankfurt: Suhrkamp.
Hinze, K.
1927. Die Arbeiterfrage zu Beginn des modernen Kapitalismus in Brandenburg-Preußen. Berlin: de Gruyter. (Nachdruck 1963).
König, R. (Hrg.)
1974. Handbuch der empirischen Sozialforschung. Bd. 4: Komplexe Forschungsansätze. Stuttgart: Enke.
Kriedte, P./Medick, H./Schlumbohm, J.
1977. Industrialisierung vor der Industrialisierung. Göttingen: Vandenhoeck.
Kuczynski, J.
1963. Die Geschichte der Lage der Arbeiter unter dem Kapitalismus. Bd. 18: Frauenarbeit. Berlin: Akad. Verlag.
Mayer, K. U.
1977. Soziale Ungleichheit und Mobilität. In W. Zapf (Hrg.), Lebensbedingungen in der Bundesrepublik. Frankfurt: Campus, 149–208.
Negt, O.
1976. Keine Demokratie ohne Sozialismus. Frankfurt: Suhrkamp.
Negt, O./Kluge, A.
1972. Öffentlichkeit und Erfahrung. Frankfurt: Suhrkamp.
Neuburg, C.
1966. Zunftsgerichtsbarkeit und Zunftverfassung. Wiesbaden: Saendig.
Petersen, K.
1972. Die Regelsätze nach dem BSHG. Kleinere Schriften des deutschen Vereins für öffentliche und private Fürsorge. Frankfurt.
Peuckert, W.-E.
1931. Volkskunde des Proletariats. Frankfurt: Neuer Frankfurter Verlag.
Pollock, F.
1955. Gruppenexperiment. Frankfurt: Europäische Verlagsanstalt.
Riehl, W. H.
1903. Die Naturgeschichte des deutschen Volkes als Grundlage einer deutschen Sozialpolitik. Bd. 4: Wanderbuch. Stuttgart: Cotta.
Shevky, E./Bell, W.
1955. Social Area Analysis. Stanford, Calif.: Stanford University Press.
Sombart, W.
1902. Der moderne Kapitalismus. 2 Bände. München: Duncker und Humblot.
Vinnai, G.
1973. Sozialpsychologie der Arbeiterklasse. Reinbek: Rowohlt.
Vobruba, G.
1978. Staatseingriff und Ökonomiefunktion. Der Sozialstaat als Problem für sich selbst. Zeitschrift für Soziologie, 7, 130–156.

Weber, M.
1924. Zur Geschichte der Handelsgesellschaften im Mittelalter. In M. Weber (Hrg.), Gesammelte Aufsätze zur Sozial- und Wirtschaftsgeschichte. Tübingen: Mohr, 312–443.
Whyte, W. F.
1955. Street Corner Society. Chicago: The University of Chicago Press (Erstdruck 1943).
Wirth, L.
1928. The Ghetto. Chicago: The University of Chicago Press. (Nachdruck 1975).
1940. The Urban Society and Civilisation. In L. Wirth (Ed.), Eleven Twenty-Six. A Decade of Social Science Research. Chicago: The University of Chicago Press, 51–63.

Asya L. Kadis/Jack D. Krasner/Myron F. Weiner Charles Winick/S. H. Foulkes

Praktikum der Gruppenpsychotherapie

Aus dem Amerikanischen übersetzt von Hans Lobner, eingeleitet von P. Kutter

problemata 90

Ihre reiche persönliche Erfahrung auf den verschiedenen Anwendungsgebieten der Gruppenpsychotherapie haben die vier Autoren zu diesem knappen Buch verdichtet, das sich durch enge Anlehnung an die klinische Erfahrung von der Kopflastigkeit der Masse der Fachliteratur unterscheidet. S. H. Foulkes †, der Doyen der analytischen Gruppentherapie im englischen Sprachraum, schrieb ein ausführliches Einleitungskapitel über die Prinzipien der analytischen Arbeit in Gruppen und beteiligte sich noch rege an der Gestaltung des Gesamttextes. Die Autoren bekennen sich zur Auffassung, daß die psychoanalytische Theorie nach wie vor die breiteste theoretische Basis für jede Gesprächspsychotherapie in Gruppen bietet. Sie beschränken sich aber nicht auf die klassische Gruppenanalyse, sondern berücksichtigen die ganze Breite des Spektrums von Typen und Strukturierungsmöglichkeiten der Gruppenarbeit.

Das »Praktikum der Gruppenpsychotherapie« erhebt keinen Anspruch darauf, die reiche theoretische und klinische Literatur, ein Ausbildungsprogramm oder gar dessen Kernstück, analytische Eigenerfahrung und Supervision, zu ersetzen. Es ist nicht mehr, aber auch nicht weniger, als eine Darstellung der wichtigsten praktischen Probleme der psychotherapeutischen Gruppenarbeit und damit ein nützliches Arbeitsinstrument, das auch dem praktizierenden Gruppentherapeuten noch Anregung bietet.

Jürgen Reese

Widerstand und Wandel der politischen Organisation

Darstellung und Analyse eines Programmkonflikts in der Münchner Stadtplanung

Dissertationsdruck 1. 283 S.

»Einer der klassisch gewordenen Problemfälle der kommunalen Planungsgeschichte ist die Grundlage dieser Studie: Der Streit um die Trassenführung des Münchner Altstadtrings, der die Sprengung der geschlossenen Architektur der Maximilianstraße und die Untertunnelung des Prinz-Karl-Palais nach sich zog. An ihr weist der Verfasser . . . auf einen der interessantesten Aspekte der gegenwärtigen soziopolitischen Szenerie hin, das Verhältnis von (bürgerschaftlichem) Widerstand und (obrigkeitlichem) Wandel, von ziviler Aktion und administrativer Re-aktion«.

Frankfurter Allgemeine Zeitung

Neuzeit im Aufbau

Darstellung und Dokumentation
Herausgegeben von Richard van Dülmen, Jörn Rüsen und Winfried Schulze

Band 1
Richard van Dülmen: Der Geheimbund der Illuminaten
Darstellung, Analyse, Dokumentation. 2., unv. Aufl. 453 S.

Band 3
Wolfgang Benz/Günter Plum/Werner Röder: Die Einheit der Nation
Diskussionen und Konzeptionen zur Deutschlandpolitik der großen Parteien seit 1945. 399 S.

Band 5
Friedrich W. Graf: Die Politisierung des religiösen Bewußtseins.
Die bürgerlichen Religionsparteien im deutschen Vormärz: Das Beispiel des Deutschkatholizismus. 441 S.

Band 6
Winfried Schulze: Bäuerlicher Widerstand und feudale Herrschaft in der frühen Neuzeit. 344 S.

Kultur und Gesellschaft

Neue historische Forschungen. Herausgegeben von Richard van Dülmen und Norbert Schindler

Band 1
Jörn Rüsen: Für eine erneuerte Historik
Studien zur Theorie der Geschichtswissenschaft. 251 S.

Band 2,1
Richard van Dülmen: Die Utopie einer christlichen Gesellschaft
Johann Valentin Andreae (1586–1654). 295 S.

Band 3
Arthur E. Imhof Hrsg.: Biologie des Menschen in der Geschichte
Beiträge zur Sozialgeschichte der Neuzeit aus Frankreich und Skandinavien. 421 S.

Band 4
Ernst Manheim: Aufklärung und öffentliche Meinung
Studien zur Soziologie der Öffentlichkeit im 18. Jahrhundert. Herausgegeben und eingeleitet von Norbert Schindler. 156 S.

Band 5
Michael Mitterauer: Grundtypen alteuropäischer Sozialformen
Haus und Gemeinde in vorindustriellen Gesellschaften. 258 S.